DU MÊME AUTEUR

Aux Éditions Gallimard

VOIR. Les enseignements d'un sorcier yaqui.

LE VOYAGE À IXTLAN. Les leçons de don Juan.

HISTOIRES DE POUVOIR.

LE SECOND ANNEAU DE POUVOIR.

LE DON DE L'AIGLE.

LE FEU DU DEDANS.

Carlos Castaneda

Voir

LES ENSEIGNEMENTS
D'UN SORCIER YAQUI

Traduit de l'anglais
par Marcel Kahn

Postface
de Jean Monod

Gallimard

Titre original :

A SEPARATE REALITY

© *Carlos Castaneda, 1971.*
© *Éditions Gallimard, 1973, pour la traduction française
et la postface.*

Castaneda est un jeune ethnologue de l'Université de Californie qui voulait consacrer sa thèse aux plantes hallucinogènes du Mexique. Il rencontre un vieux sorcier yaqui qui entreprend de lui faire comprendre les raisons de sa curiosité. C'est le début d'une longue initiation destinée à faire de l'apprenti un « homme de connaissance ». Castaneda interrompt cette expérience au bout de quatre ans et en tire la matière de son premier livre, *L'herbe du diable et la petite fumée*.

Puis, persuadé de l'importance décisive de l'enseignement du sorcier, Castaneda revient près de lui. *Voir (Les enseignements d'un sorcier yaqui)* relate le second moment de la rencontre et illustre la tendance nouvelle de l'ethnographie pour substituer à l'analyse distante et « rationnelle » un autre mode de compréhension active.

Carlos Castaneda a publié ensuite *Le voyage à Ixtlan, Histoires de pouvoir, Le second anneau de pouvoir, Le don de l'Aigle, Le feu du dedans*.

NOTE DU TRADUCTEUR

Les notes du traducteur, en bas de page, permettent au lecteur de comprendre ou de mieux définir des concepts, des termes et des pratiques propres à l'univers du sorcier qu'est don Juan, c'est-à-dire à la connaissance qu'il possède et enseigne à l'auteur de ce reportage.

La plupart du temps, une simple référence à *L'herbe du diable et la petite fumée (Une voix yaqui de la connaissance)*, premier ouvrage de Carlos Castaneda nous introduisant dans les enseignements de don Juan, suffit. En effet, ce texte et l'analyse structurale qui le suit constituent la thèse doctorale présentée par l'auteur devant l'université de Californie, campus de Los Angeles, et de ce fait contiennent des explications souvent indispensables à la compréhension de la connaissance indienne détenue par don Juan, un sorcier – certes exceptionnel – parmi tant d'autres. Ils assurent la permanence de la culture ancienne de trente millions d'Indiens, de la Terre de Feu à Point Barrows.

INTRODUCTION

Il y a dix ans, j'eus la chance de rencontrer un Indien Yaqui du nord-ouest du Mexique. Je le nomme dans ce récit : « don Juan ». En espagnol, « don » est une marque de respect. Je fis la connaissance de don Juan dans les circonstances les plus fortuites. J'étais tranquillement assis en compagnie de mon ami Bill dans la salle d'attente de la gare routière d'une ville de l'Etat de l'Arizona proche de la frontière du Mexique. Nous ne disions mot. C'était l'été, et, en cette fin d'après-midi, la chaleur était devenue insupportable. Brusquement Bill se pencha vers moi et me tapa sur l'épaule.

« Voici l'homme dont je t'ai parlé », me dit-il à mi-voix.

Il fit un signe de tête discret en direction de la porte. Un vieil homme venait d'entrer.

« Que m'avais-tu dit à son sujet ? demandai-je.

– C'est un Indien qui connaît le peyotl. Tu te souviens. »

Je me souvins que nous avions naguère, Bill et moi, pendant une journée entière circulé en voiture pour tenter de découvrir la maison d'un Indien du Mexique, un « excentrique », qui vivait dans la région. Nous n'avions pas trouvé sa maison, et j'avais eu la ferme impression que les Indiens nous avaient délibérément mal dirigés. Bill prétendait que l'homme était un *yerbero*, c'est-à-dire quelqu'un qui récolte et vend des plantes médicinales, et qu'il connaissait très bien le cactus hallucinogène que l'on nomme peyotl. Il m'avait aussi dit qu'en aucun cas je ne perdrais mon temps à l'interroger. Bill me servait de guide dans le Sud-Ouest[1] où j'étais venu rechercher des échantillons et des informations sur les plantes médicinales utilisées par les Indiens de cette région.

Bill se leva saluer l'homme, un Indien de taille moyenne aux cheveux blancs et assez courts couvrant en partie ses oreilles, ce qui accentuait la rondeur de sa tête. Son visage couvert de rides profondes lui donnait l'apparence d'un homme assez âgé, en contraste avec son corps fort et sain. Je l'observais. Il se déplaçait avec une agilité impossible à imaginer de la part d'un vieillard.

Bill me fit signe de venir les rejoindre.

« C'est un brave type, malheureusement je n'arrive pas à comprendre ce qu'il dit. Il parle un drôle d'espagnol, sans doute bourré de locutions campagnardes. »

Le vieil homme regarda Bill et sourit. Alors Bill, qui ne connaît que quelques mots d'espagnol, bredouilla quelque chose. Il se tourna vers moi comme pour savoir si sa phrase avait quelque sens, mais je n'avais absolument pas compris ce qu'il avait voulu dire. Il eut un sourire gêné et s'éloigna. Le vieil homme me regarda et se mit à rire. Je lui expliquai que mon ami avait tendance à oublier qu'il ne parlait pas l'espagnol.

« Je m'aperçois qu'il a également oublié de nous présenter, ajoutai-je, et je lui dis mon nom.

– Et moi, je suis Juan Matus, pour vous servir », répondit-il.

1. Le Sud-Ouest ici mentionné ne correspond pas exactement au sud-ouest des U.S.A. En effet, pour les spécialistes des cultures indiennes le « Sud-Ouest » exprime la région comprenant la totalité de l'Etat de l'Arizona, et une partie des Etats de Californie, d'Utah, du Colorado, du Nouveau-Mexique, ainsi qu'une partie des provinces mexicaines de Sonora et Chihuhua.

Après une poignée de main nous restâmes muets pendant un moment. Je rompis le silence pour lui parler de mon travail de recherche; je lui précisai que j'avais besoin d'informations de toute nature sur les plantes, et plus particulièrement sur le peyotl. Pendant assez longtemps je parlais nerveusement, et bien qu'ignorant en la matière, je déclarai très bien connaître tout ce qui concerne le peyotl. Je me disais que si je faisais étalage de mon savoir il s'intéresserait davantage à un échange de vues avec moi. Cependant, il ne dit rien. Il m'écoutait patiemment. Puis il opina du chef, et me fixa du regard très attentivement. Ses yeux me parurent briller d'une façon très particulière. J'essayai d'échapper à son regard. Je me sentis embarrassé. Dès cet instant, j'eus la certitude qu'il savait que j'avais dit des bêtises.

« Viens me voir, déclara-t-il finalement tout en détournant les yeux. Chez moi, peut-être, nous pourrons mieux parler tranquillement. »

Je ne sus que répondre. Je me sentais mal à l'aise. Bill revint; il s'aperçut de mon embarras et ne dit rien. Le vieillard se leva et nous salua, son autobus venait d'arriver.

« Ça ne s'est pas très bien passé, n'est-ce pas? demanda Bill.

— Non.

— L'as-tu interrogé sur les plantes?

— Bien sûr. Mais je crois avoir fait une gaffe.

— Je t'avais prévenu, c'est un excentrique. Dans la région, les Indiens le connaissent, et cependant ils n'en parlent jamais. Tu te rends compte!

— Pourtant il m'a invité à lui rendre visite.

— Il s'est payé ta tête. Aller chez lui, mais qu'est-ce que cela signifie? Jamais il ne te dira rien. Et si tu le questionnes, il te clouera le bec et tu auras l'impression d'être un imbécile parlant dans le vide. »

Bill déclara qu'il avait souvent rencontré des gens

comme lui, des gens qui donnent l'impression de tout savoir; mais ces gens-là ne valaient jamais le temps passé avec eux puisque, tôt ou tard, on pouvait obtenir les mêmes informations de quelqu'un qui ne se ferait pas tant prier pour les fournir. Il n'avait ni temps ni patience à accorder à ce genre de vieux cinglés, et d'ailleurs il était bien possible que le vieux se fît passer pour un connaisseur des plantes, alors qu'en réalité il n'en savait pas plus que le premier venu.

Bill continua à parler sur ce ton, mais je ne l'écoutais pas. Mes pensées vagabondaient autour de ce vieil Indien qui avait su que je bluffais. Je me souvenais très bien de ses yeux. Ils avaient réellement brillé d'un éclat singulier.

Quelques mois plus tard, j'allais le revoir; non pas comme étudiant en anthropologie[1], mais plutôt poussé par le démon de la curiosité. La manière dont il m'avait mis à nu m'avait marqué de façon décisive. Je brûlais de savoir ce qu'il y avait dans ce regard, j'en étais obsédé. Plus j'y réfléchissais, et plus je pensais qu'il s'agissait d'une situation inhabituelle.

Nous devînmes amis, et pendant plus d'une année j'allai très souvent lui rendre visite. Je découvris chez don Juan une manière de vivre habitée d'une certitude profonde, un merveilleux sens de l'humour, et surtout, une cohérence implicite dans ses actes. Je trouvais cette cohérence absolument déconcertante. En sa présence je me sentais envahi par une étrange joie mêlée en même temps d'un curieux malaise. Le seul fait d'être en sa compagnie m'obligeait en permanence à réévaluer très sérieusement mes modèles de conduite. Peut-être que comme tout le monde, j'avais été poussé à accepter l'homme comme une créature faible et essentiellement

---

1. En 1960, l'auteur alors étudiant en anthropologie à l'université de Californie (UCLA) préparait un doctorat sur l'usage des plantes médicinales chez les Indiens du « Sud-Ouest ».

vouée à l'échec, et ce qui m'impressionnait chez don Juan était cette absence de complaisance pour la faiblesse et l'impuissance. La comparaison entre son genre de vie et le mien tournait toujours à mon désavantage. A cette époque il fit une déclaration concernant la différence fondamentale qui existait entre nous. Ce jour-là, avant d'arriver chez lui j'étais déprimé par le cours de ma vie, et surtout par quelques intenses conflits personnels. J'étais nerveux et maussade.

Notre conversation avait tourné autour de l'intérêt que je portais à la connaissance, mais comme toujours, nous parlions chacun d'une chose différente. Pour moi, il s'agissait de la connaissance rationnelle qui transcende l'expérience, alors qu'il évoquait une connaissance directe du monde ambiant.

« Connais-tu le monde qui t'entoure ? demanda-t-il.

— J'en connais bien des aspects.

— Non. Je veux dire : n'as-tu jamais senti le monde qui existe autour de toi ?

— Je sens ce monde environnant autant que cela m'est possible.

— Ça n'est pas suffisant. Tu dois tout sentir, sinon le monde perd son sens. »

J'eus recours à des arguments classiques : je n'avais aucun besoin de goûter la soupe pour en apprendre la recette, ni recevoir une décharge pour comprendre le phénomène de l'électricité.

« Tu tournes tout en ridicule, répondit-il. A mon avis, tu veux absolument t'accrocher à tes arguments malgré le fait qu'ils ne t'apportent rien. Tu ne veux pas changer, même au prix de ton bien-être.

— Je ne vois pas de quoi vous parlez.

— Je parle du fait que quelque chose te manque, tu n'es pas entier, tu n'as pas la paix intérieure. »

Cette remarque m'ennuya. Elle m'offensait, et par ailleurs je ne lui accordais aucun droit de juger mes actions et la nature de ma personnalité.

« Tu es rongé par tes problèmes. Pourquoi?

– Don Juan, je ne suis qu'un homme », lui dis-je d'un ton geignard. Et immédiatement je me rendis compte que j'avais fait cette déclaration exactement comme si souvent j'avais entendu mon père la faire. Implicitement, il s'excusait ainsi d'être faible et sans ressources. Sa déclaration, comme la mienne, révélait un profond désespoir.

Don Juan me perça du regard, comme au premier jour de notre rencontre. Puis il dit :

« Tu penses trop à toi-même, dit-il en souriant, et cela te donne une étrange fatigue qui t'oblige à effacer le monde autour de toi, et aussi à t'accrocher à tes arguments. Moi, par exemple, je ne suis qu'un homme, mais je ne dis pas cela dans le même sens que toi.

– Dans quel sens, alors?

– J'ai surmonté tous mes problèmes. Tant pis si maintenant ma vie s'annonce trop courte pour me laisser le temps de décrocher toutes les choses que je désire. Cela n'a pas d'importance. C'est seulement dommage. »

J'aimais le ton de sa déclaration, il ne contenait ni désespoir ni morosité.

En 1961, un an après notre première rencontre, don Juan me révéla qu'il possédait une connaissance secrète des plantes médicinales. Il déclara qu'il était un *brujo*, mot espagnol qui peut se traduire par sorcier, homme-médecin, guérisseur[1]. A partir de ce jour-là nos relations se modifièrent, je devins son apprenti. Pendant les quatre années qui suivirent il entreprit de m'apprendre les mystères de la sorcellerie. Le récit de cet apprentis-

---

1. Chez les Indiens la notion de sorcier diffère totalement de la nôtre, gens de civilisation occidentale. C'est aussi le sens donné à ce mot par don Juan. Il y a abondance de termes pour caractériser les pratiques du sorcier. Dans ce livre sont mentionnés ceux en usage dans le nord du Mexique. Mais le terme général signale un homme connaisseur des plantes médicinales et des forces naturelles du lieu.

sage fit l'objet d'un livre : *L'herbe du diable et la petite fumée (Une voie yaqui de la connaissance)*[1].

Grâce à la maîtrise de l'espagnol dont faisait preuve don Juan, j'obtins des explications détaillées sur les significations complexes existant dans son système de croyances. J'ai appelé « sorcellerie » cet ensemble de connaissance compliqué et très organisé, et j'ai fait allusion à don Juan comme « sorcier », car lui-même faisait usage de ces deux mots au cours de nos conversations familières. Cependant lorsqu'il s'agissait d'apporter des éclaircissements sur des points plus sérieux, il usait du terme de « connaissance » pour signifier la sorcellerie, et de celui d'« homme de connaissance » ou de « celui-qui-sait » pour désigner le sorcier.

Afin d'enseigner et de corroborer sa connaissance il utilisa trois plantes psychotropiques bien connues : le peyotl, *Lophophora williamsii*; le « jimson weed », *Datura inoxia*; et un champignon d'une espèce appartenant au genre *Psylocibe*. Il me fit ingérer séparément chacun de ces hallucinogènes pour produire en moi, son apprenti, des états particuliers de perception déformée, ou de sensations altérées, que j'ai désignés par « états de réalité non ordinaire ». Je me suis servi du terme « réalité », car dans le système de croyances de don Juan une des prémisses fondamentales était que chaque état de sensation provoqué par la prise de l'une de ces trois plantes ne constituait pas une hallucination, mais au contraire un aspect concret, bien que peu ordinaire, de la réalité de la vie quotidienne. Don Juan n'agissait pas vis-à-vis de ces états « comme s'ils » étaient réels, mais « comme » étant réels.

1. L'auteur abandonna son sujet de thèse mentionné en note p. 12 pour se consacrer uniquement à la connaissance de don Juan. Il rédigea une thèse sur les enseignements de don Juan, comprenant un témoignage précis sur les expériences subies et une analyse structurale pour tenter de dégager la cohésion interne de ces enseignements. Cette thèse fut publiée en 1968 par l'université de Californie, et en 1971 en édition française par Le Soleil Noir.

J'ai classé ces plantes dans les « hallucinogènes », et j'ai décidé d'appeler les états qu'elles suscitaient « réalité non ordinaire ». Don Juan considérait et expliquait ces plantes comme constituant des véhicules capables de conduire ou de guider un homme jusqu'à des forces ou « pouvoirs » impersonnels, et les états qu'elle produisaient comme étant des « rencontres » que le sorcier devait entretenir avec ces « pouvoirs » de manière à arriver peu à peu à les dominer.

Il appelait le peyotl « Mescalito », et le présentait comme un maître bienveillant et protecteur des hommes. Mescalito enseignait la « juste manière de vivre ». Habituellement c'est au cours de réunions de sorciers nommées *mitotes* qu'avait lieu la prise du peyotl ; les participants à ces réunions s'assemblaient spécialement en vue de chercher une leçon sur la juste manière de vivre.

Pour don Juan, le *datura* et les champignons étaient des pouvoirs différents de Mescalito. Il les nommait « alliés », et déclarait qu'un homme pouvait les manipuler, qu'un sorcier gagnait sa force en manipulant un allié. Personnellement, don Juan préférait les champignons. Il affirmait que le pouvoir contenu dans ce genre de champignon constituait son allié personnel qu'il désignait par la « fumée » ou la « petite fumée ».

Avant d'utiliser ces champignons, don Juan les mettait à sécher pendant un an dans une petite gourde. Ils étaient alors réduits en une fine poussière qu'il mélangeait avec cinq autres plantes séchées. Le tout composait son mélange à fumer dans une pipe qu'il conservait avec beaucoup de soins.

Pour devenir « homme de connaissance » un homme devait « rencontrer » l'allié aussi souvent que possible. Il fallait se familiariser avec lui, une condition *a priori* impliquant bien sûr qu'il faille fumer le mélange assez souvent. « Fumer » consistait à avaler la fine poussière des champignons qui ne brûlait pas, et à inhaler la fumée des cinq autres plantes du mélange. Don Juan définissait l'effet intense provoqué par ce champignon sur les capacités de perception comme l'action de « l'allié sortant l'individu de son propre corps. »

La méthode d'enseignement de don Juan réclamait un effort extraordinaire de la part de l'apprenti, et de fait, le niveau de participation et d'engagement qu'il exigea de moi fut tel que vers la fin de l'année 1965 j'abandonnai mon apprentissage. Cinq années ont passé, et je puis maintenant avouer que les enseignements de don Juan avaient alors commencé à sérieusement miner mon « idée du monde ». Je veux dire par là que ma certitude sur la vie de tous les jours, que nous partageons tous et que nous considérons comme naturelle, commençait à être sérieusement mise en doute.

Au moment où j'avais abandonné mon apprentissage j'étais persuadé qu'il s'agissait d'une décision définitive, et je n'avais plus aucune envie de revoir don Juan. Cependant, au mois d'avril 1968 je disposais d'un exemplaire du livre que j'avais consacré à ses enseignements et je me sentis obligé d'aller le lui montrer. Je lui rendis visite, et mystérieusement notre relation de maître à apprenti se rétablit. Je commençai à cette occasion un second cycle d'apprentissage très différent du premier. Ma peur diminua. L'atmosphère générale des enseignements fut beaucoup plus détendue que dans le passé. Don Juan riait souvent et arrivait à me faire rire; il me sembla qu'il s'efforçait d'être le moins sérieux possible. Aux moments les plus critiques de ce second cycle il faisait le clown, et m'aidait ainsi à dominer des expériences qui auraient pu facilement déchaîner mes tendances à l'obsession. Il déclara indispensable une certaine légèreté et docilité pour pouvoir résister au choc et à l'étrangeté de la connaissance qu'il enseignait.

« Tu as été effrayé, et tu t'es enfui, parce que tu as cru que ta personne était sacrément importante, disait-il pour donner une explication à mon abandon. Croire que l'on est important alourdit, rend maladroit en vain. Pour devenir homme de connaissance il faut absolument être léger et fluide. »

Au cours de ce second cycle d'apprentissage don Juan s'attacha surtout à m'enseigner comment « voir ». Il semble bien que son système de connaissance appelait une différence sémantique entre « voir » et « regarder », pour exprimer deux façons distinctes de percevoir. « Regarder » concernait la manière ordinaire par laquelle nous sommes habitués à percevoir le monde, alors que « voir » supposait un processus extrêmement complexe grâce auquel « l'homme de connaissance » pouvait « voir l'essence » des choses de ce monde.

Pour pouvoir présenter la complexité de ce processus d'apprentissage sous une forme plus facilement lisible, j'ai résumé de longues séries de questions et de réponses en rédigeant mes premières notes. Cependant, je crois n'avoir pas changé le sens de l'enseignement de don Juan. Une telle rédaction servit aussi à donner à mes notes une fluidité – semblable à celle de la conversation – indispensable pour conduire à l'effet que je désirais obtenir; autrement dit, je voulais, au moyen du reportage, communiquer au lecteur l'intensité dramatique et l'actualité des situations évoquées. Tels qu'ils ont été établis, chacun des chapitres constitue une séance avec don Juan, et systématiquement il les terminait sur une note tranchante. Par conséquent, l'intensité dramatique de chaque fin de chapitre n'est pas un effet littéraire de mon invention, elle appartient en propre à la tradition orale de don Juan, peut-être un artifice mnémonique pour aider à retenir la valeur dramatique et l'importance de ses leçons.

Néanmoins, pour rendre mon reportage convaincant, et parce que pour le comprendre il faut expliquer un certain nombre de concepts clés, je voudrais souligner quelques points particuliers. J'ai mis l'accent sur ce qui avait trait aux sciences sociales. Il est tout à fait possible que quelqu'un d'autre puisse, dans d'autres perspectives, dégager des concepts entièrement différents des miens.

Pendant ce second cycle d'apprentissage, don Juan précisa clairement que l'usage du mélange à fumer constituait un préalable pour « voir ». Par conséquent il me fallait fumer le plus souvent possible.

« Il n'y a que la fumée qui puisse te fournir la vitesse indispensable pour apercevoir ce monde flottant », déclara-t-il.

Avec ce mélange psychotropique il déclencha en moi une série d'états de réalité non ordinaire. Lorsque je considère ce qui me semblait être le but poursuivi par don Juan, leur caractère principal résidait dans leur inapplicabilité. Tout ce que je percevais au cours de ces séances où mes sensations étaient altérées demeurait incompréhensible et impossible à interpréter selon notre compréhension quotidienne du monde. Ce qui revient à dire que l'inapplicabilité entraînait la dissolution de la pertinence de ma vision du monde.

Don Juan fit usage de cette inapplicabilité des états de réalité non ordinaire pour introduire une série d'« unités de signification » entièrement nouvelles pour moi, et préconçues par lui dans le cadre de sa connaissance. Ces unités furent les éléments spécifiques de ce que don Juan désirait m'enseigner. Je les désigne par « unités de signification », car ils constituaient un conglomérat essentiel composé des résultats sensoriels et de leurs interprétations sur lequel s'édifiait une signification bien plus complexe. Par exemple une unité consistait en la manière dont s'expliquait l'effet physiologique du mélange psychotropique. Il provoquait une insensibilité du corps et une perte du contrôle moteur qui, dans le système de don Juan, s'interprétait comme une action due à la fumée, c'est-à-dire à l'allié, pour « enlever le corps du praticien ».

Les unités de signification se groupaient de manière

spécifique, et chaque bloc ainsi constitué formait ce que je nomme une « interprétation sensée ». Il est clair qu'il doit exister un nombre infini d'interprétations sensées qui restent toujours pertinentes à la sorcellerie qu'un sorcier doit apprendre à pratiquer. De même, dans la vie de tous les jours nous devons faire face à un nombre infini d'interprétations sensées qui, dans cette réalité quotidienne, sont pertinentes. Un exemple très simple réside dans l'interprétation spontanée que nous faisons très souvent chaque jour de la structure d'habitat que nous nommons une « pièce ». Il est évident que nous avons appris à interpréter cette construction nommée pièce en termes de pièce; par conséquent « pièce » constitue une interprétation sensée, car lorsque nous l'interprétons il est absolument indispensable que nous soyons capable de connaître, d'une manière ou d'une autre, tous les éléments qui conduisent à cette interprétation. C'est-à-dire qu'une interprétation sensée réside dans le processus en vertu duquel le praticien se rend capable de connaître toutes les unités de signification nécessaires pour faire des suppositions, des déductions, des prédictions, etc., à propos de la totalité de la situation pertinente à son activité.

Par « praticien » j'entends un participant qui possède une connaissance adéquate de toutes, ou presque toutes, les unités de signification entrant en jeu dans son système particulier d'interprétation sensée. Don Juan était un praticien, c'est-à-dire un sorcier connaissant tous les niveaux de la sorcellerie.

C'est en tant que praticien qu'il essaya de me rendre accessible son système d'interprétations sensées. Dans ce cas l'accessibilité équivalait à un processus de re-socialisation par lequel seraient acquises de nouvelles façons d'interpréter les résultats sensoriels.

J'étais l'« étranger », celui qui n'a pas la capacité de faire des interprétations intelligentes et adéquates des unités de signification propres à la sorcellerie.

Don Juan, le praticien qui me rendait son système accessible, avait pour tâche de déranger cette certitude particulière que je partage avec tous les hommes : la certitude que nos vues pleines de « bon sens » sur l'existence du monde sont définitives. En se servant des plantes psychotropiques, et grâce à des contacts bien contrôlés entre cet autre système et moi-même, il réussit à me faire prendre conscience du fait que mon opinion sur le monde ne pouvait pas être définitive puisqu'il s'agissait seulement d'une interprétation.

Depuis des milliers d'années, ce phénomène vague que nous désignons sous le nom de sorcellerie, a été pour l'Amérindien une pratique sérieuse et sincère comparable à notre pratique de la science. Il est indubitable que notre difficulté à le comprendre réside dans l'existence d'unités de signification qui nous sont restées étrangères.

Don Juan avait un jour déclaré qu'un homme de connaissance avait des préférences. Je lui demandai de préciser ce point.

« *Voir* est ma préférence, dit-il.

— Que voulez-vous dire?

— J'aime *voir* parce qu'un homme de connaissance ne sait que ce qu'il *voit*.

— Quel genre de choses *voyez*-vous?

— Tout.

— Moi aussi je vois tout, cependant je ne suis pas un homme de connaissance.

— Non. Tu ne *vois* pas.

— Je crois pourtant que je vois.

— Je te le répète, tu ne *vois* pas.

— Don Juan, pourquoi affirmez-vous cela?

— Tu ne regardes qu'à la surface des choses.

— Voulez-vous dire que tous les hommes de connais-

21

sance peuvent vraiment voir au travers de tout ce qu'ils regardent?

– Non, il ne s'agit pas de cela. J'ai dit qu'un homme de connaissance avait ses préférences personnelles. La mienne consiste à *voir* et à connaître; d'autres font d'autres choses.

– Quelles choses?

– Prends Sacateca. C'est un homme de connaissance, et sa préférence va à la danse. Pour connaître, il danse.

– La préférence d'un homme de connaissance est donc ce qu'il fait pour connaître?

– Oui, c'est cela.

– Mais comment la danse peut-elle aider Sacateca?

– On pourrait dire que Sacateca danse avec tout ce qu'il a.

– Danse-t-il comme moi? C'est-à-dire une vraie danse?

– Disons qu'il danse comme je *vois*, et non pas comme tu pourrais danser.

– Voit-il aussi de la façon dont vous *voyez*?

– Oui, mais en plus il danse.

– Comment danse-t-il?

– C'est très délicat à expliquer. Il s'agit d'une façon particulière de danser qu'il adopte lorsqu'il désire connaître quelque chose. Je peux seulement te dire que si tu ne comprends pas les façons d'un homme qui connaît, il est impossible de parler de danser ou de *voir*.

– L'avez-vous *vu* danser?

– Oui. Cependant il n'est pas possible à quiconque de le regarder danser et de *voir* qu'il s'agit de sa façon particulière de connaître les choses. »

Je connaissais Sacateca, tout au moins je savais qui il était. Un jour, nous nous étions rencontrés et je lui avais offert une bière. En échange de politesse il m'avait invité à venir le voir chez lui lorsque j'en aurais envie.

Sans en parler à don Juan je décidai d'aller lui rendre visite.

Dans l'après-midi du 14 mai 1962, en suivant les indications que Sacateca m'avait fournies, j'arrivais facilement devant sa maison. Elle se situait à une croisée de chemins, dans un enclos au portail fermé. J'en fis le tour pour tenter de jeter un œil à l'intérieur. Tout semblait désert.

D'une voix forte j'appelai : « Don Elias! » Effrayées, les poules s'échappèrent en caquetant furieusement. Un petit chien se précipita vers moi et je m'attendai à l'entendre aboyer, mais il s'assit et me dévisagea. A nouveau, j'appelai. Les poules eurent une seconde crise de caquetage mécontent.

Une vieille femme sortit de la maison. Je la priai d'appeler don Elias.

« Il n'est pas là, me répondit-elle.

– Où puis-je le trouver?

– Il est aux champs.

– Dans quel champ?

– Je n'en sais rien. Revenez tard cet après-midi, il sera de retour vers cinq heures.

– Etes-vous sa femme?

– Oui, je suis sa femme », dit-elle avec un sourire.

J'essayais de la questionner sur don Elias, mais en s'excusant humblement elle me répondit qu'elle ne parlait pas bien l'espagnol. Je revins à ma voiture et je m'éloignai.

Vers six heures j'étais de retour. J'arrêtai l'auto juste devant la porte, et j'appelai Sacateca. Il sortit de la maison. Je mis en marche mon magnétophone qui dans une sacoche pendue à mon épaule pouvait passer pour un appareil de photo. Il semblait m'avoir reconnu.

« Ah! C'est toi, dit-il en souriant. Comment va Juan?

– Très bien. Comment allez-vous, don Elias? »

Il ne répondit pas. Il semblait nerveux. Il gardait une

apparence de calme, mais je le sentais déconcerté par ma visite.

« Juan t'a-t-il envoyé pour faire une commission?

– Non. J'ai décidé de venir vous rendre visite.

– Et pourquoi donc? »

Sa question trahissait une très sincère surprise.

« J'avais envie de vous parler, dis-je d'un ton coutumier. Don Juan m'a dit tant de merveilleuses choses à votre sujet que je suis venu, poussé par la curiosité, vous poser quelques questions. »

Sacateca restait debout, immobile devant moi. Il portait un pantalon kaki et une chemise. Il avait les yeux mi-clos, comme s'il était en train de sommeiller, où peut-être était-il saoul. Je remarquai sa bouche entrouverte, sa lèvre inférieure pendante, et surtout sa profonde respiration, presque comme un ronflement. J'en fus persuadé, Sacateca devait être saoul comme une bourrique. Malgré tout cette pensée me parut saugrenue puisque, à peine quelques instants auparavant, il était sorti de sa maison d'un pas très alerte et qu'il m'avait immédiatement reconnu.

« De quoi veux-tu donc parler avec moi? » dit-il enfin.

Sa voix semblait fatiguée, chaque mot traînait. D'ailleurs sa fatigue devait être contagieuse, elle m'attirait à lui.

« De rien en particulier, répondis-je. Je suis simplement venu pour discuter amicalement avec vous. Vous vous souvenez, une fois vous m'aviez demandé de venir chez vous.

– Oui, mais maintenant, ça n'est plus pareil.

– Et pourquoi donc?

– Ne parles-tu pas avec Juan?

– Oui, bien sûr.

– Alors, que me veux-tu?

– Je pensais que je pourrais peut-être vous poser quelques questions.

24

– Demande à Juan. C'est lui qui t'enseigne.

– Oui, mais cela ne change rien, je voudrais seulement vous poser des questions à propos de ce qu'il m'enseigne, en quelque sorte avoir votre opinion. Ainsi, je pourrais savoir que faire.

– Pourquoi agir de cette façon? N'as-tu pas confiance en Juan?

– Bien sûr que si.

– Alors pourquoi ne lui demandes-tu pas de te dire ce que tu veux savoir?

– Je lui demande toujours, mais je veux aussi parler avec des gens comme vous, don Elias. On ne rencontre pas un homme de connaissance tous les jours.

– Juan est un homme de connaissance.

– Je le sais.

– Alors pourquoi vouloir me parler?

– Je vous l'ai déjà dit, je venais en ami.

– Non. Ce n'est pas vrai. Cette fois-ci, il y a quelque chose d'autre. »

Je voulus m'expliquer, mais je ne pus que marmonner de façon incohérente. Sacateca gardait le silence. Il semblait écouter attentivement. Ses yeux étaient à nouveau mi-clos, mais je sentais qu'il me dévisageait. Presque imperceptiblement il opina du chef. Alors il ouvrit ses paupières, et je vis ses yeux. Ils semblaient perdus au loin derrière moi. Négligemment il tapotait le sol de la pointe de son pied droit placé juste derrière son talon gauche; ses jambes étaient légèrement arquées, et ses bras pendaient mollement à ses côtés. Puis il leva son bras droit; sa main était ouverte avec la paume dressée perpendiculairement au sol, et les doigts étendus pointaient vers moi. Une ou deux fois il laissa sa main ballotter avant de la descendre au niveau de mon visage. Pendant un instant il la maintint dans cette position, et alors il me lança quelques mots. Sa voix était parfaitement claire, mais les sons hésitants.

Un moment plus tard il laissa sa main tomber à son

côté et il demeura debout devant moi dans une étrange position. Il reposait sur la partie charnue de la plante de son pied gauche, son pied droit croisait le gauche derrière le talon, et de la pointe il tapotait par terre, doucement et selon un rythme régulier.

Une appréhension injustifiable, semblable à une forme indéfinie d'extrême nervosité, m'envahit. Mes pensées battaient la chamade, certaines d'entre elles me traversaient l'esprit et me paraissaient insensées et absolument étrangères à la situation du moment. Parfaitement conscient de ce malaise, j'essayais de reprendre la barre et de diriger mes pensées sur ce qui se déroulait; malgré un effort considérable, j'échouai. Une force semblait m'interdire la concentration, ou tout au moins la capacité d'avoir des idées claires.

Sacateca ne disait toujours rien. Je ne savais que dire, que faire. Presque automatiquement je fis demi-tour et m'en allai.

Plus tard, je me sentis obligé de raconter à don Juan cette rencontre étrange. Il rit à gorge déployée.

« Que s'est-il donc passé? demandai-je.

— Sacateca dansa! répondit-il. Il t'a *vu*, et ensuite il a dansé.

— Que me fit-il? Je me sentis froid et tout étourdi.

— Il semble que tu ne lui aies pas beaucoup plu, et en te lançant un mot il t'a figé sur place.

— Comment aurait-il pu faire cela?

— Très simplement. Avec sa volonté, il t'a arrêté.

— Que dites-vous?

— Avec sa volonté, il t'a arrêté! »

Une telle explication ne pouvait me satisfaire. Tout cela me semblait une manière sarcastique de se moquer de moi. J'insistai, mais il ne put m'expliquer la chose d'une manière satisfaisante.

Il est évident qu'un tel événement, ou n'importe quel autre s'il se produit dans ce système étranger d'interprétation sensée, ne peut s'expliquer ou se comprendre qu'en termes des unités de signification propres à ce système. Le travail suivant est, par conséquent, un reportage, et il doit être lu comme tel. Le système que j'ai enregistré m'est resté incompréhensible, donc prétendre à tout autre chose que d'en faire un reportage serait une tromperie et une malhonnêteté. L'adoption de la méthode phénoménologique est le corollaire de cet état de choses, et j'ai tenté de considérer la sorcellerie seulement comme un phénomène qui m'était présenté. Spectateur, j'enregistrais ce que je percevais, et au moment de cet enregistrement je m'efforçais de suspendre tout jugement personnel.

Prélude à « voir »

1

Le 2 avril 1968

Don Juan me dévisagea un moment, sans pourtant
marquer la moindre surprise à me revoir, bien que ma
dernière visite ait eu lieu plus de deux années auparavant. Il posa sa main sur mon épaule, me sourit et me
dit que j'avais changé, que je devenais gras et mou.

Je lui avais amené un exemplaire de mon livre. Sans
autre préambule je le tirai de ma serviette et je le lui
tendis.

« Don Juan, c'est un livre sur vous. »

Il le prit et en feuilleta les pages comme s'il s'agissait
d'un jeu de cartes. La couleur verte de la jaquette, et la
taille du livre lui plurent. Il tâta la couverture de la
paume de sa main, puis il tourna et retourna le livre et
me le tendit. Une vague d'orgueil me submergea.

« Je veux que vous le gardiez », dis-je.

Il hocha la tête tout en riant silencieusement.

« Mieux vaut pas », répondit-il, puis avec un large
sourire il ajouta : « Tu sais ce qu'on fait avec le papier,
au Mexique. »

J'éclatai de rire; je trouvai ce trait d'ironie magnifique.

Nous étions assis sur un banc dans le parc d'une
petite ville de la région montagneuse du centre du
Mexique. Je n'avais eu aucun moyen de le prévenir de

mon arrivée, mais j'étais persuadé de pouvoir l'y trouver. Mon attente avait d'ailleurs été très courte. Don Juan était descendu des montagnes, et je le retrouvai au marché, à l'étal d'un de ses amis.

Don Juan déclara que je tombais à pic pour le ramener à Sonora. En attendant l'ami chez qui il vivait, un Indien Mazatèque, nous allâmes dans le parc.

Trois heures passèrent. Nous parlâmes de choses sans importance, et vers la fin du jour, peu avant l'arrivée de son ami, je lui racontai une scène qui, quelques jours auparavant, m'avait frappé.

Pendant mon voyage, ma voiture était tombée en panne dans les faubourgs d'une ville où je dus séjourner trois jours, le temps de réparer. En face du garage il y avait un motel; mais les faubourgs des villes m'ont toujours déprimé, et j'allai prendre une chambre dans un hôtel moderne à huit étages, en plein centre de la ville. Le groom m'indiqua que l'hôtel avait un restaurant au rez-de-chaussée, et lorsque je descendis pour aller manger je vis qu'il y avait quelques tables dans une sorte de véranda avec des arcades assez basses. Le coin était plutôt agréable, et il faisait bon à l'extérieur. Il y avait quelques tables disponibles, mais je préférai m'installer à l'intérieur dans une salle mal aérée, car juste avant de sortir j'avais aperçu un groupe de jeunes cireurs de chaussures assis au bord du trottoir. J'étais persuadé qu'ils m'auraient rapidement découvert et qu'ils viendraient m'importuner.

De ma place, au travers de la baie vitrée, je pouvais observer les jeunes garçons. Deux hommes assez jeunes prirent place à une table sous la véranda; les cireurs se précipitèrent, chacun offrant ses services. Les hommes refusèrent, et à ma grande surprise, les jeunes garçons n'insistèrent pas et reprirent place au bord du trottoir. Un peu plus tard trois clients, sans doute des hommes d'affaires d'après leur costume, quittèrent leur table et s'en allèrent. Immédiatement les cireurs se ruèrent pour manger les restes de leurs repas. En quelques secondes les assiettes étaient nettoyées. La même chose se produisit chaque fois qu'une table était libérée.

Je remarquai que les enfants opéraient méthodiquement. S'ils versaient par mégarde de l'eau sur la table, ils l'épongeaient de leur chiffon à briller. Ils étaient extrêmement minutieux dans leurs méthodes d'insectes; ils avalaient aussi bien les cubes de glace laissés dans les verres d'eau que l'écorce et la chair des tranches de citron des tasses de thé. Rien, absolument rien n'était gaspillé.

Pendant ce séjour je compris qu'un accord existait entre le gérant de l'hôtel et les cireurs. Ils pouvaient s'installer aux abords du restaurant pour gagner un peu d'argent avec les clients, et ils étaient autorisés à manger les restes; en revanche, ils ne devaient importuner personne, et ne rien casser. Il y en avait onze, âgés de cinq à douze ans, mais leur aîné subissait un genre d'ostracisme délibéré. Les autres se moquaient de lui en entonnant une chanson racontant qu'il avait déjà des poils au pubis et qu'il était trop vieux pour rester parmi eux.

Après les avoir regardés pendant trois jours s'acharner comme des vautours sur les plus maigres des restes, je me sentis vraiment abattu. En sortant de la ville je pensais qu'il n'existait aucun espoir pour ces enfants déjà conditionnés par leur lutte quotidienne autour de quelques miettes.

« As-tu pitié d'eux? s'exclama don Juan.

– Certainement.

– Pourquoi?

– Parce que le bien-être de mes semblables me préoccupe. Ces enfants vivent dans un monde laid et médiocre.

– Un moment! Un moment! Comment peux-tu prétendre que leur monde est *laid* et *médiocre*? déclara don

33

Juan d'un ton moqueur. Tu penses sans doute être mieux loti qu'eux, n'est-ce pas?

– Certainement. »

Il me demanda pourquoi. Je dis que mon monde, comparé à celui de ces enfants, était infiniment plus varié, plus riche en expériences et en chances propres à me satisfaire et à me permettre de me développer. Le rire de don Juan éclata, sincère mais néanmoins amical. Il m'annonça que j'ignorais ce dont je parlais puisque je n'étais pas en mesure de connaître la richesse et les possibilités du monde de ces enfants.

Je me dis que don Juan s'entêtait; je pensais vraiment qu'il prenait le contre-pied de mes déclarations simplement pour m'ennuyer. Très honnêtement j'étais persuadé que ces enfants n'avaient pas la moindre chance de développement intellectuel.

J'allais insister à nouveau sur ce point, lorsque brusquement don Juan me demanda : « Ne m'as-tu pas dit, un jour, que pour un homme le plus grand œuvre consistait, à ton avis, à devenir homme de connaissance. »

Je l'avais dit, et à nouveau je déclarai que devenir homme de connaissance constituait une des entreprises intellectuelles les plus importantes que je puisse imaginer.

« Penses-tu que ton monde d'opulence puisse t'aider à devenir homme de connaissance? » demanda-t-il d'un ton légèrement sarcastique.

Je ne répondis pas. Il reprit la question sous une forme différente, imitant ainsi une pratique que souvent j'adoptai avec lui quand je croyais qu'il m'avait mal compris.

« Autrement dit, continua-t-il avec un large sourire de connivence, car il n'ignorait pas que j'étais conscient de son jeu, ta liberté et les moyens dont tu disposes peuvent-ils t'aider à devenir homme de connaissance?

– Non, répondis-je fermement.

34

– Alors, comment peux-tu avoir pitié de ces enfants? reprit-il d'un ton très sérieux. Chacun d'entre eux pourrait devenir homme de connaissance. Tous les hommes de connaissance que je connais ont été des enfants semblables à ceux que tu as vus en train de dévorer des restes et de lécher les tables. »

L'argument me laissa perplexe. Je ne m'étais pas apitoyé sur ces enfants deshérités parce qu'ils n'avaient pas assez à manger, mais parce que, selon moi, leur monde les avait déjà condamnés à devenir des handicapés intellectuels. Cependant, d'après don Juan, chacun d'entre eux pourrait accomplir ce que je pensais être le *summum* du développement intellectuel : devenir homme de connaissance. Ma pitié était sans objet; don Juan m'avait acculé le dos au mur.

« Il se peut que vous ayez raison, dis-je, mais comment peut-on refréner le désir, le désir sincère, d'aider ses semblables?

– Comment penses-tu pouvoir les aider?

– En allégeant leur fardeau. Le moins qu'on puisse faire consisterait à tenter de les changer. D'ailleurs, c'est ce que vous faites avec moi, n'est-ce pas?

– Non, je ne fais rien de tel. J'ignore que changer et pourquoi changer quelque chose dans mes semblables.

– Et, en ce qui me concerne, don Juan, ne m'avez-vous pas donné vos enseignements de façon que je puisse changer?

– Non. Je n'essaie pas de te changer. Peut-être deviendras-tu un jour homme de connaissance. Il n'est pas possible de le savoir à coup sûr. Mais cela ne te changera pas. Il se peut qu'un jour tu sois capable de *voir* les hommes d'une autre façon, et alors tu te rendras compte qu'il n'y a pas moyen de changer quoi que ce soit en eux.

– Quelle est cette autre façon de voir les hommes?

– Quand on *voit*, les hommes paraissent différents. La

petite fumée t'aidera à *voir* les hommes comme des fibres de lumière.

— Des fibres de lumière?

— Oui, des fibres, comme de blanches toiles d'araignée. Des fils très fins qui vont de la tête au nombril. L'homme ressemble alors à un œuf de fibres vivantes. Ses bras et ses jambes deviennent de lumineux poils de soie scintillant dans toutes les directions.

— Est-ce que tout le monde a cette apparence?

— Tout le monde. De plus chaque homme est en contact avec tout le reste, non pas avec ses mains, mais grâce à un faisceau de longues fibres jaillies du centre de son ventre. Ces fibres mettent l'homme en relation avec la totalité de son environnement, elles préservent son équilibre, elles lui confèrent la stabilité. Ainsi, comme tu le verras peut-être un jour, un homme, qu'il soit mendiant ou roi, est un œuf lumineux; et il n'y a pas de manière de changer quoi que ce soit. Ou plutôt, que pourrait-on changer dans cet œuf lumineux? Quoi donc? »

2

Ma visite amorça un nouveau cycle d'apprentissage. Sans aucune peine je me laissais à nouveau envahir par le plaisir que me donnait son sens dramatique, sa bonne humeur, et sa patience envers moi. Il m'apparut clairement que j'avais besoin de le voir plus souvent. Je perdais beaucoup à ne pas être avec don Juan. Par ailleurs, je désirais lui parler d'un point particulier qui avait vivement retenu mon attention.

En effet, une fois mon livre terminé, j'avais réexaminé les notes que j'avais écartées parce qu'elles n'avaient pas trait à mon sujet : les états de réalité non ordinaire. En les dépouillant, j'étais parvenu à la conclusion qu'un habile sorcier pouvait faire naître chez son apprenti les niveaux de perception les plus spécialisés en manipulant des suggestions à propos, disait-il, du « milieu social ». Quant à la nature de ces techniques manipulatoires mon raisonnement se fondait sur l'hypothèse qu'un meneur était indispensable pour conduire un groupe, ou un individu du groupe, au niveau de perception adéquat. En prenant pour exemple les réunions du peyotl[1], j'acceptai le fait que les sorciers participants étaient d'accord sur la nature de la réalité, et cela sans aucun échange visible de mots ou de signes. J'en conclus que pour obtenir un tel accord ils devaient

1. Cf. *L'herbe du diable et la petite fumée*, chap. VIII.

employer un code très élaboré, et je mis au point un système compliqué pour expliquer ce code. Alors je décidai d'aller voir don Juan pour lui présenter ce travail et avoir son opinion.

Le 21 mai 1968

Mon voyage se déroula normalement. Dans le désert il régnait une chaleur torride, très difficile à supporter, et elle subsista tard dans l'après-midi. Au début de la soirée, lorsque j'arrivai chez don Juan, une brise rafraîchissante s'était levée. Je n'étais pas trop fatigué. Nous allâmes dans sa chambre. Je me sentais à l'aise, calme, et pendant des heures nous poursuivîmes notre conversation, sans que j'eus le besoin ou le désir de prendre des notes. Nous évoquâmes le temps, les moissons, son petit-fils, les Indiens Yaqui, le gouvernement mexicain, et ainsi de suite. Je mentionnai le plaisir que j'éprouvais à cette conversation dans le noir. Don Juan fit remarquer que cela allait de pair avec ma nature bavarde, que je n'avais vraiment pas à me forcer pour aimer parler dans le noir puisque, à cette heure-là, il s'agissait de la seule chose que je sois capable de faire. Je répliquai que mon plaisir signifiait beaucoup plus que le simple acte de parler, que je savourais aussi l'apaisante chaleur de la nuit autour de nous. Il voulut savoir ce que je faisais chez moi, à Los Angeles, une fois la nuit tombée. Je lui répondis que j'allumai la lumière, ou bien que j'allais marcher dans les rues illuminées jusqu'à ce que le sommeil me gagne.

« Oh! dit-il d'un ton incrédule. Je pensais que tu avais appris à te servir du noir.

— A quoi peut-il bien servir? »

Il déclara que le noir, ce qu'il appelait la « noirceur du jour », était le meilleur moment pour *voir*. Il insista d'une façon particulière sur le mot « voir », et je voulus

savoir la signification de cette inflexion, mais il prétendit qu'il était déjà trop tard pour entamer une telle
explication.

Le 22 mai 1968

A mon réveil, et sans autre préambule, j'annonçai à
don Juan que j'avais mis au point un système d'explication de ce qui se produisait pendant un *mitote*, c'est-
à-dire une réunion du peyotl. Je pris mes notes et lus ce
que j'avais élaboré. Il m'écouta patiemment essayer de
clarifier mon schéma.

En bref, je déclarai que je croyais nécessaire l'existence d'un meneur secret qui indiquerait aux participants quand et comment atteindre l'accord adéquat. Je
fis remarquer que les gens viennent à une réunion du
peyotl pour y chercher la présence de Mescalito et ses
leçons sur la juste manière de vivre, que jamais ils
n'échangent un mot ou un geste, mais que pourtant ils
tombent d'accord sur le moment de la présence de
Mescalito et sur le contenu spécifique de sa leçon. En
tout cas, c'est ainsi que cela se produisit aux *mitotes*
auxquels j'avais participé. Tous les participants avaient
été d'accord sur le fait que Mescalito leur était apparu
individuellement, et qu'il leur avait donné une leçon.
Mon expérience personnelle m'avait appris que la
forme de chaque visite individuelle de Mescalito ainsi
que la leçon qui en découlait étaient remarquablement
homogènes bien que différant dans le contenu d'un
participant à un autre. A mon avis, une telle homogé-
néité ne pouvait s'expliquer que comme le résultat d'un
système d'indications complexe et ingénieux.

La lecture et l'explication de mon schéma sur la façon
dont se déroulait un *mitote* dura plus de deux heures. Je
terminai en le priant de me dire quels étaient les

processus exacts mis en œuvre pour obtenir un tel accord. Lorsque j'eus fini de parler, il se renfrogna. Je pensais qu'il avait dû trouver mon raisonnement difficile à contrecarrer. Il semblait perdu dans des méditations profondes. Après un laps de temps raisonnable, je lui demandai ce qu'il pensait de mon travail.

Ma question transforma son froncement en un sourire, puis en un rire tonitruant. Nerveusement, j'essayai de rire, puis je m'enquis de la raison de cet éclat.

« Tu divagues! s'exclama-t-il. Pourquoi faudrait-il que quelqu'un se casse la tête à fournir des indications à un moment aussi important qu'un *mitote*? Pense-tu qu'on puisse badiner avec Mescalito? »

Je crus un court instant qu'il s'agissait d'une réponse évasive, qu'il évitait ainsi de répondre à ma question.

« Pourquoi donner des indications? s'obstina don Juan. Tu as participé à des *mitotes*. Tu devrais savoir que personne ne t'a dit comment te comporter, ou bien que faire. Personne si ce n'est Mescalito lui-même. »

Je soutins qu'une telle explication n'était pas logique, et je le suppliai de me révéler comment se réalisait l'accord.

« Maintenant je sais pourquoi tu es revenu, reprit don Juan d'un air très mystérieux. Je ne puis pas t'aider dans ta recherche, car il n'existe aucun système d'indications.

– Mais comment tous ces gens peuvent-ils être d'accord sur la présence de Mescalito?

– Ils sont d'accord parce qu'ils *voient* », répondit don Juan sur un ton dramatique, puis il ajouta d'un ton plus banal : « Pourquoi ne viens-tu pas à un autre *mitote*, tu pourrais *voir* par toi-même. »

Je sentis le piège. Je ne dis plus rien et je rangeai mes carnets de notes. Il n'insista pas.

Plus tard, il me demanda de le conduire chez un de ses amis. Là, nous passâmes le reste de la journée. Au cours de la conversation, John voulut savoir ce qu'était devenu mon intérêt pour le peyotl. Huit ans auparavant il avait fourni les boutons pour ma première expérience[1]. Je ne sus que lui répondre, mais don Juan intervint pour dire que tout allait bien.

En revenant chez don Juan, je voulus lui faire remarquer que je n'avais pas la moindre intention d'en apprendre davantage sur le peyotl, car cela exigeait un courage dont je ne me sentais pas capable, et que je ne reviendrais pas sur ma décision d'abandonner. Don Juan sourit et ne répondit pas. Pendant le trajet je ne cessais de parler comme pour me libérer de l'effet de la question de John.

Nous nous assîmes devant la porte. La journée avait été claire et chaude, mais en ce moment de la fin de l'après-midi, la brise devenait très agréable.

« Pourquoi tant insister? demanda brusquement don Juan. Depuis combien d'années dis-tu que tu ne veux plus apprendre?

– Trois.

– Alors, pourquoi tant de véhémence à ce propos?

– Don Juan, j'ai l'impression de vous trahir. C'est sans doute la raison qui me pousse à en parler tout le temps.

– Tu ne me trahis pas.

– J'ai échoué. Je me suis enfui. Je me sens vaincu.

– Tu fais ce que tu peux. D'ailleurs tu n'as pas encore été vaincu. Ce que j'ai à t'apprendre est très dur. Moi, par exemple, je l'ai trouvé beaucoup plus dur que toi à acquérir.

– Mais vous avez tenu bon. Quant à moi c'est différent, j'ai abandonné. Ce n'est pas parce que je désire apprendre que je suis revenu vous voir, mais uniquement pour que vous m'aidiez à éclaircir un point de mon travail. »

1. Cf. *op. cit.*, chap. II.

Pendant un moment don Juan me dévisagea, puis il tourna la tête.

« Tu dois à nouveau laisser la fumée te guider, dit-il avec une grande conviction.

– Non, don Juan, je ne puis plus utiliser votre fumée. Je crois m'être déjà donné à fond, je suis à bout.

– Tu n'as même pas commencé.

– J'ai trop peur.

– Ainsi tu as peur. Cette peur n'a rien de surprenant. Ne pense plus à ta peur. Pense seulement aux merveilles du fait de *voir*.

– Je voudrais vraiment pouvoir penser à de telles merveilles, mais je n'y arrive pas. Lorsque je pense à votre fumée, une sorte d'obscurité m'enveloppe; comme s'il n'y avait plus personne sur terre, personne vers qui se tourner. Don Juan, votre fumée m'a révélé le fond de la solitude.

– Ce n'est pas vrai. Regarde-moi, par exemple. La fumée est mon allié *(sic)*[1], et je ne ressens pourtant pas cette solitude.

– Vous êtes différent, vous avez dominé votre peur. »

Don Juan me tapota gentiment l'épaule.

« Tu n'as pas peur, dit-il d'une voix curieusement réprobatrice.

– Don Juan, pourquoi mentirais-je?

– Les mensonges ne m'intéressent pas, reprit-il avec sévérité. Je m'intéresse à quelque chose d'autre. La raison pour laquelle tu ne veux plus apprendre n'est pas la peur, c'est quelque chose d'autre. »

Je le priai instamment de s'expliquer sur ce point. Je le suppliai. Mais en vain. Il hochait la tête en signe d'incrédulité, comme s'il ne pouvait pas croire que

---

1. Le masculin employé ici exprime un caractère « comme-un-homme » que don Juan attribue à l'allié qu'il nomme la « petite fumée ». Cf. *op. cit.*, chap. X, et analyse structurale.

j'ignorais la raison de ma réticence à reprendre l'apprentissage.

J'avançai que c'était peut-être mon inertie qui m'empêchait d'apprendre. Il voulut connaître le sens du mot « inertie ». Je lus dans le dictionnaire : « Propriété de la matière de demeurer au repos quand elle s'y trouve ou si elle est en mouvement de continuer dans la même direction, à moins qu'une force extérieure ne l'influence. »

« A moins qu'une force extérieure ne l'influence, répéta-t-il. Voilà le meilleur mot que tu as découvert. Je te l'ai déjà dit, seul un toqué entreprendrait volontairement la tâche de devenir homme de connaissance. C'est par la ruse qu'on y engage l'homme équilibré.

– Je suis persuadé qu'il doit y avoir des tas de gens désireux d'entreprendre une telle tâche, lui dis-je.

– Oui, mais ceux-là ne comptent pas. En général, ils sont fêlés. Ils ressemblent à ces gourdes en apparence parfaites, mais qui perdent au moment où elles sont soumises à un peu de pression, dès l'instant où tu les remplis d'eau.

« Une fois déjà j'ai dû ruser pour t'amener à apprendre, un peu comme mon benefactor s'était lui aussi joué de moi. Sinon, jamais tu n'aurais tant appris. Peut-être que voici revenu le moment de ruser avec toi. »

La supercherie à laquelle il faisait allusion constitua le moment crucial de mon apprentissage. Il y avait bien des années, cependant dans mon souvenir elle avait conservé la vivacité des choses toutes récentes. Par d'habiles manipulations don Juán m'avait obligé à une confrontation directe et terrifiante avec une femme que l'on disait sorcière. De ce combat résulta une profonde animosité de sa part. Don Juan fit usage de ma peur pour justifier la poursuite de l'apprentissage, cela en prétendant qu'il me fallait absolument apprendre plus de sorcellerie pour pouvoir me protéger des assauts magiques de cette sorcière. Et la « ruse » de don Juan m'insuffla la certitude que pour conserver la vie, une seule issue existait : apprendre davantage.

« Si vous avez l'intention de m'effrayer à nouveau avec cette femme, je ne reviendrai plus », déclarai-je.

Don Juan éclata d'un rire joyeux.

« Ne t'inquiète pas, dit-il d'un ton réconfortant. Les ruses fondées sur la peur n'ont plus prise sur toi. Tu n'as plus peur. Mais si besoin est je pourrai me jouer de toi quel que soit l'endroit où tu te trouves; pour cela tu n'as absolument pas besoin d'être ici. »

Il plaça ses bras derrière sa nuque, puis s'allongea pour dormir. Pendant deux heures, presque jusqu'à la nuit complète, je travaillais à mes notes. Don Juan se rendit compte que j'écrivais. Il se releva, sourit, et me demanda si j'avais résolu mon problème par l'écriture.

Le 23 mai 1968

Nous parlions d'Oaxaca. Je racontais à don Juan qu'arrivant dans cette ville un jour de marché, jour où la foule des Indiens descend des montagnes environnantes pour venir vendre des légumes et toutes sortes de bibelots, un vendeur de plantes médicinales retint toute mon attention. Il portait une boîte dans laquelle il avait placé de petits bocaux renfermant des plantes sèches et rabougries, et au milieu de la rue, tout en brandissant un de ces bocaux, il entonnait une rengaine assez remarquable.

« J'ai ici pour les puces, les mouches, les moustiques, et les limaces.

« Et aussi pour les cochons, les chevaux, les chèvres, et les vaches.

« J'ai tout ce qu'il faut pour toutes les maladies de l'homme.

« Les oreillons, la rougeole, les rhumatismes et la goutte.

« J'ai ici pour le cœur, le foie, l'estomac, et les reins.

« Approchez, mesdames et messieurs.

« J'ai ici pour les puces, les mouches, les moustiques, et les limaces. »

Longtemps je restais à l'écouter. Son procédé consistait à énumérer une longue liste de maladies de l'homme pour lesquelles il prétendait avoir un remède, et pour donner un rythme à sa rengaine, il faisait un silence après chaque série de quatre mots.

Don Juan mentionna qu'au temps de sa jeunesse il avait lui aussi vendu des herbes au marché d'Oaxaca. Il se souvenait encore de son boniment pour inciter les éventuels acheteurs, et il le fit pour moi. Il me dit qu'il préparait, avec son ami Vicente, des mélanges médicinaux.

« Ces préparations agissaient vraiment, précisa-t-il, mon ami Vicente faisait de remarquables extraits de plantes. »

Je lui dis qu'une fois, au cours d'un de mes voyages, j'avais rencontré son ami Vicente. Surpris, don Juan voulut en savoir plus.

J'allais traverser Durango lorsque je me souvins que don Juan m'avait un jour dit que je devrais rendre visite à un de ses amis qui y vivait. Je le cherchai, le trouvai, et nous parlâmes un certain temps. Avant mon départ il me donna un sac contenant quelques plantes ainsi que toutes les instructions pour replanter l'une d'elles.

En me dirigeant vers Aguas Calientes, je fis un arrêt. Je pris soin de vérifier qu'il n'y avait personne aux alentours. Pendant dix minutes au moins j'observai la route et les environs. Aucune maison n'était visible, il n'y avait pas de bétail pâturant le long de la route. Je m'étais arrêté au sommet d'une petite colline de façon à avoir vue sur la route dans les deux directions. Elle semblait déserte aussi loin que je puisse voir. Il me fallut quelques minutes pour m'orienter et récapituler les instructions de don Vicente. Pour arroser la plante je pris avec moi une bouteille d'eau minérale; j'essayai de la décapsuler avec la tige de fer dont je m'étais servi pour creuser mais la bouteille explosa et un éclat de verre trancha ma lèvre supérieure qui se mit à saigner.

Je revins à ma voiture pour prendre une autre bouteille. Pendant que je la sortais du coffre, un homme qui conduisait une fourgonnette s'arrêta pour me demander si j'avais besoin d'aide. Je répondis que tout allait bien, et il s'en alla. Une fois la plante arrosée, je me dirigeais vers la voiture, lorsque, à environ trente mètres de la route, j'entendis des voix. Rapidement je descendis la pente pour découvrir à côté de ma voiture deux Mexicains et une Mexicaine. L'homme assis sur le pare-chocs avant avait environ trente ans; ses cheveux étaient noirs et bouclés. Il était de taille moyenne, portait un sac de toile sur son dos, et suait abondamment. Son accoutrement consistait en une paire de vieux pantalons, d'une chemise rose très usée, de chaussures aux lacets dénoués et bien trop grandes pour ses pieds.

L'autre homme attendait debout, environ dix mètres plus loin; il était plus petit et plus mince, et avait les cheveux longs peignés en arrière. Il devait avoir environ cinquante ans. Il portait des vêtements mieux coupés, une veste bleu foncé, un pantalon bleu ciel et des chaussures noires. Il ne transpirait pas. Sur son dos il avait un petit sac. Il semblait très réservé et affichait un certain détachement.

La femme devait avoir près de quarante ans. Elle était boulotte et très foncée de peau. Elle s'était affublée de pantalons noirs très étroits, d'un maillot blanc, et de chaussures noires à hauts talons. Elle n'avait pas de sac, mais seulement un poste de radio portatif. Elle semblait fatiguée et des gouttes de sueur perlaient sur son visage.

La jeune femme et le jeune homme m'abordèrent pour me demander de les transporter. Je répondis qu'il n'y avait pas de place, ils pouvaient se rendre compte que la banquette arrière était surchargée, qu'il m'était impossible de tous les amener. L'homme proposa une solution : je conduirai lentement et ils pourraient s'installer sur le pare-chocs arrière ou sur le capot. Cette proposition me parut absurde mais ils insistèrent; cela me déconcerta et m'attrista; je leur proposai l'argent pour prendre l'autobus.

Le jeune homme prit les billets et me remercia, mais dédaigneusement son compagnon tourna le dos.

« J'ai besoin d'une place, dit-il, je n'ai pas besoin d'argent. »

Puis il me fit face : « Pouvez-vous nous donner de quoi manger, ou boire? »

Je n'avais rien à leur offrir. Pendant un moment ils restèrent là à me dévisager, puis ils s'en allèrent.

Je montai dans ma voiture, et j'essayai de la mettre en marche. Il faisait très chaud, le moteur devait être noyé, elle ne voulait pas partir. En entendant le grignotement du démarreur, le jeune homme s'arrêta, revint sur ses pas, se plaça derrière la voiture prêt à la pousser. J'eus très peur, j'avais le souffle court. Enfin le moteur toussa et se mit à tourner. Je partis sur-le-champ.

Une fois mon récit terminé, don Juan demeura pensif. Sans tourner la tête il me demanda :

« Pourquoi ne m'avoir pas raconté cela auparavant? »

Je ne savais que lui répondre. Je haussai les épaules, et je déclarai ne pas avoir pensé qu'un tel incident eût de l'importance.

« C'est d'une sacrée importance! enchaîna-t-il. Vicente est un sorcier de première classe. S'il te donna quelque chose à planter, c'est qu'il avait ses raisons. Et si tu rencontras des gens sortis d'on ne sait où, immédiatement après avoir mis en terre cette plante, ce n'est pas sans raison. Seul un imbécile comme toi peut négliger un tel incident, et penser qu'il soit dénué de toute importance. »

Il voulut savoir exactement tout ce qui s'était passé pendant ma visite à don Vicente.

Je récapitulai. En traversant la ville je passai près du marché; alors me vint à l'esprit l'idée de chercher don Vicente. J'entrai dans le marché et me dirigeai vers la partie réservée aux plantes médicinales. Je découvris trois étals en ligne gardés par trois grosses vendeuses. J'allai un peu plus loin, et au tournant de l'allée il y avait un autre étal tenu par un petit homme aux cheveux blancs. Il était en train de vendre une cage à oiseau à une femme.

En attendant qu'il soit seul je me promenai aux alentours, puis revins pour lui demander s'il connaissait Vicente Medrano. Sans me répondre, il me dévisagea.

« Que lui veux-tu à ce Vicente Medrano ? » dit-il après un long silence.

Je lui dis que je le cherchais pour le saluer au nom d'un de ses amis, et je mentionnai le nom de don Juan. Le vieil homme ne me quitta pas du regard, puis me dit qu'il était Vicente Medrano, pour me servir. Il me fit asseoir. Il semblait heureux de la visite, conserva un calme parfait et marqua l'entrevue d'un ton sincèrement amical. Je lui parlai de mon amitié avec don Juan, et j'eus l'impression qu'un rapport de sympathie s'instaurait immédiatement entre nous. Il me raconta qu'il connaissait don Juan depuis l'époque où tous deux devaient avoir vingt ans, et il ne cessa pas de me faire les louanges de son ami. Vers la fin de notre conversation il déclara d'un ton de voix vibrant : « Juan est un vrai homme de connaissance. Je me suis moi-même, un moment, attaché au pouvoir des plantes. Leurs propriétés curatives m'ont toujours intéressé. J'avais même fait une collection d'ouvrages de botanique que je viens de vendre tout récemment. »

Il garda le silence un bref moment, se frotta le menton à deux reprises, comme s'il cherchait le mot exact pour exprimer sa pensée.

« Tu pourrais dire que je suis seulement un homme de connaissance lyrique, dit-il enfin, je ne suis pas comme Juan, mon frère Indien. »

Il se replongea dans le silence. Ses yeux étaient comme de verre, fixés au sol, un peu à ma gauche.

Puis il se tourna vers moi, et presque dans un murmure me confia : « Oh! A quelle hauteur mon frère Indien plane-t-il? »

Don Vicente se leva. Notre conversation semblait terminée.

Si n'importe qui avait fait ce genre de déclaration concernant « son frère Indien », je l'aurais prise pour un cliché; cependant le ton de don Vicente était vraiment sincère et il y avait dans ses yeux une telle limpidité que je me laissai emporter par l'image de son frère Indien planant à d'incroyables hauteurs. Et je crus qu'il pensait réellement ce qu'il disait.

« Connaissance lyrique! Mon œil! s'exclama don Juan. Vicente est un *brujo*. Pourquoi es-tu allé le voir? »

Je lui rappelai qu'il m'avait lui-même incité à faire cette visite.

« C'est ridicule! s'exclama-t-il d'un ton dramatique. Un jour, je t'ai dit que lorsque tu sauras comment *voir*, tu devras rendre visite à mon ami Vicente. Voilà ce que je t'avais dit. Probablement, tu n'écoutais pas bien. »

Je répliquai que je ne voyais rien de dramatique dans le fait d'avoir rencontré don Vicente; tout s'était bien passé, ses manières et sa gentillesse m'avaient enchanté.

Don Juan dodelina la tête de gauche à droite, et d'un ton plaisantin exprima son ahurissement face à ce qu'il nommait ma « chance déconcertante ». Il ajouta que ma visite chez don Vicente avait été comme entrer dans la tanière d'un lion en brandissant une brindille. Une certaine agitation semblait l'avoir gagné, et malgré tous mes efforts de réflexion, je n'arrivais pas à discerner de raison valable à son tracas. Don Vicente était un homme remarquable, il semblait si fragile, et son regard étrange, hanté, le rendait presque éthéré. Je voulus savoir comment une personne resplendissante d'amitié pouvait être dangereuse.

« Tu es un sacré imbécile, dit-il, me regardant un moment avec dureté. Ce n'est pas lui qui te causera le moindre mal. La connaissance c'est la puissance, et une fois que l'homme prend la route de la connaissance, il n'est plus responsable de ce qui peut arriver à ceux qui le côtoient. Tu aurais dû lui rendre visite seulement après avoir assez appris pour pouvoir te défendre. Non pas contre lui, mais contre le pouvoir qu'il a harnaché qui, ceci dit en passant, n'est ni le sien ni celui de n'importe qui. En apprenant que tu étais mon ami, Vicente supposa que tu savais comment te protéger, et il t'a fait un cadeau. Il semble qu'il t'ait apprécié, il a dû te faire un très grand cadeau; mais tu l'as gâché. Quel dommage! »

Le 24 mai 1968

Presque toute la journée je tourmentais don Juan pour qu'il me révèle la nature du cadeau de don Vicente. Je m'appuyais de diverses façons, sur la différence qui me séparait de lui. Ce qui pour lui s'expliquait naturellement pouvait me rester totalement incompréhensible.

« Combien de plantes t'a-t-il données? se décida à demander don Juan.

– Quatre », lui dis-je, mais je n'en étais même pas certain. Puis il voulut exactement savoir le déroulement des événements entre le moment où j'avais quitté don Vicente et celui où je m'arrêtai au bord de la route. Mais je ne me souvenais plus de rien.

« Le nombre des plantes est très important, ainsi que le déroulement des événements, déclara-t-il. Comment pourrais-je découvrir quel était ton cadeau si tu ne peux pas te souvenir de ce qui s'est passé? »

Je m'efforçai de reconstituer la suite des événements mais je n'y parvins pas.

« Si au moins tu pouvais te souvenir de tout ce qui s'est passé, je pourrais au moins te dire comment tu en es arrivé à gâcher ton cadeau. »

Don Juan avait vraiment l'air préoccupé. Il me pressa de me rappeler ce qui s'était passé, mais ma mémoire s'y refusait totalement.

« Don Juan, à votre avis, en quoi ai-je fait une faute? lançai-je seulement pour entretenir la conversation.

– En tout.

– Mais j'ai pourtant suivi à la lettre les instructions de don Vicente.

– Et alors? Ne comprends-tu pas que suivre ses instructions n'avait aucun sens?

– Pourquoi?

– Parce que ces instructions étaient destinées à quelqu'un capable de *voir*, et non à un imbécile qui s'en est tiré par une chance incroyable. Tu es allé voir don Vicente sans être prêt. Il a eu un faible pour toi et t'a fait un cadeau. Un cadeau qui facilement aurait pu te coûter la vie.

– Mais pourquoi m'a-t-il offert une chose aussi sérieuse? Puisqu'il est sorcier, il aurait dû savoir que je ne connais rien à rien.

– Non, cela il ne pouvait pas le *voir*. Tu offres l'apparence de quelqu'un qui sait, alors qu'en fait tu connais bien peu. »

Je précisai que jamais, tout au moins de manière délibérée, je ne l'avais abusé.

« Ce n'était pas de cela dont je parlais, dit-il, si tu avais joué au vantard, Vicente s'en serait rendu compte. Il y a quelque chose pire que de prétendre. Quand je te *vois*, tu m'apparais comme si tu possédais une grande connaissance, et cependant je sais qu'il n'en est rien.

– Don Juan, qu'ai-je l'air de connaître?

– Les secrets du pouvoir, bien sûr! La connaissance d'un *brujo*. Donc, Vicente t'a vu, et il t'a fait un cadeau. Et avec cela tu t'es comporté à la façon des chiens qui ont la panse pleine. Un chien, lorsqu'il n'en veut plus, pisse sur la nourriture pour que les autres chiens ne la mangent pas. C'est exactement ce que tu as fait avec ton cadeau. Maintenant, et pour toujours tu ignoreras ce qui s'est passé. Tu as perdu un cadeau remarquable. Quel gaspillage! »

Pendant un moment il se calma, puis il haussa les épaules et me sourit.

« Il est inutile de se plaindre, et cependant il est vraiment difficile de ne pas le faire. Dans la vie d'un homme les cadeaux de pouvoir sont extrêmement rares. Moi, par exemple, jamais je n'en ai reçu. A ma connaissance, très peu de gens en ont eu un. C'est une honte d'avoir gaspillé une chose absolument unique.

– Don Juan, je ne comprends pas ce que vous dites, y a-t-il maintenant quelque chose que je puisse faire pour récupérer le cadeau? »

Il éclata de rire tout en répétant plusieurs fois : « Récupérer le cadeau? »

« Voilà qui sonne bien, dit-il. J'aime ça. Cependant il n'y a absolument rien à faire pour récupérer ton cadeau. »

Le 25 mai 1968

Don Juan consacra la majeure partie de la journée et de son temps à me montrer comment fabriquer de simples pièges pour attraper de petits animaux. Toute la matinée nous avions coupé et écorcé des branches. Dans ma tête je jonglais avec bien des questions que je désirais lui poser. Pendant qu'il travaillait je tentai de lui parler, mais il me répondit par une plaisanterie : j'étais le seul, annonça-t-il, à pouvoir remuer en même temps mes doigts et mes lèvres. Malgré tout, lorsque nous nous assîmes pour nous reposer, je laissai échapper une question.

« *Voir*, comment est-ce?

— Pour le savoir, il te faudra apprendre à *voir*. Je ne peux pas te le dire.

— S'agit-il d'un secret que vous ne pouvez pas me révéler?

— Non. Simplement quelque chose que je ne peux pas te décrire.

— Pourquoi?

— Cela n'aurait pour toi aucun sens.

— Essayez, don Juan. Peut-être qu'avec moi cela aura un certain sens.

— Non. Tu dois toi-même faire cet effort. Une fois que tu auras appris, tu pourras *voir* chacune des choses de ce monde d'une façon différente.

— Alors, don Juan, vous ne voyez plus le monde à la façon habituelle?

— Je peux le voir de deux façons. Quand je désire *regarder* le monde, je le vois à ta façon. Mais quand je veux le *voir*, je le regarde de la façon que je connais, et je le perçois d'une façon différente.

— Les choses gardent-elles toujours la même apparence chaque fois que vous les *voyez*?

— Les choses ne changent pas. Tu changes ta façon de regarder. C'est tout.

— Don Juan, je voulais dire que si, par exemple, vous *voyez* le même arbre, sera-t-il toujours semblable chaque fois que vous le *verrez*?

— Non. Il change, et cependant il reste le même.

– Mais si le même arbre change chaque fois que vous le *voyez*, *voir* pourrait être une simple illusion. »

Il éclata de rire, et prenant une attitude pensive il ne me répondit pas immédiatement. Enfin il déclara :

« Chaque fois que tu regardes une chose, tu ne la *vois* pas. Tu ne fais que la regarder, sans doute pour être certain qu'il y a là quelque chose. Puisque *voir* ne te concerne pas, chaque fois que tu regardes les choses, elles semblent à peu près identiques. Lorsqu'on apprend à *voir*, chaque fois qu'on *voit* une chose elle est différente, et pourtant c'est la même. Je t'ai déjà dit qu'un homme se *voit* comme un œuf. Chaque fois que je *vois* le même homme, je *vois* un œuf, et cependant ce n'est jamais le même œuf.

– Mais alors, puisque rien n'a jamais la même apparence, il doit être impossible de reconnaître quelque chose. Quel est donc l'avantage d'apprendre à *voir*?

– Tu peux différencier les choses. Tu peux les voir telles qu'elles sont réellement.

– Je ne vois donc pas les choses telles qu'elles sont réellement!

– Non. Tes yeux n'ont appris qu'à regarder. Souviens-toi par exemple de ces trois personnes, ces Mexicains que tu as rencontrés. Tu me les as décrits dans le moindre détail. Tu m'as même précisé comment ils étaient habillés. Et cela suffit pour me prouver que tu ne les avais pas réellement *vus*. Si tu avais été capable de *voir*, tu aurais immédiatement su qu'il ne s'agissait pas de personnes.

– Il ne s'agissait pas de personnes! Alors, qu'étaient-ils?

– Il ne s'agissait pas de personnes. C'est tout.

– Mais c'est impossible, ils étaient comme vous et moi.

– Non, ils n'étaient pas comme toi et moi. J'en suis certain. »

Je lui demandai s'il s'agissait de fantômes, d'esprits, ou de l'âme de personnes décédées. Il répondit qu'il ignorait ce qu'étaient les fantômes, les esprits, et les âmes.

Je traduisis en espagnol la définition donnée pour le mot fantôme par le dictionnaire Webster : « L'esprit supposé incorporel d'une personne morte, que l'on conçoit comme apparaissant aux vivants telle une apparition pâle et indécise. » Puis celle d'esprit : « Un être super-naturel, particulièrement celui que l'on pense être... comme un fantôme, ou comme habitant une certaine région, doué de caractère (bon ou mauvais). »

Il déclara qu'on pouvait peut-être les désigner par esprit, bien que la définition que j'avais lue ne suffise pas à les décrire de manière adéquate.

« Sont-ils un genre de gardiens ?

– Non. Ils ne gardent rien.

– Sont-ils des surveillants ? Veillent-ils au-dessus de nous ?

– Ce sont des forces, ni bonnes ni mauvaises, seulement des forces qu'un *brujo* apprend à harnacher.

– Don Juan, sont-ils des alliés ?

– Oui, ils sont les alliés d'un homme de connaissance. »

Il y avait huit ans que durait notre association, et pourtant c'était la première fois que don Juan abordait la définition de l'allié, définition que j'avais dû lui demander des dizaines et des dizaines de fois sans aucun succès. En général il éludait ma question en disant que comme je savais très bien ce qu'était un allié, il serait idiot de formuler ce que je savais déjà. Cette franche déclaration concernant la nature de l'allié constituait quelque chose de nouveau, et je me sentis désireux de pousser don Juan dans ses retranchements.

« Vous m'aviez dit que les alliés étaient contenus dans les plantes, dans le *datura* et dans les champignons [1].

1. Cf. *op. cit.*, chap. II, et analyse structurale.

– Je ne t'ai jamais dit cela, répondit-il avec assurance. Chaque fois tu sautes à pieds joints sur tes propres conclusions.

– Mais, don Juan, je l'ai pourtant noté par écrit.

– Tu peux écrire tout ce que tu voudras, mais ne prétends pas que j'ai dit une telle chose. »

Je lui rappelai qu'il m'avait en premier lieu déclaré que l'allié de son benefactor était le *datura*, et que le sien était la petite fumée; puis que plus tard il avait éclairci cela en disant que l'allié était contenu dans chaque plante.

« Non. Ce n'est pas exact, dit-il en fronçant les sourcils. Mon allié est la petite fumée, ce qui ne signifie pas que mon allié soit dans le mélange à fumer, ou dans les champignons, ou dans ma pipe. Il faut tous les réunir pour me transporter à l'allié, et cet allié je peux pour des raisons très personnelles le nommer la petite fumée. »

Il précisa ensuite que les trois personnes que j'avais vues, personnes qu'il nommait « ceux-qui-ne-sont-pas-des-gens » – *los que no son gente* – étaient en réalité les alliés de don Vicente.

Je ne pus m'empêcher de mentionner la différence qu'il avait lui-même établie entre Mescalito et un allié : un allié ne pouvait pas être vu, alors qu'on pouvait aisément voir Mescalito.

Cet argument nous entraîna dans une longue discussion. Il dit qu'il avait énoncé l'idée qu'un allié ne pouvait pas être vu parce qu'un allié adoptait n'importe quelle forme. Quand je lui fis remarquer qu'il avait aussi une fois dit que Mescalito adoptait n'importe quelle forme, don Juan conclut la conversation en disant que le fait de *voir* auquel il se référait n'était pas l'habituelle action de « regarder les choses », et que ma confusion résultait de mon insistance à vouloir toujours parler.

Quelques heures plus tard don Juan lui-même recommença à parler des alliés. J'avais eu l'impression de l'avoir importuné avec mes questions, par conséquent je n'avais plus insisté.

Il me montrait comment construire un piège à lapin. Je devais courber un long bâton pour qu'il puisse passer une ficelle reliant les deux extrémités. Bien qu'assez mince, le bâton réclama une force considérable pour être arqué de façon adéquate; mes bras et ma tête tremblaient sous cet effort. Lorsqu'il eut enfin fixé la ficelle j'étais épuisé.

Nous nous assîmes et commençâmes à discuter. Il déclara qu'il lui semblait évident que si je ne pouvais pas en parler, une chose me resterait toujours incompréhensible, mais que mes questions ne le gênaient pas. D'ailleurs il désirait me parler des alliés.

« L'allié n'est pas dans la fumée. La fumée te transporte là où se trouve l'allié, et lorsque tu ne fais qu'un avec l'allié, tu n'auras plus jamais besoin de fumer. A partir de ce moment-là tu pourras convoquer ton allié à volonté, et lui faire accomplir tout ce que tu désireras.

« Les alliés ne sont ni bons, ni mauvais. Mais ils sont mis en œuvre par les sorciers dans n'importe quel but, s'ils le jugent utile. Je suis très heureux d'avoir pour allié la petite fumée car il[1] exige peu de chose de ma part. Il est constant, et il est juste.

– Comment un allié vous apparaît-il, don Juan? Ainsi ces trois personnes que je vis ressemblaient à des gens ordinaires. Pour vous, quelle apparence auraient-ils eue?

– Lorsque tu les *vois*, les vrais gens ont l'apparence d'œufs lumineux. Les fausses gens ont toujours l'apparence de gens. C'est ce que j'ai voulu exprimer en disant

1. *Id. Cf.* note p. 42.

qu'il était impossible de *voir* un allié. Les alliés prennent des formes différentes. Ils ont l'apparence de chiens, de coyottes, d'oiseaux, parfois même de broussailles roulées par le vent, de tout ce que tu voudras. La seule différence est que lorsque tu les *vois*, ils gardent l'apparence de ce qu'ils prétendent être. Quand tu *vois*, chaque chose possède sa propre manière d'être. Comme les hommes qui ont l'apparence d'œufs, les autres choses ont une autre apparence. Mais les alliés ne peuvent être *vus* que sous la forme qu'ils ont choisi d'adopter. Cette forme est d'ailleurs suffisante pour tromper les yeux, c'est-à-dire nos yeux, car ni un chien ni un corbeau ne s'y tromperait.

— Pourquoi voudraient-ils ainsi nous tromper ?

— Je crois que c'est nous qui sommes des clowns. Nous ne trompons que nous-mêmes. Les alliés adoptent simplement la forme extérieure de n'importe quoi aux alentours, et c'est nous qui les prenons pour ce qu'ils ne sont pas. Il ne faut pas les blâmer du fait que nous n'apprenons à nos yeux qu'à regarder les choses.

— Don Juan, je ne comprends pas très bien leur rôle. Que font-ils dans le monde ?

— C'est exactement comme si tu me demandais ce que font les hommes dans le monde. Je n'en sais vraiment rien. Nous sommes là, c'est tout. Comme nous, les alliés sont là. Et peut-être y étaient-ils avant nous ?

— Don Juan, que voulez-vous dire ? avant nous ?

— Nous, les hommes, n'avons pas toujours été là.

— Voulez-vous dire ici, dans ce pays, ou dans le monde ? »

La question suscita une longue controverse. Don Juan déclara que pour lui il n'y avait que le monde, l'endroit où il posait ses pieds. Je lui demandai comment savait-il que nous n'avions pas toujours été dans le monde.

« Très simplement, me répondit-il, nous, les hommes, savons très peu de chose sur le monde. Un coyote en connaît bien plus que nous. Un coyote est rarement trompé par l'apparence du monde.

– Alors, comment se fait-il que nous puissions les attraper et les tuer? Si l'apparence des choses ne les trompe pas, comment meurent-ils si facilement? »

Don Juan me fixa du regard jusqu'à ce que je me sente mal à l'aise.

« Tu peux piéger, empoisonner, ou tirer un coyote. Quelle que soit la façon dont nous nous y prenions, un coyote reste pour nous une proie facile parce qu'il n'est pas habitué aux machinations des hommes. Cependant s'il survit, tu peux être certain que tu ne l'attraperas plus jamais. Un bon chasseur sait cela, et jamais il ne place son piège au même endroit, car si un coyote meurt au piège tous les coyotes peuvent *voir* sa mort qui s'attarde à cet endroit-là; donc ils éviteront le piège et le lieu où il était placé. Par contre, nous ne *voyons* jamais la mort qui traîne là où un de nos semblables mourut; nous pourrions la soupçonner, mais jamais la *voir*.

– Un coyote peut-il *voir* un allié?

– Evidemment.

– Sous quelle apparence?

– Pour savoir cela il me faudrait devenir coyote. Cependant je puis te dire que pour un corbeau un allié apparaît sous la forme d'un chapeau pointu. Un chapeau large et rond à la base, se terminant par une longue pointe. Certains sont brillants, mais la plupart restent mats et semblent très lourds. Il ressemblent à un tissu ruisselant. Ce sont des formes à présage.

– Don Juan, lorsque vous les *voyez*, quelle apparence ont-ils?

– Je te l'ai déjà dit, ils ont l'apparence de ce qu'ils prétendent être. Ils prennent la taille et la forme qui leur convient. Ils pourraient aussi bien avoir la forme d'un caillou que d'une montagne.

– Est-ce qu'ils parlent, ou rient, ou font des bruits?

– En compagnie des hommes ils se comportent comme des hommes. En compagnie des animaux ils se comportent comme des animaux. En général les animaux sont effrayés par leur présence, cependant s'ils prennent l'habitude de voir des alliés, ils les laissent à l'écart. Ce que, d'une certaine façon, nous faisons aussi. Parmi nous il y a des quantités d'alliés, mais nous ne nous en rendons pas compte. Puisque nos yeux ne peuvent que regarder les choses, nous ne les voyons même pas.

– Voulez-vous dire que parmi les gens que je vois dans la rue certains ne sont pas réellement des gens ? demandai-je complètement déconcerté par ses déclarations.

– Certains n'en sont pas », dit-il en pesant soigneusement ses mots.

Cela me sembla complètement absurde, mais je ne pouvais imaginer don Juan prêt à lancer une telle affirmation simplement pour se satisfaire d'un effet assez facile. Je lui déclarai que tout cela ressemblait à une histoire de science-fiction concernant les êtres d'une autre planète. Il précisa que peu lui importait la comparaison, il n'en demeurait pas moins que certaines personnes dans la rue n'étaient pas des personnes.

« Pourquoi penser que chaque personne d'une foule est un être humain ? » me demanda-t-il d'un ton très sérieux.

Je ne pouvais vraiment pas expliquer pourquoi, et je fis remarquer que j'étais habitué à penser ainsi, qu'il s'agissait de ma part d'un acte de pure bonne foi.

Il me décrivit combien il aimait se placer en observation là où il y avait beaucoup de gens, et comment parfois il pouvait *voir* une foule d'hommes sous formes d'œufs, et au milieu de la masse des créatures en forme d'œuf repérer une forme qui avait l'apparence d'un homme.

« J'ai beaucoup de plaisir à agir ainsi, dit-il en riant.

J'aime m'asseoir dans les jardins publics, dans les gares routières, et observer les gens. Parfois je puis repérer un allié du premier coup, d'autres fois je ne peux *voir* que de vrais hommes. Un jour j'ai vu deux alliés assis côte à côte dans un autobus. C'est d'ailleurs la seule fois où j'en vis deux ensemble.

– En voir deux ensemble, est-ce pour vous une chose significative?

– Evidemment. Tout ce qu'ils font est significatif. C'est de leurs actions que le *brujo* extrait parfois sa puissance. Même s'il n'a pas un allié personnel un *brujo*, pour autant qu'il sache *voir*, peut manier le pouvoir en observant les actions des alliés. Mon benefactor m'enseigna comment procéder, et avant d'avoir mon allié, pendant des années j'observai les foules de gens pour y repérer les alliés, et chaque fois que j'en *vis* un, il m'enseigna quelque chose. Toi, tu es toimbé sur trois d'entre eux. Quelle leçon extraordinaire n'as-tu pas gaspillée! »

Jusqu'à ce que nous eussions terminé l'assemblage du piège à lapin, il garda le silence. Alors il se tourna vers moi, et brusquement me déclara, comme s'il venait de s'en souvenir, qu'une autre chose importante concernant les alliés était que lorsqu'on en découvrait deux ensemble il s'agissait toujours de deux de même genre. Les deux alliés qu'il avait aperçus étaient deux hommes. Mais puisque j'avais rencontré deux hommes et une femme, il fallait en conclure que mon expérience était encore plus inhabituelle.

Je lui demandai si les alliés pouvaient prendre une forme d'enfant; si ces enfants seraient ou non du même sexe. Si les alliés prenaient l'apparence de gens de races différentes. S'ils pouvaient composer une famille, homme, femme et enfant. Et pour en finir je voulus savoir s'il avait vu un allié conduire une automobile ou un autobus.

Don Juan ne me répondit pas. Il souriait et me laissait

parler. A ma dernière question il ne se contint plus et éclata de rire. Il dit que je ne faisais pas attention à mes questions, qu'il aurait été préférable de demander s'il avait *vu* un allié conduisant un engin à moteur.

« N'oublie pas les motos, surtout pas! » ajouta-t-il avec un éclair espiègle dans ses yeux.

Je crus qu'il se moquait de mes questions, qu'il plaisantait et s'amusait. Son rire me gagna.

Puis il expliqua que les alliés ne pouvaient ni diriger ni agir sur quelque chose directement. Cependant, de manière indirecte, ils pouvaient agir sur l'homme. Don Juan précisa que le contact avec un allié était dangereux, car l'allié était capable d'attiser le plus mauvais côté d'un homme. L'apprentissage était long et pénible puisqu'il fallait réduire au minimum tout ce qui n'était pas indispensable à la vie, car cela constituait la seule façon de résister à l'impact d'une telle rencontre. Puis il raconta que son benefactor, lorsqu'il avait pour la première fois rencontré son allié, avait été poussé à se brûler, ce qui l'avait effrayé plus que si un puma l'avait mordu. Quant à lui-même, il s'était brûlé au genou et à l'épaule, lorsqu'un allié l'avait poussé dans un feu de bois; mais, quand fut venu le moment où il ne fit qu'un avec l'allié, les cicatrices disparurent.

3

Le 10 juin 1968 nous entreprîmes un long voyage pour
aller à un *mitote*. Il y avait des mois que j'espérais avoir
cette occasion, et malgré ma vive impatience je n'étais
pas certain que je désirais vraiment y participer. Je
pensais que mon hésitation venait de ma peur d'être
obligé de prendre du peyotl au cours de la réunion,
alors que je n'en avais aucunement envie. Bien des fois
je m'étais ouvert à don Juan sur ce point. Au début,
plein de patience, il riait, puis un jour il déclara très
fermement qu'il ne voulait plus entendre parler de ma
peur.

Quant à moi, je considérai le *mitote* comme un terrain
d'expérience pour vérifier mon schéma. Je n'avais
jamais entièrement rejeté l'idée qu'un meneur occulte
était indispensable pour assurer l'accord des participants. D'une certaine façon j'avais l'impression que don
Juan avait écarté mon hypothèse de travail pour des
raisons personnelles, c'est-à-dire parce qu'il jugeait plus
efficace d'expliquer tout ce qui se produisait pendant un
mitote en fonction du fait de « voir ». J'étais parfaitement conscient que mon désir de découvrir une explication, à mon avis raisonnable, allait à l'encontre de ce
qu'il désirait me faire accomplir; c'est d'ailleurs pour
cette raison qu'il avait décidé de rejeter mon raisonnement, ainsi qu'il le faisait avec tout ce qui n'était pas
conforme à son système. Cependant, peu avant le

départ, don Juan me mit à l'aise en déclarant que je participerai à la réunion du peyotl en simple observateur. Je me sentis définitivement soulagé, et cette fois-ci j'étais persuadé de pouvoir découvrir le processus secret par lequel les participants obtiennent un accord parfait.

Nous partîmes tard dans l'après-midi, au moment où le soleil très bas sur l'horizon me réchauffait la nuque; ce qui, tout en conduisant, me faisait souhaiter avoir un store vénitien pour couvrir la vitre arrière. Du sommet d'une côte je pus plonger mon regard dans une immense vallée où la route semblait être un mince ruban noir déroulé sur d'innombrables collines qu'il montait et descendait. Avant d'aborder la descente je le suivis des yeux jusque très loin au sud alors qu'il disparaissait dans une chaîne de basses montagnes.

Don Juan restait tranquillement assis, regardant droit devant lui. Nous n'avions pas échangé un seul mot depuis très longtemps. Nous roulions toutes vitres baissées mais la chaleur devenait insupportable; la journée avait été extrêmement chaude. Je me sentais contrarié et impatient, et à un moment donné je ne pus que me plaindre de cette chaleur.

Don Juan fronça les sourcils et me jeta un regard inquisiteur.

« A cette époque de l'année, au Mexique, il fait chaud partout, dit-il. Il n'y a là rien qu'on puisse changer. »

Je me gardai bien de le regarder, je savais qu'il me dévisageait. En descendant la voiture prit de la vitesse, et si vaguement j'avais aperçu le signe *Vado* (cassis) je ne réagis que lorsque je vis le cassis; je donnai un coup de frein brutal, mais malgré cela nous le passâmes à assez grande vitesse et le choc très marqué nous secoua fort. Je ralentis. Nous traversions une région où le bétail pâturait en liberté jusqu'au bord de la route, et il n'était pas rare de voir la carcasse d'une vache ou d'un cheval écrasé par un camion. A un moment donné, je dus arrêter la voiture pour laisser des chevaux traverser la route. Je me sentais de plus en plus impatient et par contrecoup contrarié. Je confiai à don Juan que c'était la chaleur qui m'énervait ainsi; depuis mon enfance je détestais la chaleur de l'été parce que j'étouffais et que je pouvais à peine respirer.

« Tu n'es plus un enfant, remarqua-t-il.

– La chaleur m'étouffe toujours.

– Eh bien, lorsque j'étais enfant, la faim m'étouffait, dit-il avec douceur. Avoir faim était alors tout ce que je connaissais. Mon estomac gonflait jusqu'à ce que je puisse à peine respirer. Mais cela, c'était lorsque j'étais enfant; maintenant, si je suis affamé, je ne peux plus étouffer et gonfler comme un crapaud. »

Je n'avais rien à répondre, je sentais m'être glissé dans un traquenard; j'allais être acculé au combat, alors que je n'en avais aucune envie. Tout compte fait, la chaleur n'était plus accablante, et ce qui m'ennuyait vraiment était l'idée de m'épuiser au long des quinze cents kilomètres de conduite qu'il me restait à accomplir.

« Arrêtons-nous pour manger, dis-je. Peut-être qu'une fois le soleil couché la chaleur tombera. »

Don Juan me regarda en souriant, et déclara qu'il n'y aurait sur notre route aucune ville assez propre à mon gré pendant encore assez longtemps, car, s'il m'avait bien compris, je ne m'arrêtais jamais pour manger aux petits stands placés au bord de la route.

« N'as-tu donc plus peur d'attraper la diarrhée? »

Je le savais sarcastique, mais en plus il gardait sur moi un regard inquisiteur et semblait très sérieux.

« A te voir agir de la sorte, continua-t-il, on pourrait croire que la diarrhée est là, tapie dans un coin, attendant le moment où tu mettras pied à terre pour te sauter dessus. Tu es dans un sacré mauvais pas, si tu arrives à échapper à la chaleur, il est bien possible que la diarrhée t'attrape. »

Son ton de voix était si sérieux que je ne pus m'empêcher d'éclater de rire. Puis le voyage se poursuivit en silence. La nuit tombait lorsque nous arrivâmes à un relais routier pour camionneurs nommé Los Vidrios, les morceaux de verre.

Sans quitter son siège don Juan beugla vers la cuisine : « Qu'y a-t-il à manger ce soir ?

– Du cochon, répondit une voix de femme.

– J'espère pour toi que ce cochon a été écrasé sur la route aujourd'hui même », me glissa-t-il en riant.

Nous sortîmes de la voiture. De tous les côtés s'étalaient de basses montagnes semblables à des coulées de lave solidifiée laissées par une gigantesque éruption volcanique. Dans la nuit les pics noirs et pointus se détachaient sur le ciel comme d'immenses murs de débris de verre.

Au cours du repas je dis à don Juan que je voyais très bien pourquoi avoir ainsi nommé cet endroit, à coup sûr à cause des montagnes en forme d'éclats de verre.

Catégoriquement il répliqua que l'endroit avait été nommé Los Vidrios parce qu'un camion chargé de vitres s'était renversé, et que pendant des années le sol avait été recouvert de morceaux de verre.

Je voulus savoir s'il plaisantait.

« Demande à n'importe qui du coin. »

Je questionnai un homme assis à la table voisine, mais en s'excusant il répondit qu'il ne savait pas. J'allais à la cuisine demander aux femmes qui y travaillaient, elles déclarèrent ignorer pourquoi il se nommait ainsi. L'endroit se nommait Los Vidrios, c'est tout ce qu'elles savaient.

« Je crois avoir raison, me confia don Juan à mi-voix. Les Mexicains ne remarquent jamais ce qui les entoure. Je suis persuadé qu'ils ne voient pas les montagnes de verre. Mais s'il y avait là une montagne d'éclats de vitres, il est certain qu'elle y demeurerait des années sans qu'ils y touchent. »

Nous éclatâmes de rire.

Le repas terminé don Juan me demanda si j'allais toujours bien. Je répondis par l'affirmative, mais j'avais envie de vomir. Il me fixa du regard et je crois qu'il décela mon malaise.

« Lorsque tu as décidé de venir au Mexique, tu aurais dû te débarrasser de toutes tes peurs futiles, dit-il sévèrement. Ta seule décision de venir aurait dû les éliminer. Tu es venu parce que tu désirais venir. C'est une attitude de guerrier[1]. Avant de prendre une décision pense et inquiète-toi, mais une fois qu'elle est prise, libère-toi des pensées et des inquiétudes. Ensuite il y aura des millions d'autres décisions à prendre. Voilà une attitude de guerrier.

— Don Juan, je pense agir de cette façon, au moins de temps à autre. Cependant il m'est difficile d'être toujours sur la brèche.

— Si les choses deviennent confuses, un guerrier pense à sa mort.

— Voilà qui est encore plus dur, don Juan. Pour la plupart des gens la mort est une chose éloignée, vague. Nous n'y pensons jamais.

— Pourquoi pas?

— Et pourquoi devrions-nous y penser?

— Très simplement parce que l'idée de la mort est la seule chose qui apaise notre esprit. »

Au moment de quitter Los Vidrios la nuit était noire, et les silhouettes des pics se confondaient avec la noirceur du ciel. Pendant plus d'une heure nous n'échangeâmes pas un seul mot. J'étais fatigué et j'avais l'impression de ne pas parler parce que nous n'avions rien à nous dire. Ici et là quelques voitures nous croisaient, mais il semblait que nous étions les seuls à faire route vers le sud. Cela me sembla étrange, et souvent je jetai un œil dans le rétroviseur pour voir s'il y

---

1. Cf. *op. cit.*, chap. XI, et analyse structurale.

avait d'autres voitures derrière nous; mais la route demeurait déserte.

Je me lassai de ce guet, et je me mis à penser à l'objet de notre voyage. Brusquement je me rendis compte de l'extrême brillance de la lumière des phares trouant l'obscurité environnante. Machinalement je jetai un œil dans le rétroviseur, et je vis une lueur très brillante, puis deux sources de lumière qui semblèrent jaillir du sol. Il s'agissait certainement des phares d'une voiture arrivant en haut d'une côte, derrière nous. Pendant un moment ils furent visibles, puis ils disparurent comme s'ils avaient été balayés dans la nuit. Un instant plus tard ils réapparurent au sommet d'une côte, et à nouveau s'évanouirent. Pendant longtemps je suivis leur apparition et disparition. Soudain je me rendis compte que la voiture nous rattrapait car les lumières devenaient de plus en plus intenses. Sans raison, je me sentais mal à l'aise. Volontairement j'appuyai sur la pédale d'accélération. Don Juan remarqua mon inquiétude, à moins que le soudain changement de vitesse l'eût surpris. Il me regarda, puis il se tourna pour observer les lumières lointaines.

Il voulut savoir ce qui n'allait pas. Je lui racontai que pendant des heures la route avait été déserte derrière nous, mais que brusquement j'avais aperçu les lumières d'une voiture qui petit à petit nous gagnait de vitesse.

Il rit sous cape, et me demanda si je croyais vraiment qu'il s'agissait d'une automobile. Je lui répondis que je ne voyais pas quoi d'autre circulerait sur la route avec des phares. Il précisa que mon agitation et mon inquiétude lui avaient suggéré que peut-être je sentais que ce qui était derrière nous était quelque chose de plus qu'une simple voiture. Je lui répétai qu'il s'agissait d'une voiture, ou d'un camion.

« De quoi d'autre pourrait-il s'agir? » demandai-je d'un ton un peu excédé.

Les remarques de don Juan m'avaient mis en alerte.

Il se tourna et me regarda, puis il hocha la tête comme s'il jaugeait ce qu'il allait dire.

« Sur la tête de la mort, il y a des lumières, déclara-t-il d'une voix très douce. La mort les place comme on met un chapeau, puis elle s'en va au galop. Ce sont les lumières de la mort galopant derrière nous, de plus en plus proche, nous rattrapant à chaque instant. »

Un frisson parcourut mon échine. Un peu plus tard je levai les yeux vers le rétroviseur. Aucune lumière n'était visible.

Je dis à don Juan que la voiture avait dû s'arrêter, ou prendre une autre route. Il ne se retourna pas pour vérifier. Il étira ses bras, bâilla, puis dit :

« Non. La mort ne s'arrête jamais. Parfois elle éteint ses lumières, c'est tout. »

Nous arrivâmes dans le nord-est du Mexique le 13 juin.

A l'entrée d'une petite maison d'adobe quatre fillettes et deux vieilles Indiennes qui se ressemblaient et devaient être sœurs étaient apparues. Derrière la maison il y avait une hutte et une grande en ruine avec seulement un mur et quelques morceaux de toit en place. Elles semblaient nous attendre. Elles avaient dû repérer la traînée de poussière levée par la voiture sur les quelques kilomètres de chemin de terre séparant de la route goudronnée. Nous étions dans une profonde vallée et de là, la route ressemblait à une longue cicatrice tranchant le haut du flanc des vertes collines.

Don Juan descendit pour parler avec les deux vieilles femmes qui lui désignèrent des tabourets de bois placés devant la porte. Il me fit signe de venir m'asseoir. Une des femmes resta en notre compagnie. Dans l'embrasure de la porte deux des fillettes me dévisageaient avec une évidente curiosité. Je leur fis un signe de la main, elles gloussèrent de rire et se précipitèrent à l'intérieur. Quelques minutes plus tard deux jeunes gens arrivèrent, saluèrent don Juan, mais n'eurent pas un signe pour moi. Ils parlèrent brièvement avec lui, puis il se leva et tous nous allâmes dans une autre maison à environ huit cents mètres de là.

Un autre groupe de gens nous y attendait. Don Juan entra, mais me fit signe de rester à la porte. A l'intérieur je vis un vieil Indien à peu près du même âge que don Juan assis sur un tabouret de bois.

Il ne faisait pas encore vraiment nuit. Devant la maison, un groupe de jeunes Indiens et Indiennes était tranquillement assemblé autour d'un vieux camion. Je leur parlai en espagnol, mais ils refusèrent de manière délibérée de me répondre. Chaque fois que je disais quelque chose les jeunes Indiennes gloussaient, et les jeunes Indiens souriaient poliment puis détournaient leur regard. Ils se comportaient comme s'ils ne me comprenaient pas, et je savais pourtant qu'ils parlaient espagnol car je les avais entendus l'utiliser entre eux.

Don Juan et le vieil Indien sortirent de la maison et s'installèrent dans la cabine du camion, à côté du chauffeur. Cela fut sans doute le signal attendu car tout le monde se tassa sur la plate-forme; comme il n'y avait pas de ridelles, lorsque le camion démarra chacun agrippa une corde fixée aux crochets le long des côtés.

Le camion avançait lentement sur le chemin de terre. A un moment donné il s'arrêta en haut d'une côte très raide, et tout le monde descendit pour le suivre en marchant. Deux jeunes Indiens montèrent sur le plateau et, secoués par les cahots du camion, sans se tenir à la corde ils essayèrent de rester assis au bord. Les femmes riaient et les encourageaient. Don Juan et le vieil homme, que l'on nommait don Silvio, avançaient côte à côte, sans sembler s'intéresser aux clowneries des jeunes gens. Au pied de la côte tout le monde reprit place sur le camion.

Le voyage se poursuivit pendant environ une heure. Le plateau était dur et peu confortable, et je restais debout contre la cabine. Nous étions arrivés devant un groupe de cabanes où nous attendaient d'autres gens, et dans la nuit je ne pus distinguer que ceux autour de la lampe à pétrole pendue dans l'ouverture d'une porte.

Tout le monde descendit pour se mêler aux gens déjà là et pour entrer dans les maisons. A nouveau don Juan me dit d'attendre à l'extérieur. Je m'appuyais sur le garde-boue avant du camion; une ou deux minutes plus tard trois jeunes hommes vinrent me voir, l'un d'eux m'avait rencontré quatre années auparavant au cours d'un *mitote*. Il m'embrassa en empoignant mes avant-bras.

« Tout va bien », me chuchota-t-il en espagnol.

Nous restâmes tranquillement près du camion. La nuit était chaude et venteuse, et je pouvais entendre le doux bruissement d'un ruisseau s'écoulant non loin de nous. A voix basse mon compagnon me demanda si j'avais des cigarettes. Je fis passer le paquet. A la lueur des cigarettes je jetai un œil sur ma montre, il était neuf heures.

Un peu plus tard un groupe de gens sortit de la maison. Mes compagnons les suivirent. Don Juan arriva et m'annonça qu'il avait expliqué de manière satisfaisante pour tous ma présence ici, que j'étais le bienvenu, et que je servirai l'eau pendant le *mitote*. Il ajouta que nous partions sur-le-champ.

Un groupe, composé de dix femmes et de onze hommes, sortit de la maison. L'homme en tête était plutôt de forte stature, il paraissait âgé d'environ cinquante-cinq ans. On le nommait « Mocho », un surnom qui signifie « tranché ». Il avançait d'un pas ferme et décidé, et portait une lampe qu'il balançait d'un côté à l'autre tout en marchant. Je crus qu'il la déplaçait sans raison, mais je découvris rapidement qu'il la balançait pour signaler un passage difficile, ou un obstacle sur le sentier. La marche se prolongea pendant une heure. Les femmes bavardaient et riaient doucement entre elles. Don Juan et le vieil Indien étaient en tête, j'étais le dernier de la file. J'avais les yeux cloués au sol pour essayer de voir où j'allais poser mes pieds.

Depuis mes derniers périples nocturnes dans les collines en compagnie de don Juan, quatre années auparavant, j'avais perdu l'habitude et ma forme physique. Je trébuchai et cognai de petits cailloux, car mes genoux avaient perdu leur souplesse; le chemin semblait se jouer de moi, monter quand j'approchais d'une bosse et descendre lorsque je me croyais au fond du creux. J'étais le plus bruyant des marcheurs, et malgré moi je devins la risée de tous. Chaque fois que je trébuchais, quelqu'un s'exclamait « Wou-ou », et tout le monde éclatait de rire. Une fois je cognai de la pointe du pied un caillou qui alla heurter la cheville d'une femme, et, à la joie de tous, elle dit à haute voix : « Donnez une lanterne à ce pauvre garçon! » Mais le pire survint lorsque pour éviter de m'étaler par terre j'agrippai l'homme devant moi; sous le poids, il faillit lui aussi tomber, et de manière intentionnelle hurla plus que de raison. Tous riaient tellement qu'il fallut faire une pause.

A un moment donné le chef de file leva et baissa la lampe à pétrole. Il me sembla qu'il signalait l'arrivée. A ma droite se détachait la sombre silhouette d'une maison basse. Chacun se dispersa, et trébuchant dans le noir j'eus de la peine à retrouver don Juan assis sur un rocher. Il me répéta que je devrais servir l'eau aux participants selon une procédure qu'il m'avait enseignée des années auparavant; je m'en souvenais dans le moindre détail. Toutefois il insista pour me montrer à nouveau comment faire.

Puis nous allâmes derrière la maison où les hommes

s'étaient réunis autour d'un feu. A cinq mètres de celui-ci une zone avait été recouverte de nattes de paille. Mocho alla s'asseoir le premier, et je remarquai qu'il avait la partie supérieure du pavillon de son oreille gauche tranchée, ce qui expliquait son surnom. Don Silvio vint se placer à sa droite, don Juan à sa gauche. Mocho faisait face au feu. Un jeune homme s'avança et déposa devant lui un panier plat plein de boutons de peyotl, puis il alla s'asseoir entre Mocho et don Silvio. Un second jeune homme plaça deux petits paniers à côté de l'autre et alla s'asseoir entre Mocho et don Juan. Deux autres jeunes gens s'installèrent de chaque côté du groupe, pour fermer ce cercle de sept personnes. Les femmes rentrèrent à l'intérieur de la maison. Deux jeunes gens avaient pour tâche d'entretenir du feu, et aidé par un jeune garçon je m'occupais de l'eau qui serait donnée aux sept participants après la cérémonie nocturne. Je m'installai sur un rocher en compagnie du jeune garçon. Le feu et le récipient d'eau étaient placés symétriquement par rapport au cercle des participants.

Mocho chanta son chant de peyotl[1]. Ses yeux clos, son corps s'agitait de haut en bas, et il continua à chanter pendant très longtemps dans un langage que je ne comprenais pas. Puis, à tour de rôle, chacun des participants chanta ses chants du peyotl.

Apparemment ils chantaient lorsqu'ils en avaient envie. Ensuite, Mocho leva le grand panier, prit deux boutons de peyotl[2], et le reposa au centre du cercle. Don Silvio fit de même, et don Juan après lui. En suivant le sens inverse des aiguilles d'une montre, les

1. Cf. *op. cit.*, chap. IV et VIII.
2. Le peyotl est une cacacée non épineuse de forme cylindrique couverte de poils longs et blanchâtres qui se termine par une partie globuleuse – souvent la seule à sortir du sol – que l'on nomme « bouton ».

quatre jeunes gens qui semblaient former un groupe différent prirent chacun deux boutons.

Par quatre fois ce rite se répéta. Puis ils se passèrent de l'un à l'autre les deux petits paniers contenant des fruits secs et de la viande séchée.

Au cours de la nuit ce cycle fut repris plusieurs fois, et malgré tous mes efforts je n'arrivais pas à détecter l'ordre implicite de leur comportement respectif. Ils ne se parlèrent pas, et au contraire chacun semblait renfermé sur lui-même et pour lui-même. Jamais je ne vis l'un d'eux s'occuper de ce que les autres pouvaient faire.

Avant l'aube ils se levèrent, reçurent l'eau que nous leur apportâmes, et se dispersèrent. Le jour venu je cherchai à m'orienter. La maison était une simple baraque d'une seule pièce, un édifice d'adobe au toit de chaume. Le paysage alentour était plutôt déprimant, une aride plaine à la végétation clairsemée où les broussailles et les cactus poussaient ensemble, pas un seul arbre en vue. Je n'avais aucune envie de m'éloigner de la maison.

Le matin les femmes s'en allèrent, et en conservant le silence les hommes s'installèrent plus près de la maison. Vers midi nous nous assîmes dans les mêmes positions que la nuit, et un panier rempli de morceaux de viande séchée de la taille d'un bouton de peyotl circula de l'un à l'autre. Quelques-uns chantèrent leurs chants du peyotl. A peu près une heure plus tard tous se levèrent et se dispersèrent alentour.

Les femmes avaient laissé un pot de bouillie de maïs destiné à ceux qui s'occupaient du feu et de l'eau. J'en mangeai un peu, puis je m'endormis le reste de l'après-midi.

La nuit venue, les jeunes gens en charge du feu en édifièrent un autre, et la cérémonie du peyotl reprit dans un ordre à peu de chose près semblable à celui de la nuit précédente.

J'essayai d'observer chacun des gestes accomplis par chacun des participants dans l'espoir de découvrir ne serait-ce que la plus infime trace d'un système de communication verbale ou non verbale. Rien dans leur façon d'agir ne laissa percer l'existence d'un système caché.

Tôt dans la soirée suivante, pour la troisième fois se répéta la cérémonie du peyotl, et au matin je savais avoir encore échoué dans l'effort pour découvrir un meneur occulte ou toute autre forme d'échange secret entre les participants, ou quelques traces de leur système d'entente. Toute la journée je restais assis dans mon coin pour tenter de mettre de l'ordre dans mes notes.

Lorsque au soir de la quatrième nuit les hommes se réunirent, je savais intuitivement qu'il s'agissait de leur dernière rencontre. Personne ne me l'avait dit, cependant j'étais certain que le lendemain chacun rentrerait chez soi. Chacun regagna sa place, et moi la mienne à côté de l'eau.

L'attitude des sept hommes fut exactement la réplique de celle que j'avais remarquée pendant les trois nuits précédentes. A nouveau je m'absorbai dans l'observation de leurs moindres mouvements, je désirais m'assurer de tout ce qu'ils faisaient, de chaque mouvement, de chaque son, de chaque geste.

Un moment j'entendis une sorte de bourdonnement dans mes oreilles, et comme ce genre de bruit ne différait pas d'un bruit ordinaire je n'y prêtai pas attention. Mais il s'intensifia tout en restant dans les limites d'un son audible sans effort et sans peine. Je me souviens d'avoir alors divisé mon attention entre ce bruit et les hommes. Au même instant les visages des participants me semblèrent devenir plus brillants, comme si on avait braqué vers eux une lampe, mais il ne s'agissait pas d'une lumière électrique, ni de celle d'une lampe à essence ou à pétrole, ni de la réflection des flammes du feu sur leur visage. C'était plutôt un genre d'iridescence, une luminosité rosâtre, assez faible mais malgré tout facile à distinguer à la distance à laquelle je me trouvai. Le bourdonnement prit plus d'ampleur. Je cherchai des yeux le jeune garçon à mes côtés; il s'était endormi.

La luminosité rosâtre devint encore plus remarquable. Je regardai don Juan qui avait les yeux clos ainsi que don Silvio et Mocho; je ne pouvais pas voir les visages des quatre jeunes gens car deux étaient courbés en avant et les deux autres me tournaient le dos.

Mon effort d'observation m'absorbait de plus en plus; je n'avais pas encore parfaitement pris conscience du fait que j'entendais un bourdonnement et que je voyais une lueur rose planant au-dessus des participants. Un moment plus tard je me rendis compte que la luminosité rosâtre et le bourdonnement étaient constants. Un étonnement extrême me gagna, et une pensée qui n'avait rien à voir avec la scène que j'observais ou avec le but que je m'étais fixé en venant au *mitote* me traversa l'esprit. Je me souvins d'une phrase que ma mère m'avait adressée quand j'étais tout gamin. Le souvenir était inopportun. J'essayais de le chasser et de me concentrer à nouveau, mais sans y parvenir. Le souvenir surgit une fois de plus, très net, impérieux, j'entendis nettement la voix de ma mère qui m'appelait. J'entendis le glissement de ses pantoufles, puis elle se mit à rire. Je me retournai pour la chercher du regard, je me rendais parfaitement compte que j'allais être transporté dans le temps par une sorte d'hallucination ou de mirage, et que j'allais la voir. Mais je ne vis que le jeune garçon endormi. Le voir me secoua, j'éprouvais un bref moment d'aisance et de lucidité.

Je repris mon observation des participants. Leur position n'avait absolument pas changé. Je remarquai que la luminosité et le bourdonnement avaient disparu. Je me sentais soulagé. Je pensai que l'hallucination pendant laquelle j'avais entendu ma mère était elle aussi évanouie. Malgré tout, sa voix avait été nette et éclatante. Je me dis à plusieurs reprises que, pendant un court instant, cette voix m'avait presque piégé. Je notais vaguement que don Juan me regardait, mais cela m'importait peu. Le souvenir de la voix de ma mère m'appelait, m'envoûtait. Désespérément je tentai de penser à quelque chose d'autre. Et à nouveau j'entendis sa voix, aussi distinctement que si elle avait été derrière moi. Elle m'appela. Brusquement je fis demi-tour. Je ne vis que la silhouette sombre de la maison et des broussailles tout autour.

Avoir entendu clairement mon nom me plongea dans une angoisse profonde. Involontairement je me mis à gémir. J'avais froid, je me sentais seul, je commençai à pleurer. A ce moment précis j'eus la sensation précise d'avoir besoin de quelqu'un qui prendrait soin de moi. Je tournai la tête dans la direction de don Juan. Il me fixait du regard. Je ne voulus plus le voir et je fermai les yeux. Alors je vis ma mère. Il ne s'agissait plus de la pensée de ma mère, c'est-à-dire de la façon dont habituellement je pense à elle, mais d'une vision claire. Elle était là, debout à mon côté. Le désespoir me submergea, je tremblais, je voulais m'enfuir. Cette vision de ma mère devenait trop troublante, trop étrangère au but que je m'étais fixé en venant dans cette réunion du peyotl. Je ne pouvais éviter consciemment de la voir, mais peut-être que si j'avais vraiment voulu voir disparaître cette vision j'aurais ouvert les yeux. Au contraire je l'examinais dans le moindre détail. Je ne faisais pas que la regarder, je la sentais intensément. Une sensation très particulière m'envahit, comme imposée par une force extérieure. Et soudain, je subis l'horrible fardeau de l'amour maternel. En l'entendant m'appeler de mon nom, je fus déchiré. Le souvenir de ma mère m'avait rempli d'angoisse, mais en l'examinant je sus que je ne l'avais jamais aimée. Cette révélation me choqua. Une avalanche de pensées et d'images m'engloutit; ma mère avait entre-temps disparu, mais cela ne m'importait plus du tout. Et ce que les Indiens pouvaient accomplir encore moins. En fait, j'avais complètement oublié le *mitote*. J'étais entièrement absorbé par des séries de pensées extraordinaires, extraordinaires parce qu'elles constituaient beaucoup plus que des pensées ordinaires; elles étaient des unités intégrales de sensations qui prenaient valeur de certitudes émotionnelles, d'évidences indiscutables sur la nature de ma relation avec ma mère.

A un moment donné, le flot de ces pensées extraordinaires se tarit; je m'aperçus qu'elles perdaient alors leur fluidité et leur intégrité. Je commençais à penser à d'autres choses. Mes pensées vagabondaient. Je songeais à d'autres proches parents, mais plus aucune image ne vint accompagner ces pensées. Alors je regardai don Juan. Il était debout ainsi que tous les autres hommes, et ils s'avançaient vers l'eau. Je me levai et secouai le jeune garçon toujours endormi.

Aussitôt assis dans ma voiture, je racontai à don Juan les scènes de ma vision. Ce récit le fit rire de bon cœur, et il déclara que ma vision était un signe, un présage aussi important que ma première rencontre avec Mescalito[1]. Je me souvins que don Juan avait interprété mes réactions pendant ma première ingestion de peyotl comme un présage d'extrême importance, et c'est d'ailleurs ce présage qui le décida à m'enseigner sa connaissance.

Don Juan me précisa que pendant la dernière nuit du *mitote* Mescalito avait plané au-dessus de moi avec une telle insistance que tous les hommes furent forcés de se tourner vers moi; ce qui expliquait pourquoi il me fixait

1. Cf. *op. cit.*, chap. I.

du regard chaque fois que j'avais tourné mes yeux vers lui.

Je désirai connaître son interprétation de ma vision, mais il refusa d'en parler. Il me dit que mes sensations, n'importe lesquelles d'entre elles, n'étaient qu'absurdité en comparaison du présage.

Il continua à décrire la lueur de Mescalito planant au-dessus de moi, du fait que tous l'avaient parfaitement vue.

« C'était un spectacle remarquable. On ne pourrait souhaiter un meilleur présage. »

Evidemment don Juan dirigeait ses réflexions dans une perspective différente de la mienne. Seule l'intéressait l'importance des événements qu'il interprétait comme un présage, alors que je restais surtout obsédé par les détails de ma vision.

« Peu m'importent les présages, dis-je, je désire savoir ce qui m'est arrivé. »

Il fronça les sourcils comme s'il allait se mettre en colère; il demeura immobile et silencieux pendant un moment. Puis il me regarda. D'un ton extrêmement énergique il déclara que le seul résultat important était que Mescalito se fût montré excessivement gentil avec moi, et m'eût donné une leçon sans autre effort de ma part que le simple fait d'être là.

4

Le 4 septembre 1968, j'allais à Sonora rendre visite à
don Juan. Pour répondre à une demande qu'il m'avait
faite lors de mon dernier séjour, je m'arrêtai à Hermosillo pour acheter une tequila locale nommée *bacanora*
qui ne se vend pas ailleurs. Sachant qu'il n'aimait pas
l'alcool cette requête me semblait étrange; néanmoins
j'achetai quatre bouteilles que je plaçai dans une boîte
parmi les autres choses que je lui amenai.

« Tu as acheté quatre bouteilles, pourquoi? dit-il en
riant lorsque j'ouvris la boîte. Je t'avais dit une. Je pense
que tu as cru que la *bacanora* était pour moi, mais je la
destine à mon petit-fils Lucio, et tu vas la lui offrir
comme s'il s'agissait d'un cadeau de ta part. »

Deux années plus tôt j'avais rencontré le petit-fils de
don Juan. Il avait alors vingt-huit ans, était très grand,
plus d'un mètre quatre-vingts, toujours bien vêtu, mais
de façon plutôt extravagante pour un Indien, vu la
pauvreté de ses ressources. Alors que la plupart des
Yaqui portent des pantalons de toile kaki ou des « blue-
jeans », un chapeau de paille et des sandales nommées
guaraches qu'ils fabriquent eux-mêmes, Lucio avait une
veste en cuir noir avec des décorations de perles de
turquoise, un chapeau de cow-boy texan, et une paire de
bottes marquées à son monogramme et décorées à la
main.

Ce cadeau enchanta Lucio, et sur-le-champ il emporta

les bouteilles dans sa maison, sans doute pour les ranger. Don Juan laissa échapper un commentaire négligent sur ces gens qui amassent l'alcool pour le boire lorsqu'ils sont seuls. Lucio répondit qu'il n'allait pas le garder, mais seulement le mettre de côté jusqu'à ce soir car il allait inviter ses amis à venir boire avec lui.

Vers sept heures du soir je revins chez Lucio. La nuit était déjà tombée, et je distinguai vaguement les silhouettes de deux personnes debout à côté d'un arbuste. Il s'agissait de Lucio et d'un de ses amis qui m'attendaient pour m'accompagner avec une lampe de poche jusqu'à la maison.

Lucio vivait dans une bicoque assez légère. Elle avait environ sept mètres de long et était montée avec des poutres de *mesquite* plutôt minces pour une telle portée. Elle était divisée en deux pièces. Et comme toutes les maisons yaqui elle avait un toit de chaume plat et une *ramada* d'environ trois mètres. La *ramada* est une sorte d'avancée tout au long d'une maison dont le toit n'est pas de chaume mais fait d'un treillis de branches disposé de façon à fournir une ombre suffisante tout en laissant circuler la brise rafraîchissante.

En entrant je mis en marche mon magnétophone que je laissai dans sa sacoche, Lucio me présenta à ses amis. Huit hommes, don Juan inclus, étaient là, assis nonchalamment au centre de la pièce dans l'éblouissante lumière d'une lampe à essence pendue à une des poutres du plafond. Don juan était sur une caisse. Je m'assis en face de lui sur une épaisse poutre, en forme de banc, de deux mètres de long, clouée sur deux supports fourchus plantés dans le sol.

Don Juan avait ôté et posé son chapeau par terre. La lumière crue et blanche rendait ses courts cheveux argentés encore plus brillants que d'ordinaire. Je regardai son visage, et la lumière faisait ressortir les profondes rides de son cou et de son front. Il semblait plus foncé de peau et plus âgé.

Je poursuivis mon inspection en me tournant vers les autres hommes dont cette lumière d'un blanc verdâtre accentuait l'âge et la fatigue.

Lucio s'adressa à la cantonnade et d'une voix criarde annonça en espagnol que nous allions boire une bouteille de *bacanora* que je lui avais apportée d'Hermosillo. Il passa dans l'autre pièce, revint avec une bouteille, la déboucha et me la tendit avec une timbale. Je versai un peu d'alcool et je bus. La *bacanora* avait beaucoup plus de parfum et de velouté qu'une tequila ordinaire, et elle était plus forte. Elle me fit tousser. Je passai la bouteille et la timbale, et chacun prit une gorgée, sauf don Juan qui plaça la bouteille devant Lucio, le dernier à cette première tournée.

Tous firent des éloges pleins d'entrain et de verve à propos du riche bouquet de cette tequila, et s'accordèrent pour conclure que cet alcool devait venir des hautes montagnes de la province de Chihuahua.

La bouteille circula une seconde fois. Pour manquer leur satisfaction, ils faisaient claquer leurs lèvres, reprenaient leurs louanges, et s'engagèrent dans une conversation animée sur les différences bien perceptibles entre la tequila faite autour de Guadalajara, et celle-ci venue des hautes montagnes de Chihuahua.

A nouveau don Juan ne prit rien, je ne me versai qu'une goutte, mais les autres remplirent la timbale au passage. Une troisième tournée acheva la bouteille.

« Lucio, va chercher les autres bouteilles », dit don Juan.

Lucio sembla hésiter pendant que don Juan d'un ton anodin expliquait aux autres que j'avais offert quatre bouteilles à son petit-fils.

Benigno, un jeune homme de l'âge de Lucio, jeta un coup d'œil vers le magnétophone que j'avais déposé derrière moi dans sa sacoche, et me demanda si j'étais un vendeur de tequila. Don Juan répondit que non, que j'étais venu à Sonora pour lui rendre visite.

82

« Carlos vient me voir pour connaître Mescalito, et je l'instruis. »

Tous me dévisagèrent et sourirent poliment. Bajea, un bûcheron, petit homme aux traits saillants, me fixa du regard pendant un moment puis déclara que le commerçant du coin avait dit que j'étais l'espion d'une compagnie américaine qui voulait ouvrir des mines sur la terre yaqui. Tous marquèrent leur indignation devant une telle accusation, car aucun n'aimait ce commerçant mexicain, un *yori* comme disent les Yaqui.

Lucio alla chercher une autre bouteille. Il la déboucha, en but une bonne goulée, et la passa. La conversation s'était engagée sur les chances de l'arrivée d'une compagnie minière en Sonora, et sur les conséquences qu'une telle entreprise pourrait avoir pour les Yaqui. La bouteille était revenue entre les mains de Lucio qui la leva pour voir combien il restait de *bacanora*.

« Dis-lui de ne pas se tourmenter, me chuchota don Juan. Dis-lui que tu lui en ramèneras à ton prochain passage. »

Je me penchai vers Lucio pour lui confier que la prochaine fois j'amènerais au moins une demi-douzaine de bouteilles.

La conversation semblait s'épuiser. Don Juan se tourna vers moi et me dit à haute voix : « Pourquoi ne racontes-tu pas aux gars tes rencontres avec Mescalito ? Je crois que cela sera beaucoup plus intéressant que ces bavardages à propos de ce qui pourrait se passer en Sonora si la compagnie américaine y venait un jour.

– Dis, Grandpa, Mescalito, c'est le peyotl ? demanda avec curiosité Lucio.

– Il y a des gens qui le nomment ainsi, répondit sèchement don Juan. Moi, je préfère le nommer Mescalito.

– Cette sacrée chose rend fou, dit Genaro, un homme grand et fort d'une cinquantaine d'années.

– Je crois qu'il est ridicule de déclarer que Mescalito

rend fou, répondit don Juan d'une voix très calme. Car si cela était vrai, Carlos aurait la camisole de force alors qu'il est là et vous parle. Il en a pris, regardez-le, il est normal. »

Bajea sourit timidement et répliqua : « Qui sait! », et tous nous éclatâmes de rire.

« Regardez-moi, continua don Juan. J'ai connu Mescalito depuis presque toujours, et jamais il ne m'a fait de mal. »

Personne n'osa plaisanter et rire à son propos, mais il était facile de voir qu'ils n'en croyaient pas le premier mot.

« D'une tout autre façon, continua don Juan, il est vrai que Mescalito rend les gens cinglés, ainsi que tu le disais, mais cela se produit seulement lorsqu'ils vont à lui sans connaître ce qu'ils sont en train de faire. »

Esquere, un homme qui paraissait aussi âgé que don Juan, ricana doucement en dodelinant de la tête.

« Que voulez-vous dire par " connaître ", Juan? demanda-t-il. La dernière fois que je vous ai vu, vous disiez la même chose. »

Genaro déclara : « Quand les gens prennent ce peyotl, ils deviennent réellement cinglés. J'ai vu des Indiens Huichol [1] en manger. Ils s'agitaient comme s'ils avaient la rage. Ils bavaient, vomissaient et pissaient partout. Avec ce sacré machin on pourrait attraper l'épilepsie. C'est ce que M. Salas, l'ingénieur du gouvernement, m'a dit. Et l'épilepsie, c'est pour la vie.

1. Les Indiens Huichol qui vivent dans la Sierra Madre occidentale du Mexique sont, comme les Tarahumaras, les praticiens du plus élaboré des cultes du peyotl pratiqués parmi les Indiens du Mexique. Toutefois leurs pratiques se différencient très nettement de celles qui se sont répandues depuis un siècle parmi les Indiens des U.S.A. et du nord du Mexique. Mais pour tous les habitants du Mexique et du « Sud-Ouest » les Huichol sont connus comme les « mangeurs de peyotl » soit admirativement soit péjorativement selon l'attitude personnelle vis-à-vis du culte du peyotl.

– C'est se conduire pire qu'un animal, ajouta dignement Bajea.

– Genaro, tu as vu ces Indiens Huichol seulement tels que tu désirais les voir, dit don Juan. En premier lieu tu n'as pas pris la peine de chercher à savoir ce que représente pour eux la rencontre de Mescalito. A ma connaissance, Mescalito n'a jamais rendu quelqu'un épileptique. L'ingénieur du gouvernement est un *yori*, et je ne crois pas qu'un *yori* connaisse quelque chose en ce qui concerne Mescalito. Penses-tu vraiment que les milliers de gens qui connaissent Mescalito sont devenus cinglés?

– Pour faire une chose comme ça, ils doivent être cinglés, ou bien près de l'être, répondit Genaro.

– Mais si ces milliers de gens étaient tous en même temps cinglés, qui donc ferait leur travail? Comment arriveraient-ils à survivre? demanda don Juan.

– Macario, lui qui est de l' " autre côté " (les U.S.A.) m'a dit que celui qui en prend reste marqué pour toute la vie.

– Lorsqu'il prétend cela, Macario est un menteur, répliqua don Juan. Je suis certain qu'il ignore ce dont il parle.

– Il raconte d'ailleurs vraiment trop de mensonges, dit Benigno.

– Qui est Macario? demandai-je.

– C'est un Indien Yaqui qui vit ici, me répondit Lucio, mais il raconte qu'il est de l'Arizona et qu'il est allé en Europe pendant la guerre, et des tas d'autres choses.

– Il dit même qu'il était colonel! » ajouta Benigno.

Tout le monde s'esclaffa, et pendant un certain moment la conversation tourna autour des incroyables histoires de Macario. Don Juan relança le sujet sur Mescalito.

« Comment, si vous savez tous que Macario est un fieffé menteur, pouvez-vous arriver à le croire lorsqu'il parle de Mescalito?

– Le peyotl, c'est ça que tu veux dire, Grandpa? s'enquit Lucio de l'air sincère de celui qui chercherait à saisir ce mot.

– Sacré nom de Dieu! Oui! »

Le ton de voix de don Juan fut tranchant et cassant. Instinctivement Lucio se tassa sur lui-même, et j'eus l'impression que tous avaient été un peu effrayés par cette marque d'impatience. Mais don Juan eut un large sourire, et d'un ton banal il reprit :

« Ne voyez-vous donc pas que Macario ne connaît pas ce dont il parle? Ne vous rendez-vous pas compte que pour parler de Mescalito il faut avoir la connaissance.

– Vous voilà reparti! dit Esquere. Qu'est donc cette sacrée connaissance? Vous êtes pire que Macario. Lui, au moins, dit ce qui lui passe par la tête, qu'il le connaisse ou non. Voilà des années que je vous entends dire que nous devons connaître. Qu'est-ce donc que nous avons à connaître?

– Don Juan dit qu'il y a un esprit dans le peyotl », avança Benigno, et Bajea ajouta :

« J'ai souvent vu du peyotl dans les champs, mais je n'ai jamais vu un seul esprit ou quelque chose de ce genre.

– Mescalito est peut-être comme un esprit, expliqua don Juan, mais ce qu'il est vraiment reste obscur jusqu'à ce qu'on le connaisse. Esquere se plaint que je répète cela depuis des années. Eh bien, c'est vrai! Mais ce n'est pas ma faute si vous ne comprenez pas. Bajea dit que celui qui le prend se conduit comme un animal. Et bien ça n'est pas ma façon de voir. Pour moi ceux qui pensent être supérieurs aux animaux vivent souvent pire que des animaux. Prenez mon petit-fils. Il travaille sans arrêt. Je devrais dire qu'il vit pour travailler, comme une mule. Et la seule chose qu'il fasse qui ne soit pas animale, c'est de se saouler. »

Tous s'esclaffèrent, et au moins une octave plus haut

que ces rires dominait celui de Victor, un jeune homme à peine sorti de l'adolescence.

Eligio, un jeune fermier, n'avait pas encore dit un seul mot. Il restait assis par terre à ma droite, adossé à des sacs d'engrais chimiques qui avaient été mis à l'intérieur pour les abriter de la pluie. C'était un ami d'enfance de Lucio. Il paraissait plus puissant et mieux bâti, plus trapu bien que moins grand que Lucio. Eligio s'intéressait vraiment aux propos de don Juan, et lorsque Bajea allait à nouveau intervenir, il s'interposa.

« De quelle façon le peyotl pourrait-il changer tout cela? Il me semble que l'homme est né sur cette terre pour travailler toute sa vie, exactement comme le font les mules.

— Mescalito change tout, reprit don Juan. Cependant nous devons toujours travailler comme n'importe quel autre homme, comme des mules. J'ai dit qu'il y avait un esprit dans Mescalito, parce que c'est quelque chose comme un esprit qui amène le changement dans l'homme. Un esprit que nous pouvons voir, que nous pouvons toucher, un esprit qui nous change, parfois même contre notre volonté.

— Le peyotl te rend toqué, intervint Genaro, et alors, bien sûr tu crois avoir changé. N'est-ce pas vrai?

— Comment peut-il nous changer? insista d'un ton pressant Eligio.

— Il t'enseigne la juste manière de vivre, répondit don Juan. Il aide et protège ceux qui le connaissent. La vie que tous vous menez n'est pas du tout une vie. Vous ne connaissez pas la joie qui naît du plaisir de faire les choses délibérément. Vous n'avez pas de protecteur!

— Que voulez-vous dire? s'exclama avec indignation Genaro. Nous en avons. Notre Seigneur Jésus-Christ et notre Mère la Vierge, et la petite Vierge de Guadalupe. Ne sont-ils pas nos protecteurs?

— Une sacrée bande de protecteurs, déclara don Juan

sur le ton de la moquerie. Vous ont-ils enseigné une meilleure façon de vivre?

– Ça, c'est parce que les gens ne les écoutent pas, protesta Genaro. Ils n'ont d'attention que pour le diable.

– S'ils étaient de vrais protecteurs, ils vous forceraient à écouter, dit don Juan. Si Mescalito devient votre protecteur vous aurez à l'écouter que vous le désiriez ou non, ceci parce que vous pouvez le voir et que vous êtes obligé de faire très attention à ce qu'il dit. Il exigera que vous l'approchiez dans le respect. Non pas à la façon dont vous êtes habitués à aller rendre visite à vos protecteurs.

– Que voulez-vous dire? demanda Esquere.

– Je veux dire que pour vous, aller vers vos protecteurs signifie qu'un de vous doive jouer du violon, l'autre mettre son masque, ses bas, ses hochets, et puis danser pendant que les autres boivent. Benigno, toi qui étais danseur, raconte-nous cela.

– Au bout de trois ans, j'en ai eu marre, j'ai laissé tomber, dit Benigno. C'est très dur.

– Demande à Lucio! Après une semaine il a lâché! » ironisa Esquere.

Tous éclatèrent de rire, à l'exception de don Juan. Embarrassé, Lucio eut un sourire puis prit deux gorgées de *bacanora*.

« Ce n'est pas dur, c'est ridicule, dit don Juan. Demandez à Valencio, le danseur, s'il aime danser. Il n'aime pas! Il en a pris l'habitude, c'est tout. Depuis des années je le vois danser, et chaque fois j'ai vu les mêmes mouvements mal exécutés. Il n'a aucune fierté dans son art, sauf lorsqu'il en parle. Il ne l'aime pas, c'est pourquoi, année après année, il répète les mêmes gestes. Les imperfections de ses débuts sont maintenant des fautes indéracinables, et il ne peut même plus les discerner.

– C'est ainsi qu'il apprit à danser, intervint Eligio. Moi

aussi j'ai été danseur dans la ville de Torím. Je sais qu'il faut danser exactement comme ils te l'apprennent.

– Valencio n'est pas, malgré tout, le meilleur des danseurs, dit Esquere. Il y en a d'autres. Sacateca par exemple.

– Sacateca est un homme de connaissance. Rien à voir avec vous, répondit sèchement don Juan. Il danse parce que c'est son penchant naturel. Tout ce que je voulais dire est que vous, qui n'êtes pas des danseurs, ne tirez aucun plaisir de ces danses. Peut-être que si elles étaient parfaitement données certains parmi vous pourraient en tirer du plaisir. Peu parmi vous savent ce que c'est que la danse, par conséquent vous n'avez plus qu'à vous satisfaire d'un plaisir bien moche. C'est la raison pour laquelle vous êtes tous des ivrognes. Admirez mon petit-fils!

– Ferme-la, Grandpa! protesta Lucio.

– Il n'est ni fainéant ni stupide, continua don Juan, mais que fait-il sinon boire?

– Il achète des vestes de cuir! » remarqua Genaro, et tous s'esclaffèrent.

Lucio se consola sur la *bacanora*.

« Et comment le peyotl va-t-il changer tout cela? demanda Eligio.

– Si Lucio cherchait le protecteur, dit don Juan, sa vie changerait. J'ignore exactement comment, mais je suis certain qu'il deviendrait différent.

– Il ne boirait plus, est-ce cela? insista Eligio.

– Peut-être. Pour rendre sa vie satisfaisante il a besoin de quelque chose d'autre que la tequila. Ce quelque chose, quoi que ce soit, pourrait être accordé par le protecteur.

– Le peyotl doit avoir très bon goût, dit Eligio.

– Je n'ai pas prétendu cela, répondit don Juan.

– Par quel miracle peut-on tellement l'apprécier s'il n'a même pas bon goût? continua Eligio.

– Il te fait encore plus apprécier la vie, dit don Juan.

– Mais s'il n'a pas bon goût, comment pourrait-il faire mieux apprécier la vie ? persista Eligio. Cela ne tient pas debout.

– Mais si, intervint Genaro d'un ton convaincu. Le peyotl te rend cinglé, et bien sûr tu penses que la vie c'est du bon temps, peu importe ce qui se passe. »

A nouveau ils éclatèrent tous de rire.

« Cela tient debout, continua don Juan d'un ton imperturbable. Pensez au peu de chose que vous connaissez, et à la multitude de celles qui existent. L'alcool, c'est lui qui rend les gens cinglés. Au contraire, Mescalito rend tout plus clair. Il vous fait voir tellement mieux. Tellement mieux ! »

Lucio et Benigno se lancèrent des regards complices tout en souriant, comme pour dire qu'ils avaient déjà souvent entendu cette rengaine. Genaro et Esquere s'impatientaient et parlaient en même temps. Le rire de Victor jaillissait au-dessus de toutes ces voix. Eligio paraissait être le seul intéressé.

« Comment le peyotl peut-il faire tout cela ? demanda-t-il.

– Tout d'abord, expliqua don Juan, tu dois vouloir le rencontrer, ce qui, à mon avis, constitue la plus importante des choses. Puis, tu dois lui être présenté. Ensuite tu dois le rencontrer bien des fois avant de pouvoir dire que tu le connais.

– Et que se passe-t-il alors ? » questionna Eligio.

Genaro s'interposa : « Avec ton cul par terre, tu chies sur le toit. »

Tous éclatèrent d'un rire bruyant.

« Ce qui se passe ensuite dépend entièrement de toi, lui répondit don Juan sans marquer la moindre impatience. Tu dois aller à lui sans peur et, petit à petit, il t'apprendra comment vivre une vie meilleure. »

Il y eut un long silence. Ils paraissaient tous très

fatigués. La bouteille était vide et c'est à regret que Lucio en ouvrit une autre.

« Le peyotl est-il aussi le protecteur de Carlos? demanda Eligio sur un ton de plaisanterie.

– Je n'en sais rien, dit don Juan. Il en a pris trois fois, demande-lui de te raconter cela. »

Tous se tournèrent vers moi, et Eligio me demanda :

« En as-tu vraiment pris?

– Oui, bien sûr. »

Don Juan avait marqué un avantage sur son auditoire. Ils étaient soit intéressés à m'entendre raconter mes expériences, soit trop polis pour me rire au nez.

« Ça ne t'a pas fait mal à la bouche? s'enquit Lucio.

– Si, et ça a un très mauvais goût.

– Alors pourquoi en as-tu pris? » demanda Benigno.

Je m'engageai dans une explication assez laborieuse. Je déclarai que pour un Occidental la connaissance que don Juan avait du peyotl était certainement une des plus fascinantes qui puisse se trouver. Je précisai que tout ce qu'il avait dit était vrai, qu'il s'agissait d'une vérité que n'importe qui pouvait vérifier par et pour lui-même.

Je m'aperçus qu'ils souriaient tous, un peu comme s'ils voulaient ainsi cacher leur mépris. L'embarras me gagna. Je me rendais parfaitement compte de la maladresse avec laquelle je m'exprimais. Je continuai à parler pendant un moment sans grande conviction, répétant simplement ce que don Juan avait déjà dit.

D'un ton réconfortant, comme pour me venir en aide, il me demanda :

« La première fois que tu es allé à Mescalito, cherchais-tu un protecteur? »

Je déclarai qu'à ce moment-là j'ignorais complètement que Mescalito puisse être un protecteur, et que ce qui m'avait poussé à le prendre était plutôt la simple curiosité, le grand désir de le connaître.

Don Juan déclara que mes motifs avaient été valables et que pour cette raison Mescalito avait eu un effet bénéfique sur moi.

« Mais il t'a fait vomir et pisser partout, n'est-ce pas vrai ? » insista Genaro.

Je lui répondis que cela s'était bien sûr produit, et alors, sans plus se gêner, ils éclatèrent tous de rire. J'eus l'impression qu'ils me méprisaient davantage. Aucun, si ce n'est Eligio qui ne me quittait pas des yeux, ne s'intéressait à mes expériences.

« Qu'as-tu vu ? » me demanda Eligio.

Don Juan me dit de leur raconter tous ou presque tous les détails des scènes et des choses que j'avais perçues. Quand j'eus fini de parler Lucio fit un commentaire à mes descriptions :

« Puisque le peyotl est aussi bizarre, je suis content de ne jamais en avoir pris.

– C'est exactement comme je l'avais dit, annonça Genaro à Bajea. Ce machin te rend anormal.

– Cependant Carlos n'est pas anormal, comment expliques-tu cela, demanda don Juan à Genaro.

– Rien ne me prouve qu'il ne l'est pas », rétorqua celui-ci.

Et tous, don Juan aussi, s'esclaffèrent.

« Avais-tu peur ? demanda Benigno.

– Certainement.

– Alors pourquoi l'avoir pris ? me dit Eligio.

– Il t'a dit qu'il voulait connaître, intervint Lucio. Je crois que Carlos devient comme mon grandpa. Tous deux rabâchent qu'ils veulent connaître, mais personne ne sait quelle sacrée nom de Dieu de chose ils veulent connaître.

– Il est impossible d'expliquer ce mode de connaissance, dit don Juan en s'adressant à Eligio, car il diffère avec chaque homme. La seule chose qui nous soit

commune reste que Mescalito révèle des secrets individuellement à chaque homme. Sachant quelle est l'attitude de Genaro, je ne lui recommanderai pas de rencontrer Mescalito. Cependant, malgré mon opinion et
malgré ses déclarations, Mescalito pourrait avoir sur lui
un effet entièrement bénéfique. Mais *il* est le seul à
pouvoir découvrir cela, et *ça* c'est la connaissance dont
j'ai parlé. »

Don Juan se leva et déclara : « Il est temps de rentrer.
Lucio est saoul, et Victor s'est endormi. »

Deux jours plus tard, le 6 septembre, Lucio, Benigno
et Eligio se présentèrent à la maison où je demeurais,
pour m'inviter à aller à la chasse. En attendant que je
termine d'écrire, ils gardèrent le silence. Puis Benigno
eut un rire poli, comme pour prévenir qu'il allait dire
quelque chose d'important.

Le silence persista. Il rit à nouveau et se décida :

« Lucio dit qu'il prendrait bien du peyotl.

– Vraiment ?

– Oui, j'aimerais bien. »

Benigno fut pris d'un fou rire.

« Lucio a dit qu'il mangerait du peyotl si vous lui
achetez une motocyclette. »

Lucio et Benigno se regardèrent, puis éclatèrent de
rire.

« Quel est le prix d'une motocyclette aux Etats-Unis ?
demanda Lucio.

– Sans doute peut-on en trouver une pour cent dol-
lars, lui répondis-je.

– Là-bas, ça n'est pas beaucoup d'argent ? Vous pour-
riez facilement lui en acheter une, déclara Benigno.

– Bon, laissez-moi en parler à votre grand-père, dis-je
à Lucio.

– Non, non, protesta-t-il. Ne lui dites rien. Il gâchera

tout. Il est bizarre. En plus il est trop vieux, et il ne sait pas très bien ce qu'il fait. »

Benigno ajouta : « Il était un vrai sorcier. Je veux dire un vrai de vrai. Mes parents prétendent qu'il fut le meilleur. Mais il se mit au peyotl, et il devint rien du tout. Et maintenant, il est trop vieux.

– Et sans arrêt il rabâche les mêmes histoires sur le peyotl, compléta Lucio.

– Le peyotl c'est de la vraie saloperie, continua Benigno. Une fois, nous avons essayé. Lucio réussit à en avoir un grand sac par son grand-père. Un soir que nous allions à la ville, nous avons voulu en manger. Nom de Dieu! Ma bouche fut taillée en pièces. Ça a un goût dégueulasse!

– L'avez-vous avalé?

– Nous l'avons craché, répondit Lucio, et nous avons jeté le sac tout entier dans le fossé. »

Tous deux pensaient maintenant que cet incident était vraiment amusant, mais pendant leur récit Eligio n'avait pas ouvert la bouche. Comme d'habitude il restait renfermé et le rire n'avait pas prise sur lui.

« Eligio, voudrais-tu l'essayer? lui demandai-je.

– Non, pas moi. Même pas pour une motocyclette. »

Cela provoqua une crise de rire chez Benigno et Lucio.

« Je dois toutefois admettre que don Juan me déconcerte, déclara Eligio.

– Mon grand-père est trop vieux pour savoir quoi que ce soit. »

Et Benigno fit écho à la conviction de Lucio :

« Ouais! Il est trop vieux. »

Je pensai que l'opinion qu'ils avaient sur don Juan était simplette et surtout mal fondée. Pour le défendre je leur dis que don Juan était à mon avis un aussi grand sorcier que dans le passé, peut-être même le plus grand de tous. Je précisai que chez lui je percevais quelque chose de vraiment extraordinaire. Je leur rappelai qu'à plus de soixante-dix ans, il était plus fort et plus dynamique que nous tous réunis. Je les mis au défi de s'en rendre compte par eux-mêmes en espionnant don Juan.

« Espionner mon grandpa! Impossible! déclara fièrement Lucio. C'est un *brujo*. »

Pourtant ils avaient prétendu, leur dis-je, qu'il était trop vieux, un faible d'esprit ne sachant même pas ce qui se passait autour de lui. Quant à moi, insistai-je, sa vivacité m'émerveille chaque fois de plus en plus.

« Personne ne peut espionner un *brujo* même s'il est vieux, déclara fermement Lucio. Cependant s'il est endormi, une foule de gens peuvent l'attaquer. C'est ce qui arriva à un nommé Cevicas. Les gens en eurent assez de sa sorcellerie diabolique, et ils le tuèrent. »

Je voulus avoir des détails sur cet événement, mais ils déclarèrent que cela avait eu lieu autrefois, peut-être lorsqu'ils étaient encore des gamins, ou avant même. Eligio précisa que malgré son assassinat, les gens croyaient que Cevivas n'avait été qu'un fou puisque personne ne pouvait faire de mal à un sorcier. Je tentai de sonder leurs opinions sur les sorciers, mais le sujet ne semblait pas les captiver, et de plus ils étaient impatients de partir à la chasse pour essayer la carabine calibre 22 que j'avais amenée pour la première fois.

En silence nous marchions dans les broussailles, et brusquement, Eligio qui guidait notre file, se retourna et déclara : « Peut-être sommes-nous les cinglés. Peut-être que don Juan a raison. Regardez un peu le genre de vie que nous menons. »

Lucio et Benigno protestèrent. Je m'interposai. Je déclarai être d'accord avec Eligio; moi-même je m'étais rendu compte que quelque chose n'allait pas dans ma vie. Benigno répliqua que je n'avais aucune raison de me plaindre de ma vie. J'avais de l'argent et une voiture. Je répondis que je pourrais tout aussi bien prétendre que leur vie était meilleure que la mienne puisqu'ils avaient chacun un morceau de terre. D'un commun accord ils me déclarèrent que le vrai propriétaire était la banque du gouvernement. Je précisai que dans les mêmes conditions la voiture n'était pas plus à moi que leurs terres à eux, elle appartenait à une banque de Californie. Ma vie était seulement différente de la leur et non pas meilleure.

Nous avions atteint la zone des taillis. Le tableau de chasse ne fut ni un cerf ni un sanglier, mais simplement trois lièvres. Sur le chemin du retour nous passâmes chez Lucio qui annonça que sa femme allait préparer un ragoût de lièvre. Benigno partit acheter une bouteille de tequila et des sodas. Lorsqu'il revint, don Juan l'accompagnait.

« As-tu coincé mon grandpa en train d'acheter de la bière? s'exclama Lucio.

– Je n'ai pas été invité à ces agapes, dit don Juan. Je venais seulement demander à Carlos s'il allait à Hermosillo. »

Je lui confiai que je comptais partir le jour suivant. Pendant que nous conversions, Benigno distribua les sodas. Eligio donna le sien à don Juan, et comme pour les Yaqui refuser même courtoisement constitue une impolitesse impardonnable, tranquillement don Juan l'accepta. Je tendis le mien à Eligio qui fut obligé de le prendre. Alors Benigno m'offrit sa bouteille. Mais Lucio, conscient de l'issue possible de cette séance de politesse yaqui, avait déjà terminé son soda. Et se tournant vers Benigno, qui avait une expression pathétique il lui dit en riant :

« Ils t'ont fauché ta bouteille! »

Don Juan déclara qu'il ne buvait jamais de soda et plaça sa bouteille dans les mains de Benigno. En silence nous restâmes assis sous la *ramada*.

Eligio paraissait énervé; de ses doigts il trafiquotait le bord de son chapeau.

« J'ai réfléchi à ce que vous avez dit l'autre nuit, dit-il à don Juan. Comment le peyotl peut-il changer notre vie ? Comment ? »

Don Juan ne répondit pas. Il fixa Eligio du regard et se mit à chanter en yaqui. En fait cela ressemblait plus à une récitation qu'à une chanson. Ensuite, un lourd silence plana longtemps. Puis je demandai à don Juan de me traduire ce chant.

« Il est destiné à des Yaqui seulement », dit-il.

Je me sentis repoussé. J'étais certain qu'il avait dit quelque chose de très important.

Enfin don Juan déclara :

« Eligio est Indien, et en tant qu'Indien il ne possède rien du tout. Nous, les Indiens, n'avons rien. Tout ce que tu vois autour d'ici appartient aux *Yoris*. Les Yaquis n'ont que leur colère et ce que la terre leur offre gratuitement. »

Personne ne prononça un seul mot pendant très longtemps. Don Juan se leva, dit au revoir, et s'en alla. Nous le suivîmes tous des yeux jusqu'à ce qu'il ait disparu au tournant du sentier. Nous étions énervés. Pris au dépourvu, Lucio déclara que son grand-père était parti parce qu'il avait horreur du ragoût de lièvre. Eligio semblait perdu dans ses pensées. Benigno se tourna vers moi, et d'une voix criarde me dit :

« Je crois que l'Eternel vous punira, toi et don Juan, pour ce que vous faites. »

Lucio et Benigno éclatèrent de rire.

« Benigno, tu fais le clown, dit Eligio d'un ton très sérieux. Ce que tu viens de dire ne vaut pas un pet de lapin. »

Le 15 septembre 1968

Samedi, vers neuf heures du soir, don Juan s'était assis face à Eligio sous la *ramada* de la maison de Lucio.

Entre eux il déposa son sac de boutons de peyotl, et il commença à chanter tout en se balançant d'avant en arrière. Adossés au mur Lucio et Benigno s'étaient assis avec moi, à environ trois mètres de don Juan. Il faisait assez noir. En attendant don Juan nous étions à l'intérieur dans la lumière de la lampe à essence; lorsqu'il arriva, il nous appela et nous demanda de le rejoindre sous la *ramada* où il nous fit asseoir. Peu à peu mes yeux s'habituèrent à l'obscurité, et je pus distinguer tout clairement. Je m'aperçus qu'Eligio paraissait terrifié. Il tremblait de tout son corps, ses dents claquaient, des sursauts spasmodiques agitaient son dos et sa tête.

Don Juan lui parla, lui dit de ne pas avoir peur, de faire confiance au protecteur, et de ne penser à rien d'autre. Il prit un bouton de peyotl, l'offrit à Eligio et lui dit de le mâcher lentement. Eligio se mit à geindre comme un chiot et se tassa sur lui-même. Sa respiration accélérée faisait un bruit de soufflet de forge. Il ôta son chapeau, épongea son front, puis couvrit son visage de ses deux mains. Je crus qu'il allait pleurer. Il se passa là un long moment avant qu'il ne se maîtrise. Puis il se redressa et tout en gardant une main sur son visage prit le bouton de l'autre et se mit à le mâcher.

Une appréhension terrible me gagna. C'est alors seulement que je me rendis compte que j'étais aussi effrayé qu'Eligio lui-même. Ma bouche avait la sécheresse que l'on ressent en mâchonnant du peyotl. Eligio garda le peyotl très longtemps dans sa bouche tout en le mastiquant soigneusement. J'avais les nerfs à fleur de peau, ma respiration devint plus courte, et je me mis à gémir.

Le chant de don Juan s'amplifia. Il tendit un autre bouton à Eligio, puis celui-ci bien mâché il lui donna des fruits secs en lui disant de les manger très lentement.

A plusieurs reprises Eligio se leva pour aller uriner

dans les buissons. Il demanda de l'eau. Don Juan lui précisa de se rincer la bouche mais de ne pas boire.

Eligio mâcha deux boutons de plus, puis don Juan lui passa de la viande séchée.

Lorsqu'il eut pris son dixième bouton, j'étais malade d'anxiété.

Brusquement Eligio bondit en avant, et sa tête heurta le sol. Il roula sur son flanc gauche et fut pris de convulsions. Je regardai ma montre : onze heures vingt. Il agita la tête, tressauta et gémit au sol pendant environ une heure.

Face à lui don Juan garda la même position. Ses chants du peyotl s'étaient transformés en un murmure. A ma droite, Benigno paraissait assez peu concerné; à son côté Lucio, effondré, ronflait.

Le corps d'Eligio était contorsionné. Il gisait sur le flanc droit, les mains coincées entre les cuisses, et il me faisait face. Il effectua un saut puissant et se tourna sur le dos, les jambes légèrement arquées. Sa main gauche s'agitait au loin vers le ciel en un geste très élégant. Sa main droite reprit le même mouvement, et alternativement ses mains ondulèrent lentement, comme celles d'un harpiste. Peu à peu le mouvement s'amplifia. Ses bras vibrèrent de manière perceptible, montèrent, descendirent, comme les pistons d'une machine. En même temps ses mains ondulaient vers l'avant à partir du poignet, et ses doigts vibraient. Le spectacle était beau, harmonieux, fascinant. A mon avis, pensai-je, rien n'égalait ce rythme et cette maîtrise musculaire.

Lentement, Eligio se redressa comme s'il luttait contre une force enveloppante. Son corps vibrait. Il s'accroupit et commença se lever. Ses bras, sa tête et son torse tremblaient comme parcourus par un courant électrique intermittent. J'eus l'impression qu'une force qu'il ne pouvait pas contrôler l'animait et le déplaçait.

Le chant de don Juan devint assourdissant. Lucio et

Benigno se réveillèrent, jetèrent un œil vague sur la scène et se rendormirent.

Eligio semblait s'élever de plus en plus. Il grimpait. Il accrochait ses mains à d'invisibles objets. Il se leva enfin et fit une pause pour souffler.

Je voulus voir ses yeux, et je m'avançai vers lui. Mais le regard impératif de don Juan me cloua sur place et je retombai assis.

Alors, Eligio sauta. Il paraissait avoir atteint son but. Il haleta et sanglota sous l'effort. On aurait dit qu'il se maintenait sur une corniche. Mais quelque chose pesait sur lui. Il poussa des cris aigus de désespoir. Il perdit son équilibre et commença à chuter. Son corps s'arqua en arrière et fut traversé de la tête aux pieds par une extraordinaire et splendide ondulation. Elle le parcourut au moins une centaine de fois avant que son corps ne s'écroule comme un sac de toile vide.

Un peu plus tard il étendit ses bras devant lui comme pour protéger son visage. Ses jambes s'arquèrent en arrière et il reposa sur le torse. Ses jambes n'étaient qu'à quelques centimètres du sol, et ainsi il semblait glisser ou planer à une vitesse incroyable. Sa tête était tirée en arrière autant que possible, et ses bras restaient croisés sur ses yeux en guise de visière. Je pouvais sentir le vent siffler autour de lui. Je sursautai, et involontairement poussai un cri aigu. Lucio et Benigno se réveillèrent, et pris de curiosité observèrent Eligio.

« Si vous me promettez de m'acheter une motocyclette, j'en prends sur-le-champ », déclara Lucio à haute voix.

Je regardai don Juan. De la tête il fit un signe de négation.

« Quel salaud! » murmura Lucio, puis il se rendormit.

Eligio se leva et commença à marcher. Il s'avança vers moi et s'arrêta. Je vis qu'il souriait avec une expression béate. Il essaya de siffler. Le son n'était pas clair, mais pourtant harmonieux. C'était un air de quelques mesures qu'il répétait sans arrêt. Puis le sifflement s'intensifia pour se transformer en une claire mélodie. Eligio murmurait des mots incompréhensibles qui devaient être les paroles de l'air chanté. Pendant des heures il reprit ce chant. Il était très simple, monotone, une constante répétition, et malgré tout étrangement beau.

Tout en chantant Eligio semblait regarder quelque chose. A un moment donné il s'approcha tout près de moi, et dans la demi-obscurité je vis ses yeux. Ils étaient de verre, passés ailleurs. Il souriait et riait en sourdine. Il marcha, s'assit, marcha à nouveau, tout en grognant et en soupirant.

Brusquement quelque chose dut le pousser par-derrière. Son corps s'arqua comme plié en son milieu par une force réelle. Il y eut un moment où, dressé sur ses orteils et les doigts posés au sol, Eligio faisait un cercle presque complet. A nouveau il s'effondra doucement sur son dos, il s'allongea, étrangement rigide.

Pendant un certain temps il pleurnicha, puis il se mit à ronfler. Don Juan le couvrit de quelques sacs de toile. Il était cinq heures trente-cinq du matin.

Lucio et Benigno s'étaient endormis le dos au mur, épaule contre épaule. Pendant très longtemps je restais assis silencieusement en compagnie de don Juan. Il paraissait épuisé. Je rompis le silence pour lui poser quelques questions sur l'expérience d'Eligio. Il me répondit que celui-ci avait eu une rencontre exceptionnellement réussie avec Mescalito, qui dès la première rencontre lui avait enseigné une chanson. Un fait extraordinaire.

Je voulus savoir pourquoi il n'avait pas laissé Lucio prendre du peyotl, même au prix d'une motocyclette. Il déclara que dans de telles conditions Mescalito aurait tué Lucio. Puis il avoua avoir préparé toute cette séance pour convaincre son petit-fils. Il avait compté sur l'amitié qui me liait avec Lucio pour y arriver. Il déclara que Lucio l'avait toujours beaucoup préoccupé. Pendant longtemps ils avaient vécu ensemble et étaient alors devenus très proches l'un de l'autre. Mais, à l'âge de sept ans, Lucio tomba gravement malade, et son père, catholique convaincu, fit un vœu à la Vierge de Guadalupe. Si Lucio gardait la vie, il serait envoyé dans une société de danses sacrées. Lucio guérit et fut obligé de se soumettre. Après une semaine, il abandonna cet apprentissage et décida de renoncer à ce vœu. Il pensa qu'il allait payer de sa mort une telle décision, et il l'attendit pendant une journée tout entière. Tout le monde se moqua du gamin, et encore aujourd'hui on se souvient de sa conduite.

Don Juan garda le silence. Il semblait absorbé dans ses réflexions.

« Toute ma mise en scène était destinée à Lucio, dit-il enfin. Et à sa place j'ai découvert Eligio. Je savais que c'était inutile, mais lorsqu'on aime quelqu'un on doit quand même insister, agir comme s'il était possible de refaire les hommes. Enfant, Lucio avait beaucoup de courage. Il l'a perdu en chemin.

– Don Juan, ne pourriez-vous pas l'ensorceler?

– L'ensorceler, pourquoi donc?

– Pour qu'il change et retrouve son courage.

– On n'ensorcelle pas pour le courage. Le courage est quelque chose de personnel. On ensorcelle seulement pour désarmer les gens, pour les rendre malades, ou sourds. Pour faire des guerriers, tu ne peux pas ensorceler. Pour être guerrier il faut avoir une clarté de cristal, comme Eligio. Voilà un homme de courage! »

Paisiblement, Eligio ronflait sous les sacs de toile. La lumière du jour était déjà là. Dans le ciel parfaitement bleu il n'y avait pas un seul nuage.

« Je donnerai n'importe quoi pour connaître le périple d'Eligio, dis-je. Puis-je lui demander de raconter son expérience?

– Quelles que soient les circonstances, tu ne devras en aucun cas le lui demander.

– Pourquoi donc? Je vous raconte bien les miennes.

– C'est différent. Tu n'es pas de ceux qui gardent les choses pour eux. Eligio est un Indien. Son périple est maintenant tout ce qu'il possède. Vraiment, j'aurais bien voulu que ce soit Lucio.

– N'y a-t-il donc rien que vous puissiez faire?

– Non. Malheureusement on ne peut pas faire des os pour une méduse. C'était une folie de ma part. »

Le soleil sortit au-dessus des montagnes. Sa lumière irrita mes yeux fatigués.

« Maintes et maintes fois, don Juan, vous m'avez dit qu'un sorcier ne pouvait pas se permettre de faire des folies. Jamais je n'aurais cru que cela puisse vous arriver. »

Il me jeta un regard perçant. Il se leva, regarda Eligio, puis Lucio, et ensuite il mit son chapeau.

« Il est possible d'insister, d'insister judicieusement, même lorsqu'on pense que c'est inutile, dit-il tout en souriant, mais d'abord nous devons savoir que tous nos actes sont inutiles, et que malgré tout nous devons faire comme si nous ne le savions pas. C'est ça, la folie contrôlée du sorcier. »

5

Le 3 octobre 1968, je revins chez don Juan dans le seul but de lui demander des éclaircissements sur la nuit de l'initiation d'Eligio. En relisant mon récit décrivant ce qui avait eu lieu, un flot presque ininterrompu de questions avait surgi. Comme je désirais des explications très précises, j'établis d'avance une liste de questions en choisissant soigneusement les mots les plus appropriés pour les formuler.

Je commençai par lui demander :

« Cette nuit-là, don Juan, ai-je *vu*?

– Presque.

– Avez-vous *vu* que je pouvais *voir* les mouvements d'Eligio?

– Oui, j'ai *vu* que Mescalito t'avait permis de *voir* une partie de la leçon d'Eligio, sinon tu n'aurais regardé qu'un homme assis et parfois couché devant toi. Au cours du dernier *mitote* as-tu découvert si les participants faisaient quelque chose de particulier, je ne crois pas? »

Pendant le dernier *mitote* je n'avais observé chez les participants rien d'anormal, et j'avais simplement noté que certains d'entre eux étaient allés dans les buissons plus souvent que d'autres.

« Cependant tu as presque *vu* l'entière leçon donnée à Eligio. Pense à cela. Comprends-tu maintenant combien Mescalito est généreux avec toi? A ma connaissance il n'a jamais été aussi gentil avec quelqu'un d'autre. Jamais. Et malgré tout tu n'as pas la moindre considération pour sa grande générosité. Comment peux-tu lui tourner le dos aussi carrément? Ou peut-être faut-il que je dise : En échange de quoi tournes-tu donc le dos à Mescalito? »

J'eus l'impression qu'une fois de plus don Juan me mettait le dos au mur. Je n'avais pas de réponse à sa question. J'avais toujours pensé que mon abandon de l'apprentissage avait servi à me sauver, et cependant j'ignorais à quoi j'avais ainsi échappé, ou pourquoi je m'étais sauvé. En tout cas, j'avais le désir de changer au plus vite de sujet de conversation, et dans ce but je décidai de ne pas poursuivre ma série de questions si soigneusement préparées, pour directement aborder ma demande la plus délicate.

« Pourriez-vous me parler un peu de votre folie contrôlée?

– Que veux-tu donc savoir à ce propos?

– Don Juan, je vous en prie, qu'est-ce que la folie contrôlée? »

Il pouffa de rire et fit claquer la paume de sa main sur sa cuisse.

« Voilà, c'est de la folie contrôlée, s'exclama-t-il en riant et en frappant à nouveau sa cuisse.

– Que voulez-vous dire...?

– Je suis heureux qu'après tant d'années tu me questionnes enfin sur ma folie contrôlée, et cependant si tu ne l'avais pas fait, cela n'aurait eu aucune importance. Mais j'ai choisi de me sentir heureux, comme si j'y tenais, comme s'il importait que je sois concerné. *Ça,* c'est de la folie contrôlée! »

Nous éclatâmes de rire. Je le serrai dans mes bras. Son explication m'enchantait bien que je n'eusse pu prétendre l'avoir bien comprise.

Comme d'habitude nous étions assis devant la porte de sa maison. C'était la mi-matin et don Juan triait un tas de graines placées devant lui. Je voulus l'aider, mais il refusa en déclarant que ces graines étaient un cadeau d'un de ses amis du Mexique central, et que je n'avais pas assez de pouvoir pour les toucher impunément.

« Don Juan, avec qui vous servez-vous de votre folie contrôlée? »

Il gloussa de rire.

« Avec tout le monde! s'exclama-t-il en riant.

– Quand choisissez-vous d'en faire usage?

– A chacun de mes actes. »

Je sentis que j'avais besoin de reprendre cet échange dès le début, et je lui demandai si la folie contrôlée signifiait que ses actes n'étaient jamais sincères mais seulement ceux d'un acteur.

« Mes actes sont sincères, mais ils ne sont que les actes d'un acteur.

– Donc, tout ce que vous faites doit être de la folie contrôlée, dis-je en marquant ma surprise.

– Oui, tout.

– Mais il n'est pas possible que chacun de vos actes soit seulement de la folie contrôlée.

– Et pourquoi pas? répondit-il avec un sourire mystérieux.

– Cela voudrait dire que pour vous rien n'a d'importance, que vous n'êtes réellement concerné par rien, chose ou personne. Par exemple, prenons mon cas, voulez-vous dire que vous n'attachez aucune importance à ce qui m'arrive, si je deviens homme de connaissance ou non, si je vis, si je meurs, ou quoi que ce soit?

– C'est vrai! Cela n'a pas d'importance. Tu es, comme Lucio et tous les autres dans ma vie, ma folie contrôlée. »

J'éprouvais une sensation de vide assez particulière. Evidemment il n'y avait pas une seule raison au monde pour que don Juan soit tenu à se soucier de moi, mais par ailleurs j'étais presque certain qu'au fond de lui-même il m'aimait bien. Il devait en être ainsi puisqu'il m'accordait toujours son attention à chaque instant passé en sa compagnie. Il me vint à l'idée qu'il disait cela parce qu'il en avait assez de moi. Après tout, j'avais abandonné ses enseignements.

« J'ai l'impression que nous ne parlons pas de la même chose. Je n'aurais pas dû me proposer en exemple. Je voulais seulement dire qu'il doit bien y avoir quelque chose dans le monde à quoi vous tenez d'une façon qui n'est pas de la folie contrôlée. S'il n'y a vraiment rien qui compte, je pense que la vie n'est plus possible.

– Ce que tu viens de dire s'applique à *toi*. Les choses sont importantes pour *toi*. Tu m'as questionné sur ma folie contrôlée et je t'ai répondu que tout ce que je fais me concernant ou concernant mes semblables est de la folie, parce que rien n'a d'importance.

– Don Juan, mon argument est que si rien n'a d'importance, comment pouvez-vous accepter de vivre plus longtemps ? »

Il éclata de rire, puis après une pause silencieuse pendant laquelle il sembla se demander s'il allait ou non me répondre, il se leva et passa derrière la maison. Je le suivis.

« Attendez, attendez, don Juan. Je veux vraiment savoir; vous devez m'expliquer ce que vous entendez par là.

– Peut-être n'est-il pas possible de l'expliquer. Dans ta vie il y a certaines choses auxquelles tu tiens parce qu'elles sont importantes. Tes actions sont pour toi certainement importantes. Mais pour moi, il n'y a pas une seule chose qui soit encore importante, pas plus mes actes que les actes de n'importe qui de mes semblables. Malgré cela, je continue à vivre parce que c'est ma volonté. Parce que j'ai maîtrisé ma volonté toute ma vie pour qu'elle soit claire et parfaite. Et maintenant, il ne m'importe plus que rien ne soit important. Ma volonté contrôle la folie de ma vie. »

Il s'accroupit et passa ses doigts dans les herbes qu'il avait mises sur un grand morceau de toile à sécher au soleil.

J'étais désorienté. Jamais je n'aurais pu prévoir la tournure prise par ma direction de recherche. Après un long moment, je crus tenir un argument de poids. Je lui déclarai qu'à mon avis certains des actes de mes semblables avaient une extrême importance. L'exemple le plus remarquable par son côté dramatique serait la guerre atomique. La destruction de toute vie à la surface du globe me paraissait être un acte d'une énormité stupéfiante.

« Tu crois cela parce que tu penses. Tu penses à la vie, dit-il avec un éclair lumineux dans ses yeux, tu n'es pas en train de *voir*.

— Mon opinion serait-elle différente si je pouvais *voir* ?

— Une fois que l'homme apprend à *voir*, il se découvre seul dans le monde avec rien d'autre que de la folie », déclara mystérieusement don Juan.

Il marqua une pause et me regarda comme s'il voulait juger de l'effet de sa déclaration.

« Tes actes, ainsi que, d'une manière générale ceux de tes semblables, te semblent importants parce que tu as *appris* à penser qu'ils sont importants. »

Il donna au mot « appris » une telle inflexion que je fus obligé de lui demander ce qu'il voulait ainsi exprimer.

Il cessa de manipuler ses plantes et me regarda.

« Nous apprenons à penser à propos de tout. Et ensuite nous entraînons nos yeux à regarder comme nous pensons aux choses que nous regardons. Nous nous regardons en pensant déjà que nous sommes importants. Par conséquent il faut que nous nous *sentions* importants! Mais lorsqu'un homme apprend à *voir*, il se rend compte qu'il ne peut plus penser aux choses qu'il regarde, et s'il ne peut plus penser à ce qu'il regarde, tout devient sans importance. »

Don Juan s'était aperçu que j'étais perplexe, trois fois il répéta cette déclaration, comme pour me la faire comprendre. Au premier abord ce qu'il avait dit me sembla très sarcastique, mais en y pensant sérieusement ses mots apparurent indistinctement être plutôt une déclaration compliquée à propos d'une certaine forme de perception.

J'essayai de penser à une bonne question pour l'obliger à éclaircir sa position, mais je n'y parvins pas. Brusquement je me sentis épuisé, et je ne pouvais plus exprimer mes pensées clairement.

Don Juan remarqua ma fatigue. Il me tapota doucement l'épaule.

« Nettoie ces plantes, mets-les soigneusement en morceaux, puis dans ce bocal. »

Il me tendit un grand bocal à café. Puis il s'en alla.

Il revint quelques heures plus tard, vers la fin de l'après-midi. Une fois terminé le travail des plantes, j'avais eu assez de temps pour rédiger mes notes. Sur-le-champ je désirai lui poser quelques questions, mais il n'était pas d'humeur à me répondre. Il déclara qu'il était affamé, et qu'avant tout il devait se faire à manger. Il alluma le feu dans le fourneau de terre, et plaça dessus un pot de bouillon d'os de bœuf. Dans le sac à provisions que je venais d'amener il prit quelques légumes qu'il coupa en petits morceaux avant de les jeter dans le pot. Puis il s'allongea sur sa natte, ôta ses sandales et me dit d'aller m'asseoir à côté du fourneau pour pouvoir m'occuper du feu.

Il faisait presque nuit. De ma place je pouvais voir le ciel vers l'ouest. Les bords de quelques épaisses formations de nuages étaient colorés d'un jaune clair très intense contrastant avec le centre presque noir des nuages.

J'allais faire un commentaire sur la beauté de ces nuages, mais il parla avant moi.

« Des bords duveteux et un cœur épais, dit-il en montrant les nuages, avec tellement d'à-propos que je sursautai.

– J'allais justement vous parler des nuages.

– Et je t'ai devancé d'un quart de seconde », s'excla-ma-t-il en riant comme un enfant.

Je lui demandai s'il était d'humeur à répondre à quelques questions.

« Que désires-tu savoir ?

– Ce que vous avez déclaré cet après-midi concernant la folie contrôlée me préoccupe beaucoup. Je ne puis vraiment pas comprendre ce que vous avez voulu dire.

– Bien entendu, tu ne peux pas le comprendre. Tu es en train d'essayer d'y penser, et ce que je t'ai dit ne s'accorde pas avec tes pensées.

– J'essaie d'y penser, car personnellement c'est ma seule façon de comprendre quelque chose. Voulez-vous dire, par exemple, que lorsqu'un homme apprend à *voir*, tout dans le monde devient sans valeur ?

– Je n'ai pas dit sans valeur. J'ai dit sans importance. Tout devient égal donc sans importance. Par exemple en aucun cas je ne pourrais dire que mes actes sont plus importants que les tiens, ou qu'une chose est plus indispensable qu'une autre ; par conséquent toutes les choses sont égales, et étant égales elles sont sans importance. »

Je lui demandai si, par là, il voulait dire que ce qu'il avait désigné par « voir » constituait une « meilleure façon » de voir que le simple fait de « regarder les choses ». Il déclara que les yeux humains pouvaient posséder ces deux facultés, mais que l'une n'était pas meilleure que l'autre. Cependant entraîner les yeux seulement à regarder était, à son avis, une perte inutile.

« Par exemple, pour rire nous avons besoin de regarder avec nos yeux, parce que nous ne pouvons saisir le côté amusant du monde qu'en regardant les choses. D'autre part quand les yeux *voient* tout est tellement égal que rien n'est amusant.

– Voulez-vous dire qu'un homme qui *voit* ne peut plus rire ? »

Pendant un moment il garda le silence.

« Il y a peut-être des hommes de connaissance qui ne rient jamais, cependant, je n'en connais aucun. Ceux que je connais peuvent *voir* et aussi regarder, donc rire.

– Un homme de connaissance peut-il aussi pleurer ?

– Je pense que oui. Nos yeux regardent pour que nous puissions rire, pleurer, nous réjouir, être tristes, ou heureux. Personnellement je n'aime pas être triste, donc chaque fois que je suis le témoin de quelque chose qui ordinairement m'attristerait, je change la fonction de mes yeux, et je *vois* au lieu de regarder. Mais si je rencontre quelque chose d'amusant, je regarde et je ris.

– Mais alors votre rire est réel, et non pas de la folie contrôlée. »

Don Juan me regarda pendant assez longtemps.

« Je te parle parce que tu me fais rire. Tu me fais penser à ces rats du désert à la queue touffue qui, lorsqu'ils placent leur queue dans les trous pour essayer d'effrayer d'autres rats et ainsi voler leur nourriture, se font prendre. Toi aussi tu te laisses prendre à tes propres questions. Fais attention ! Parfois en voulant se libérer ces rats s'arrachent la queue. »

C'était une comparaison amusante ; un jour dans le désert don Juan m'avait montré ces petits rongeurs à la queue touffue qui ressemblent à des écureuils bien gras. Imaginer un de ces rats joufflus se libérant d'un coup sec et ainsi arrachant sa queue était assez triste mais en même temps d'un comique morbide.

« Mon rire, comme tout ce que je fais est réel, dit-il.

Mais il s'agit aussi de folie contrôlée parce qu'il est inutile. Il ne change rien et cependant je ris toujours.

– Mais, don Juan, à mon avis votre rire n'est pas inutile. Il vous rend heureux.

– Non! Je suis heureux parce que je choisis de regarder les choses qui me rendent heureux et alors mes yeux saisissent leur côté amusant, ce qui me fait rire. Je t'ai déjà dit cela maintes fois. On doit toujours choisir le chemin-qui-a-du-cœur de manière à être toujours au mieux de soi-même, peut-être pour pouvoir toujours rire. »

J'interprétai ce qu'il venait de dire comme impliquant que les pleurs ne valaient pas le rire, qu'ils étaient à tout le moins débilitants. Il affirma qu'il n'y avait aucune différence intrinsèque entre ces états, que tous deux étaient sans importance. Toutefois sa préférence allait au rire, car le rire était meilleur pour lui que les pleurs.

J'insinuai que dès qu'on introduit une préférence il n'y a plus d'égalité. S'il préférait rire à pleurer, rire était certainement plus important.

Avec obstination il maintint que la préférence n'impliquait pas d'inégalité, et avec insistance j'avançai que notre argument pourrait logiquement s'élargir jusqu'à dire que si toutes choses étaient égales, pourquoi ne pas choisir la mort?

« Beaucoup d'hommes de connaissance font un tel choix. Un jour ils peuvent simplement disparaître. Les gens pensent qu'ils sont tombés dans une embuscade et qu'on les a tués. En fait, ils choisissent de mourir parce que pour eux cela n'a pas d'importance. D'un autre côté j'ai choisi de vivre, de rire, non pas parce que cela a de l'importance, mais parce qu'un tel choix s'accorde avec mon penchant naturel. La raison pour laquelle je dis que j'ai choisi provient du fait que je *vois*, ce qui ne signifie pas que j'ai choisi de vivre. Ma volonté me fait continuer à vivre malgré tout ce que je pourrai *voir*.

« Tu ne comprends pas maintenant à cause de ton habitude de penser comme tu regardes et de penser comme tu penses. »

Cette déclaration m'intrigua à l'extrême. Je lui demandai de m'expliquer ce point.

A plusieurs reprises il répéta la même séquence de phrases, comme s'il voulait se donner le temps de la reconstruire avec des mots différents, puis il exposa sa position en disant que par « penser » il signifiait l'idée constante que nous avons de toute chose dans le monde. Il déclara que « voir » chassait cette habitude, et que jusqu'à ce que j'apprenne à « voir » je ne pourrai vraiment pas comprendre ce qu'il voulait ainsi exprimer.

« Don Juan, si rien n'a d'importance, pourquoi importe-t-il que j'apprenne à *voir* ?

– Une fois déjà, je t'ai dit que notre condition d'homme implique qu'il faut que nous apprenions, pour le meilleur ou pour le pire. J'ai appris à *voir*, et je te déclare que rien n'est réellement important. Maintenant ton tour est venu. Peut-être qu'un jour tu pourras *voir*, et alors tu pourras savoir si les choses importent ou non. Pour moi, rien n'importe mais peut-être que pour toi tout importera. Tu devrais déjà savoir qu'un homme de connaissance vit en agissant, et non en pensant à agir, et encore moins en pensant à ce qu'il pensera lorsqu'il aura fini d'agir. Un homme de connaissance choisit un chemin-qui-a-du-cœur et le suit. Alors il regarde, se réjouit, et rit. Puis il *voit* et sait. Il sait que sa vie se terminera bien trop tôt. Il sait qu'il ne va nulle part, comme tous les autres. Il sait, parce qu'il *voit*, que rien n'est plus important qu'autre chose. Autrement dit, l'homme de connaissance n'a ni honneur, ni dignité, ni famille, ni nom, ni patrie, mais seulement une vie à vivre, et dans de telles circonstances son seul lien avec ses semblables est sa folie contrôlée. Par conséquent un homme de connaissance entreprend, sue, s'essouffle, et aux yeux de tous il ressemble à n'importe quel homme. Mais il s'en différencie parce qu'il contrôle la folie de sa vie. Rien n'étant plus important que n'importe quoi d'autre, un homme de connaissance choisit n'importe quelle action, et la réalise comme si elle lui importait. Sa folie contrôlée lui fait dire qu'il attache de l'importance à ce qu'il fait, le fait agir comme si chaque action en avait vraiment, et cependant il sait qu'elle n'en a pas. Ainsi lorsqu'il a accompli ses actions, il se retire en paix. Que ses actions aient été bonnes ou mauvaises, réussies ou non, ne le concerne en aucune façon.

« D'ailleurs un homme de connaissance peut choisir de demeurer totalement impassible, de ne jamais agir, et de se conduire comme si le fait d'être impassible avait pour lui réellement de l'importance; cette attitude sera sincèrement vraie, parce qu'elle sera aussi sa folie contrôlée. »

Je déployais tous mes efforts pour essayer d'expliquer à don Juan que je désirais connaître ce qui pouvait motiver un homme de connaissance à agir d'une façon particulière en dépit du fait qu'il savait que rien n'était important.

Avant de me répondre, il eut un doux rire étouffé.

« Tu penses à tes actions, donc il te faut croire que tes actions sont aussi importantes que tu penses qu'elles sont, bien qu'en réalité rien de ce qu'on fait ne soit important. Rien, pas une seule chose! Mais alors, comme tu me le demandas, comment continuer à vivre? Il serait plus simple de mourir. C'est ce que tu dis et crois parce que tu penses à la vie, exactement comme tu penses maintenant à ce que *voir* pourrait bien être. Tu voudrais que je te décrive cela pour pouvoir commencer à y penser, exactement comme tu fais avec tout le reste. Cependant, dans le cas de *voir*, il n'est absolument pas question de penser, donc je ne peux pas te dire comment est le fait de *voir*. Par ailleurs, tu désires que j'explique les raisons de ma folie contrôlée, et je peux

114

seulement te dire que ma folie contrôlée est très semblable au fait de *voir*. C'est quelque chose à quoi on ne peut penser. »

Il bâilla, s'allongea sur le dos, étira ses bras et ses jambes. Ses articulations craquèrent. Il déclara :

« Il y a trop longtemps que tu n'étais pas revenu. Tu penses trop. »

Il se leva et alla dans les épaisses broussailles à côté de la maison.

Je chargeai le fourneau pour faire bouillir la soupe dans le pot. J'allais allumer la lampe à pétrole, mais je me ravisais car je préférais l'apaisante demi-obscurité. Autour de moi la lueur rougeâtre du feu procurait un éclairage suffisant pour écrire. Je poussai de côté mes carnets pour pouvoir m'allonger car je me sentais fatigué. De l'ensemble de notre conversation le seul point saillant me semblait être le fait qu'il ne tenait pas à moi, et cela me préoccupait énormément. Pendant toutes ces années je lui avais fait entièrement confiance, et sans cette confiance j'aurais été figé de peur à l'idée d'apprendre sa connaissance. A la base de cette confiance résidait la certitude qu'il tenait à moi. En vérité, il m'avait toujours effrayé, mais j'arrivais à maîtriser cette frayeur parce que j'avais confiance en lui. Lorsqu'il la remit en question, je n'avais rien à quoi me raccrocher, et je me sentis désemparé.

Une anxiété étrange me gagna, une agitation extrême m'envahit, je déambulais devant le feu. Don Juan prenait son temps, je l'attendais avec impatience.

Quelques instants plus tard il arriva et il reprit sa place devant le feu. Je lui fis part de mes craintes, je lui confiai mon inquiétude née de mon incapacité de changer de direction au milieu du courant. Je lui dis que j'avais appris, en plus de cette confiance que je lui faisais, à respecter et à considérer son mode de vie comme intrinsèquement plus rationnel, ou tout au moins plus pratique, que le mien. Mais ses déclarations avaient créé en moi un terrible conflit car elles impliquaient qu'il me fallait changer mes sentiments. Pour illustrer ce conflit je racontai à don Juan l'histoire d'un vieil homme appartenant à mon milieu de culture occidentale, un homme riche, un avocat aux idées traditionnelles qui pendant toute sa vie fut persuadé qu'il détenait la vérité. Au début des années trente, il se trouva engagé, avec la création du New Deal, dans le drame politique de cette époque. Il était absolument certain que ce changement serait néfaste au pays et par fidélité à son mode de vie aussi bien qu'à cause de sa conviction d'avoir raison, il fit le vœu de combattre ce qu'il pensait être une politique diabolique. Pendant dix ans, aussi bien sur la scène politique que dans sa vie personnelle, il se consacra à ce combat. La Seconde Guerre mondiale acheva de ruiner ses efforts. Ce fiasco politique et idéologique suscita en lui une profonde amertume, et pendant vingt-cinq ans il s'exila. Il revint dans sa ville natale pour y passer ses dernières années, et lorsque je le rencontrai il avait quatre-vingt-quatre ans. Vu la manière dont il avait gaspillé sa vie en amertume et en regrets il me semblait inconcevable qu'il eût pu vivre aussi longtemps. Il appréciait ma compagnie, et nous avions de longues conversations. La dernière fois que je le vis il me déclara : « J'ai eu tout le temps d'éplucher et de disséquer ma vie. Les débats de mon époque ne sont aujourd'hui que des faits historiques, et non des plus intéressants. Peut-être ai-je gaspillé des années de ma vie à poursuivre quelque chose qui n'a jamais existé. Dernièrement, j'ai eu l'impression que j'avais cru en une chose grotesque. Elle ne valait absolument pas toute ma peine. Maintenant je pense savoir cela. Cependant je ne puis pas récupérer les quarante années que j'ai ainsi perdues. »

Je précisai que mes difficultés venaient justement du doute dans lequel m'avaient précipité ses déclarations à propos de la folie contrôlée.

« Si vraiment rien n'est important, continuai-je, en devenant homme de connaissance on se retrouve nécessairement aussi vide que mon ami, dans une position qui ne peut être meilleure que la sienne.

– Il n'en est rien, dit sèchement don Juan. Ton ami est désespéré parce qu'il mourra sans *voir*. Sa vie n'a consisté qu'à devenir vieux, et maintenant il doit avoir encore plus de regrets qu'auparavant. Il lui semble qu'il a jeté au vent quarante années de sa vie, mais c'est parce qu'il cherchait les victoires et qu'il n'a rencontré que des défaites. Jamais il ne pourra savoir que d'être victorieux ou vaincu c'est exactement la même chose.

« Et maintenant tu as peur de moi parce que je t'ai dit que tu n'étais qu'égal à tout le reste. Mais c'est de l'enfantillage. Notre lot d'homme est d'apprendre, et quelqu'un va à la connaissance comme il va à la guerre. Je t'ai dit cela maintes et maintes fois [1]. On va à la connaissance ou à la guerre avec peur, avec respect, pleinement lucide du fait qu'on va à la guerre, et avec une sérénité absolue. Transfère ta confiance en toi, et non en moi.

« Et ainsi le vide de la vie de ton ami t'effraie! Je te le dis, dans la vie de l'homme de connaissance il n'y a pas de vide. Tout est rempli à ras bord. »

Don Juan se leva et étendit ses bras comme s'il touchait des choses en l'air.

« Tout est rempli à ras bord, répéta-t-il, et tout est égal. Je ne suis pas comme ton ami qui n'a fait que vieillir. Lorsque je te déclare que rien n'a d'importance, je ne le dis pas avec le sens qu'il donnerait à ces mots. Pour lui, son combat n'en valait pas la peine, cela parce qu'il a été vaincu. Pour moi, il n'y a ni victoire, ni défaite, ni vide. Tout est plein à ras bord et tout est égal. Mon combat en valait la peine.

« Pour devenir homme de connaissance on doit être

---

1. Cf. *op. cit.*, chap. II et XI.

un guerrier et non un gamin pleurnicheur. On doit s'efforcer, sans abandonner, sans se plaindre, sans fléchir, jusqu'à réussir à *voir*, et se rendre alors compte que rien n'est important. »

Don Juan remua le potage avec une cuiller de bois. Il était prêt. Il ôta le pot du feu pour le placer sur un bloc d'adobe qu'il avait construit contre le mur pour servir de table ou d'étagère. Du pied il poussa deux caisses en guise de sièges assez confortables, surtout en s'asseyant le dos contre les montants de bois du mur. Il me fit signe de m'asseoir, puis il remplit un bol. Il souriait, ses yeux brillaient comme pour exprimer le plaisir qu'il tirait de ma présence. Avec douceur il poussa le bol vers moi, et dans ce geste il y avait une telle chaleur, une telle gentillesse, que je pensai à un appel à reprendre confiance. Je me sentais confus. Je décidai d'échapper à cette humeur déprimante. Je cherchai ma cuiller, mais je n'en trouvai pas, et la soupe était trop chaude pour être bue au bol, donc j'attendis qu'elle refroidisse et j'en profitai pour demander à don Juan si la folie contrôlée impliquait qu'un homme de connaissance ne pouvait plus avoir de l'affection pour un de ses semblables.

Il s'arrêta de manger et se mit à rire.

« Tu t'intéresses trop à aimer les gens ou à te faire aimer des gens, dit-il. Un homme de connaissance aime, c'est tout. Il aime ce qu'il veut, mais il se sert de sa folie contrôlée pour ne pas s'y intéresser. Ce qui est à l'opposé de ce que tu fais. Aimer les gens ou se faire aimer par les gens n'est pas la seule chose que l'on puisse faire en tant qu'homme. »

Il me fixa du regard, puis pencha la tête de côté.

« Pense à cela.

— Don Juan, j'ai une autre question. Vous avez dit que pour rire nous avions besoin de regarder avec nos yeux, mais je crois que nous rions parce que nous pensons. Prenez un aveugle, lui aussi peut rire.

— Non, les aveugles ne rient pas. Leur corps tressaille

un peu à la manière d'un rire. Ils n'ont jamais regardé le côté amusant du monde, ils doivent l'imaginer. Leur rire n'est pas éclatant. »

Nous restâmes sans parler. Je me sentais à l'aise, et heureux. Nous mangeâmes en silence. Brusquement don Juan éclata de rire, il me regardait me servir d'une tige de broussaille pour pousser du bol dans ma bouche les légumes du potage.

Le 4 octobre 1968.

Je demandai à don Juan s'il accepterait de me parler un peu plus de la faculté de « voir ». Pendant un instant il sembla hésiter, puis un sourire se dessina sur ses lèvres et il déclara que je retombais dans ma routine habituelle, j'essayais de parler au lieu d'agir.

« Si tu désires *voir*, tu dois laisser la fumée te guider, dit-il d'un ton catégorique. Je n'en parlerai plus du tout. »

Je l'aidai à trier des plantes sèches, et pendant long-temps nous travaillâmes en silence. Mais lorsque je suis contraint au silence, surtout en compagnie de don Juan, je me laisse gagner de façon irrésistible par un senti-ment d'appréhension. Aussi, à un moment donné, je me sentis poussé à lui poser une question et elle jaillit avec une brutalité irrépressible, presque de la violence.

« Comment un homme de connaissance se sert-il de sa folie contrôlée si survient le décès d'une personne qu'il aime ? »

Don Juan fut pris de court, et me jeta un regard interrogateur.

« Par exemple, prenez votre petit-fils, Lucio. Agiriez-vous en état de folie contrôlée au moment de sa mort ?

– Prends plutôt pour exemple la mort de mon fils, Eulalio, c'est un bien meilleur exemple, répondit-il

119

calmement. Il fut écrasé par des rochers alors qu'il travaillait à la construction du Pan-American Highway. Au moment de sa mort, mon attitude envers lui fut de la folie contrôlée. Lorsque j'arrivai à l'endroit qui avait été dynamité, je le trouvai déjà presque mort, mais son corps était tellement fort qu'il continuait à vivre et à remuer. Debout devant lui, je demandai à ses camarades ouvriers de ne pas le déplacer. Ils m'obéirent et restèrent rassemblés autour de nous, les yeux fixés sur le corps disloqué de mon fils. J'étais là, mais je ne regardais pas. Je changeai la fonction de mes yeux de façon à *voir* sa vie personnelle se désintégrer, se déployer incontrôlablement au-delà de ses limites, comme un brouillard de cristaux. C'est ainsi que la vie et la mort se mélangent et se déploient. Voilà ce que je fis au moment de la mort de mon fils. C'est d'ailleurs la seule chose à faire, c'est de la folie contrôlée. Si je l'avais regardé, je l'aurais vu devenir immobile, et j'aurais senti un hurlement en moi, car jamais plus je ne pourrai admirer son corps bien fait marcher sur la terre. A la place de cela je *vis* sa mort. Elle ne fut ni triste ni pénible. Elle fut égale à tout le reste. »

Pendant un long moment don Juan garda le silence. Il semblait triste, puis il sourit et me tapota la tête.

« Ainsi tu peux dire que lorsque survient la mort d'un être cher, ma folie contrôlée consiste à changer la fonction de mes yeux. »

Je ne pus m'empêcher de penser à ceux que j'aime tant, et je me sentis submergé par une vague de pitié pour moi-même.

« Don Juan, vous avez de la chance, dis-je. Vous pouvez changer la fonction de vos yeux, alors que moi, je ne puis que regarder. »

Ma déclaration l'amusa, et il rit.

« De la chance, mon œil! C'est du travail forcé. »

Nous éclatâmes de rire. Après un long silence, peut-

120

être pour oublier ma propre tristesse, je repris mes questions.

« Don Juan, si j'ai bien compris, dans la vie d'un homme de connaissance, les seuls actes qui ne soient pas de la folie contrôlée sont ceux qu'il accomplit avec son allié ou avec Mescalito. Ai-je raison?

– Tu as raison, dit-il en riant sous cape. Mon allié et Mescalito ne sont pas nos pairs. Ma folie contrôlée ne s'applique qu'à moi-même et aux actes que j'accomplis en présence de mes semblables.

– Cependant, repris-je, penser qu'un homme de connaissance puisse aussi considérer ses actions avec son allié ou avec Mescalito comme de la folie contrôlée est aussi une possibilité logique? N'est-ce pas? »

Il me regarda fixement, puis il répondit :

« Te voilà à nouveau en train de penser. Un homme de connaissance ne pense pas, donc il ne peut pas avoir à faire face à une telle possibilité. Prends-moi pour exemple. Je dis que ma folie contrôlée s'applique aux actes que j'accomplis en compagnie de mes semblables les hommes. Je dis cela parce que je puis *voir* mes semblables. Cependant je ne peux pas *voir* au travers de mon allié, ce qui fait qu'il m'est toujours incompréhensible, donc comment pourrais-je contrôler ma folie si je ne peux pas *voir* au travers de l'allié? Avec mon allié ou avec Mescalito je ne suis qu'un homme qui sait comment *voir*, et découvre qu'il est déconcerté par ce qu'il *voit*, un homme qui sait qu'il ne comprendra jamais tout ce qui l'entoure.

« Prends ton cas pour exemple. Que tu deviennes ou non homme de connaissance n'a pour moi aucune importance, cependant ça en a pour Mescalito. Il est évident qu'il y attache de l'importance, sinon il ne prendrait pas la peine de toutes ces avances pour te montrer qu'il tient à toi. Je peux me rendre compte de l'intérêt qu'il te porte, et j'agis en conséquence. Cependant ses raisons me restent incompréhensibles. »

6

Le 5 octobre 1968, au moment où prêts à partir pour le Mexique central nous allions monter dans ma voiture, don Juan m'arrêta.

« Je te l'ai déjà dit, on ne doit jamais révéler le nom d'un sorcier et l'endroit où il habite. Je pense que tu as compris que jamais il ne faudra divulguer mon nom ni l'endroit où vit ma personne physique. Maintenant, je vais te demander d'agir de même avec un de mes amis, un ami que tu nommeras Genaro. Nous allons chez lui. Nous y resterons un certain temps. »

Je l'assurai n'avoir jamais trahi la confiance qu'il me portait sur ce point-là.

« Je sais, continua-t-il avec la même expression très sérieuse. Malgré tout, avec tes moments d'étourderie, je dois faire attention. »

Je protestai. Don Juan déclara qu'il avait eu seulement l'intention de me rappeler que chaque fois qu'on se montre négligent en matière de sorcellerie, on joue avec un danger de mort imminent et déraisonnable, danger qui peut être évité en demeurant en éveil et réfléchi.

« Nous ne reviendrons pas là-dessus. Une fois partis d'ici nous ne parlerons ni ne penserons à Genaro. Je désire que tu mettes tes pensées en ordre dès maintenant. Lorsque tu le rencontreras tu devras être parfaitement lucide, n'avoir aucun doute en toi.

– De quel genre de doute voulez-vous parler?

– Toutes sortes de doutes, quels qu'ils soient. Quand tu le rencontreras tu dois avoir la limpidité du cristal. Il pourra te *voir*! »

Ces avertissements plutôt inattendus suscitèrent ma crainte. Je suggérai qu'il serait peut-être préférable que je ne rencontre pas son ami, je me proposai de le conduire à proximité de sa maison, et de le laisser y aller seul.

« Je t'ai dit cela par mesure de précaution seulement, tu as déjà rencontré un sorcier, Vicente, et il t'a presque tué. Cette fois-ci, fais attention! »

Arrivés au Mexique central, de l'endroit où nous quittâmes la voiture, il nous fallut deux jours de marche pour monter à la maison de son ami, une petite cabane perchée au flanc d'une montagne. L'ami de don Juan était à la porte, comme s'il nous attendait juste à ce moment-là. Je le reconnus immédiatement, car j'avais déjà brièvement fait sa connaissance le jour où j'avais apporté mon livre à don Juan. Mais alors je n'avais vraiment pas pris le temps de le regarder, et j'étais resté sur l'impression qu'il devait avoir à peu près le même âge que don Juan. Sans aucun doute, à la porte de sa maison, il paraissait bien plus jeune, peut-être autour de la soixantaine. Il était plus petit et plus mince, très foncé de peau, ses cheveux un peu longs, épais et grisonnants, couvraient ses oreilles et descendaient sur son front. Il avait un corps sec et musclé, un visage rond et plein avec un nez proéminent et de petits yeux noirs qui le faisaient ressembler à un oiseau de proie.

Il s'adressa à don Juan qui hocha affirmativement la tête, puis ils parlèrent pendant un moment. Ils parlaient une langue indienne que je ne comprenais pas. Enfin don Genaro se tourna vers moi, et d'un ton humble, comme en s'excusant il déclara en espagnol :

« Tu es le bienvenu dans ma modeste petite cabane. »
J'avais parfois entendu cette formule de politesse dans quelques régions reculées du Mexique, mais comme en disant cela il riait sans raison valable, je sus qu'il exerçait sa folie contrôlée. Que sa maison soit une cabane ne lui importait nullement. Déjà, je sentais que j'aimais don Genaro.

Pendant les deux jours suivants, nous allâmes dans les montagnes récolter des plantes, et chaque jour nous partions à la première lueur du matin. Les vieillards se rendaient dans un lieu particulier de ces montagnes qu'ils ne me révélèrent pas; pendant ce temps-là, ils me laissaient dans une zone boisée où je me sentais parfaitement à l'aise, libre de toute appréhension, même dans cette solitude. Le temps passait sans que je m'en rende compte. Pendant ces deux jours je vivais l'extraordinaire expérience de me concentrer sur la tâche délicate de découvrir les plantes que don Juan m'avait demandé de cueillir.

Tard dans l'après-midi nous revenions chez don Genaro, et j'étais tellement fatigué que je m'endormais sur-le-champ.

Le troisième jour se déroula différemment. Nous travaillâmes ensemble, et à la demande de don Juan, don Genaro m'enseigna la cueillette de certaines plantes. Vers midi nous étions de retour. Pendant des heures tous deux restèrent assis devant la maison, observèrent un silence parfait, comme s'ils étaient en état de transe. Cependant ils n'étaient pas endormis, car à plusieurs reprises je passai devant eux et ils suivirent mon déplacement du mouvement de leurs yeux.

« Avant de les cueillir, tu dois parler aux plantes », déclara brusquement don Juan. Il laissait les mots filer d'une façon habituelle, mais comme pour retenir mon attention, il répéta cela trois fois. Jusqu'à ce moment-là pas un seul de nous n'avait dit un mot.

« Pour *voir* les plantes tu dois leur parler personnellement. Tu dois les connaître individuellement. Alors les plantes peuvent te raconter tout ce que tu désires savoir à leur propos. »

Il était déjà tard dans l'après-midi. Don Juan restait assis sur un rocher plat face aux montagnes de l'ouest, et don Genaro, assis à côté de lui sur une natte de paille, faisait face au nord. Le premier jour don Juan m'avait indiqué que telles étaient leurs « places »[1], et qu'il fallait que je m'assoie par terre n'importe où en face de l'un d'eux, mais qu'à cette place je devais toujours avoir le visage tourné vers le sud-est, et seulement de temps à autre leur jeter un rapide coup d'œil pour les regarder.

« Oui, c'est comme ça avec les plantes. N'est-ce pas vrai ? » continua don Juan en se tournant vers don Genaro qui répondit d'un geste affirmatif.

Je déclarai que je n'avais pas suivi ses instructions parce que je me sentais assez ridicule lorsque je parlais aux plantes.

« Tu n'arrives pas à comprendre qu'un sorcier ne plaisante pas. Quand un sorcier essaie de *voir*, il essaie de gagner de la puissance », me dit-il d'un ton sévère.

Don Genaro ne me quittait pas des yeux. Je prenais des notes et cela semblait le déconcerter. Il me sourit, dodelina de la tête, et dit quelque chose à don Juan. Celui-ci haussa les épaules. Don Juan était habitué à me voir écrire pendant qu'il parlait et cela n'avait plus pour lui, je suppose, rien d'étrange, car il pouvait continuer à parler sans paraître remarquer mon activité. Mais pour don Genaro cela devait être surprenant car il continua à rire, et pour ne pas perturber l'humeur paisible de cette conversation je dus cesser d'écrire.

Une fois de plus, don Juan affirma qu'il ne fallait

1. Cf. *op. cit.*, chap. I.

jamais plaisanter avec les actes d'un sorcier parce qu'il s'agit en permanence du jeu où la mort est à chaque tournant. Il raconta à don Genaro comment j'avais une nuit aperçu les lumières de la mort me poursuivant. Ce récit l'amusa sans aucun doute car il se roula par terre en riant.

Don Juan s'excusa et précisa que son ami avait des accès de rire plutôt explosifs. Je me tournai à nouveau vers don Genaro que je pensais toujours être en train de se rouler au sol, mais je découvris avec stupéfaction qu'il accomplissait quelque chose d'extrêmement inhabituel. Sans s'aider de ses bras ou de ses mains il reposait sur sa tête avec ses jambes croisées en l'air comme en une position assise. Un tel spectacle me fit bondir sous le choc de la surprise. Le temps de réfléchir qu'il était en train de faire quelque chose de pratiquement impossible à concevoir du point de vue de la constitution du corps humain, il était déjà revenu à une position assise parfaitement normale. Don Juan, qui semblait savoir de quoi il retournait, applaudit l'éblouissante performance de don Genaro d'un rire éclatant.

Don Genaro avait remarqué ma perplexité. A plusieurs reprises, il claqua des mains, à nouveau roula en avant au sol, comme pour m'inciter à le regarder. Ce que j'avais pris pour un roulement par terre consistait en fait à se pencher en avant à partir de la position assise, et à toucher avec la tête le sol. Puis, en se balançant d'avant en arrière jusqu'à ce que le moment de la force ainsi engendrée soit suffisant il se projetait sur la tête dans cette incroyable position assise renversée. Pendant un moment, il était « assis-sur-la-tête ».

Une fois leur rire passé, don Juan reprit d'un ton sévère la conversation. Pour être plus à l'aise je changeai de position et je me tournai vers lui. Il ne montrait pas le moindre sourire, alors qu'à son habitude, particulièrement lorsque je m'efforce de me concentrer sur ce qu'il dit, il a toujours un léger sourire. Quant à don

Genaro il ne me quittait pas des yeux, comme s'il voulait savoir si j'allais me remettre à écrire. Je décidai de ne plus prendre de notes. Don Juan me reprochait de n'avoir pas parlé aux plantes que j'avais récoltées, alors qu'il m'avait toujours demandé de le faire. Il ajouta que ces plantes que j'avais tuées pourraient aussi m'avoir tué, et il était certain que tôt ou tard elles allaient me rendre malade; mais alors je préférerais croire qu'il s'agissait simplement d'une grippe.

Ils s'esclaffèrent et lorsqu'il eut repris son sérieux don Juan déclara que si je ne pensais pas à la mort, ma vie tout entière ne serait qu'un tohu-bohu personnel. Son expression était vraiment sévère.

« Que peut avoir un homme en dehors de sa vie et de sa mort ? » me demanda-t-il.

C'est à ce moment-là que je ressentis le besoin de prendre des notes. Don Genaro me regardait en souriant. Puis il pencha la tête en arrière et ouvrit les narines. Il devait posséder une maîtrise remarquable des muscles de ses narines, car il les ouvrit au moins deux fois plus qu'à l'accoutumée.

Dans ses clowneries, l'élément le plus comique n'était pas ce qu'il faisait, mais ses propres réactions. Ainsi après avoir élargi ses narines, tout en riant il se balança d'avant en arrière et se plaça dans cette étrange position « assis-sur-la-tête ».

Don Juan en rit à pleurer, des larmes roulaient sur ses joues. Je n'avais qu'un rire énervé parce que je me sentais gêné d'être l'objet de ces plaisanteries.

« Genaro n'aime pas écrire », déclara don Juan en guise d'explication.

Je posai mes carnets de notes par terre, mais don Genaro intervint pour m'assurer que cela ne le dérangeait en aucune façon. Je pris mes carnets et au moment où je commençais à écrire il répéta la scène précédente, et à nouveau tous deux s'esclaffèrent.

Toujours en riant don Juan me regarda et me dit que

son ami faisait par ces gestes mon portrait. Chaque fois que j'écrivais, j'avais tendance à ouvrir mes narines, et Genaro pensait que tenter de devenir sorcier en écrivant était tout aussi absurde que de s'asseoir sur la tête, ce qu'il avait illustré par le geste.

« Peut-être ne penses-tu pas que cela soit amusant, mais seul Genaro peut arriver à s'asseoir sur la tête, exactement comme tu es le seul à penser pouvoir apprendre à devenir sorcier en écrivant. »

Une explosion de rire salua sa déclaration, et une fois de plus don Genaro accomplit son tour de force.

Je l'aimais beaucoup, pensai-je, parce que ses actes étaient accomplis de façon franche et pleine de grâce.

« Don Genaro, je m'excuse, lui dis-je en désignant le carnet.

– Ça va », répondit-il en riant sous cape.

Je n'arrivai plus à écrire. Pendant très longtemps ils continuèrent à parler de la manière dont les plantes pouvaient tuer, et comment les sorciers en faisaient usage dans ce but précis. Ils ne me quittaient pas des yeux, comme s'ils espéraient me voir reprendre des notes.

« Carlos est comme un cheval qui n'aime pas être harnaché, dit don Juan. Avec lui, il faut aller très lentement. Tu l'as effrayé, et maintenant il ne veut plus écrire. »

Don Genaro dilata ses narines, et d'un ton moqueur tout en fronçant ses sourcils, il grimaça :

« Allons, Carlitos, écris donc! Ecris jusqu'à ce que ton pouce soit usé! »

Don Juan se leva, étira ses bras en arquant son dos et alla dans les buissons non loin de la maison. Malgré son âge il avait un corps remarquablement bien musclé. Je restai seul face à don Genaro. Il me regardait et je dus détourner les yeux parce que je me sentais embarrassé.

« Ne me dis pas que tu ne vas plus me regarder », dit-il avec un ton plein d'humour.

Il ouvrit ses narines et les fit trembler, puis il se leva et en les imitant de façon vraiment grotesque il reprit les mouvements de don Juan, arqua son dos, étira ses bras, mais tordit son corps dans une position extravagante et indescriptible qui combinait un sens délicat de la pantomime et de l'exagération jusqu'au ridicule. C'était une magistrale caricature de don Juan.

A cet instant celui-ci revint, vit le geste, et sans le moindre doute en comprit la signification. Il s'assit en riant doucement.

« De quelle direction vient le vent? » demanda don Genaro.

D'un mouvement de tête don Juan pointa vers l'ouest.

« Il vaut mieux que j'aille sous le vent », déclara sérieusement don Genaro. Puis il se tourna vers moi et en tendant un doigt nerveusement agité, il me dit :

« Et ne sois pas inquiet si tu entends d'étranges bruits. Quand Genaro chie, les montagnes tremblent. »

Il sauta dans les buissons, et un moment plus tard un bruit étrange, un grondement profondément surnaturel remplit mes oreilles. Je ne savais qu'en penser. Je voulus questionner du regard don Juan, mais il était plié de rire.

Le 17 octobre 1968.

Je ne me souviens plus de ce qui décida don Genaro à me parler de la structure de l'« autre monde », ainsi le nommait-il. Il déclara qu'un maître-sorcier était un aigle, ou plutôt qu'il pouvait se transformer en aigle. Par ailleurs un sorcier malfaisant était un *tecolote*, un hibou. Don Genaro précisa qu'un sorcier malfaisant[1] était

1. La notion de sorcier « malfaisant » n'est en aucun cas proche de notre conception de sorcier « diabolique » voué à une magie maléfique. Il s'agit plutôt d'un sorcier « raté », un sorcier qui a échoué dans l'apprentissage de la sorcellerie à un niveau où il possède néanmoins une certaine pratique qu'il met au service des hommes à toutes fins utiles. C'est plutôt par maladresse qu'il serait malfaisant, et ses échecs ternissent la réputation des vrais sorciers.

enfant de la nuit, et que par conséquent les animaux pour lui les plus utiles étaient le puma et les autres chats sauvages, et aussi les oiseaux nocturnes, en particulier le hibou. Quant aux *brujos liricos*, les sorciers lyriques, c'est-à-dire les sorciers dilettantes, ils préféraient d'autres animaux, un corbeau par exemple. Don Juan qui avait écouté dans le silence se mit à rire sous cape.

Don Genaro se tourna vers lui et dit

« C'est bien vrai Juan, tu connais tout ça[1]. »

Puis il ajouta qu'un maître sorcier pouvait amener son disciple avec lui pour un voyage au travers des dix couches de l'autre monde. S'il était un aigle, le maître pouvait commencer à la couche la plus basse et s'élever au travers de chaque monde successif jusqu'en haut. Les autres sorciers, malfaisants ou dilettantes, pouvaient au mieux traverser trois couches seulement.

Don Genaro décrivit ses étapes ainsi qu'il suit :

« Tu démarres tout en bas, et alors ton maître te prend avec lui dans son vol, et bientôt, booom! Tu traverses la première couche. Puis un petit peu plus tard, booom! Tu traverses la seconde couche. Et booom! Tu traverses la troisième... »

Don Genaro avec dix booms m'entraîna jusqu'à la dernière couche du monde. Lorsqu'il eut fini sa description, don Juan me regarda et eut un sourire de connivence.

« *Parler* n'est pas la préférence de Genaro, mais si tu as envie d'une leçon, il t'apprendra l'équilibre des choses. »

Don Genaro hocha affirmativement la tête, il plissa sa bouche vers le haut et ferma à demi ses paupières. Son expression m'enchanta.

Il se leva, don Juan l'imita.

1. Don Juan sait se transformer en corbeau, et il a appris cette technique à Carlos Castaneda, Cf. *op. cit.*, chap. X.

« Eh bien! dit-il. Allons-y. Nous pourrions y aller et attendre Nestor et Pablito. Ils ont fini leur travail. Le jeudi ils quittent plus tôt. »

Tous deux s'installèrent dans ma voiture, don Juan à mes côtés. Sans demander quoi que ce soit je démarrai, et don Juan me dirigea à un endroit où devait se trouver la demeure de Nestor. Don Genaro alla dans la maison, et un peu plus tard en sortit accompagné de Nestor et de Pablito, deux jeunes gens qui étaient ses apprentis. Tous se casèrent dans la voiture, et don Juan me dit de prendre la route allant vers les montagnes de l'ouest.

Nous laissâmes la voiture sur le bas-côté d'un chemin de terre, et nous avançâmes le long d'une rivière qui avait cinq à six mètres de large, jusqu'à la cascade que j'avais aperçue de l'endroit où nous avions garé la voiture. Le paysage était impressionnant. Juste au-dessus de nous passait un immense nuage bleuâtre et noir qui ressemblait à un plafond flottant. Il avait un bord très net et une forme d'énorme demi-cercle. A l'ouest, sur les pentes des hautes montagnes de la Cordillera Central la pluie tombait comme un rideau blanchâtre glissant sur les verts sommets. A l'est s'étalait la longue et profonde vallée avec au-dessus quelques rares nuages éparpillés. Là-bas, le soleil brillait. Le contraste entre les deux régions était remarquable. Nous fîmes halte au pied de la cascade qui devait avoir environ cinquante mètres de hauteur et dont le grondement était assourdissant.

Don Genaro enroula une ceinture autour de sa taille, une ceinture avec au moins sept petits objets en forme de gourde qui en pendaient. Il ôta son chapeau et le laissa pendre dans le dos, retenu par un lacet passant autour de son cou. Il sortit d'une pochette faite d'un épais tissu de laine un bandeau tissé de laines de différentes couleurs parmi lesquelles prédominait un jaune vif. Il plaça le bandeau autour de sa tête et glissa trois plumes, qui semblaient être des plumes d'aigle, entre ses cheveux et le bandeau, dans une disposition asymétrique : une à la courbure du crâne juste au-dessus de l'oreille droite, une autre sur le même côté à quelques centimètres en avant, entre l'oreille et la tempe, et la troisième sur sa tempe gauche. Il quitta ses sandales et les attacha ou accrocha à la taille de son pantalon. Puis il mit une ceinture au-dessus de son poncho. Elle me sembla faite de rubans de cuir tissés, mais je ne pus me rendre compte s'il l'avait nouée ou bouclée. Puis il se dirigea vers la cascade.

Don Juan cala un gros galet et s'assit dessus; les jeunes gens firent de même et s'installèrent à sa gauche. Don Juan m'indiqua un endroit à sa droite et me dit d'apporter un galet et de m'asseoir.

« Nous devons faire une ligne », dit-il en me montrant l'alignement qu'ils avaient tous trois observés.

Don Genaro avait atteint le pied de la cascade et commença à suivre une piste qui s'élevait le long de la rive droite. Vue de notre place la trace paraissait assez raide, et il dut se servir des buissons comme prises. A un moment donné, un de ses pieds glissa, et il tomba presque. Un moment plus tard, la même chose se reproduisit. Le sol devait être glissant, et don Genaro un peu trop âgé pour ce genre d'exercice. Plusieurs fois je le vis trébucher ou glisser avant d'atteindre l'endroit où la trace disparaissait.

Lorsqu'il commença à escalader les rochers une sorte de crainte vague me saisit. Je ne comprenais pas ce qu'il allait faire là-haut.

« Que fait-il? » chuchotai-je à don Juan.

Don Juan ne se tourna pas vers moi et me répondit :

« C'est évident, il grimpe. »

Il regardait droit vers Genaro, fixement, assis le dos droit au bord du galet, les mains placées entre ses jambes.

Je me penchai en avant pour jeter un coup d'œil sur

les jeunes gens, mais d'un geste de la main don Juan me fit rentrer en ligne. Malgré cela, j'avais aperçu les jeunes Indiens dans une posture tout aussi attentive que celle de don Juan.

De la main celui-ci me désigna la cascade.

Je regardai. Don Genaro s'était élevé assez haut le long du rocher, et perché sur un rebord, il s'avançait lentement pour tourner autour d'un énorme bloc de rocher. Ses bras étaient largement ouverts comme s'il embrassait le roc. Il se déplaça lentement vers sa droite, et soudain perdit pied. J'eus un hoquet de surprise. Pendant un moment son corps tout entier resta suspendu en l'air. De sa main droite il avait réussi à attraper une prise et très agilement il reprit pied sur le rebord. Pourtant j'avais été certain que j'allais le voir tomber. Avant de continuer il se tourna et nous regarda. Ce fut un rapide coup d'œil, mais dans le geste de tourner la tête il y avait quelque chose de gracieux qui me surprit et incita ma curiosité. Je me souvins alors que chaque fois qu'il avait glissé, il avait eu le même mouvement, il s'était tourné et nous avait regardés. Mais j'avais pensé que, gêné par sa maladresse, don Genaro s'était simplement tourné pour voir si nous nous en étions aperçus.

Il grimpa un peu plus haut, perdit pied à nouveau et resta dangereusement pendu sur la face d'un rocher en surplomb. Cette fois-ci il se rattrapa de la main gauche, et quand il eut repris son équilibre, il se tourna et nous regarda. Avant d'arriver en haut de la falaise cela se répéta deux fois de plus. La cascade semblait avoir de sept à huit mètres de large à l'endroit où elle commençait à se précipiter dans le vide.

Pendant un moment don Genaro ne bougea plus. Je désirai demander à don Juan ce que don Genaro allait maintenant faire, mais je n'osai pas le déranger car il semblait complètement absorbé dans son observation.

Brusquement don Genaro sauta dans l'eau. Ce geste était tellement inattendu que je ressentis comme un coup au creux de l'estomac. Son saut avait été magnifique, extraordinaire. Pendant un instant j'avais eu la sensation bien nette d'avoir vu une série d'images superposées de son corps suivant une trajectoire elliptique jusqu'au milieu du courant.

Une fois remis de ma surprise, je m'aperçus qu'il avait atterri sur un rocher au bord du vide, un bloc à peine visible de l'endroit où nous étions assis.

Là, il demeura accroché pendant longtemps. Il semblait devoir lutter contre le courant. Par deux fois il fut suspendu au-dessus du précipice et je ne pouvais absolument pas me rendre compte à quoi il se retenait. Il reprit son équilibre et à nouveau s'accroupit sur le rocher. Puis tel un tigre, il sauta. Je distinguai à peine le rocher sur lequel il arriva, il ressemblait à un petit cône de roche juste au bord de la cascade.

Pendant au moins dix minutes il resta immobile. Et son immobilité m'impressionna tant que je tremblai de tout mon corps. J'avais envie de me lever, de marcher. Don Juan remarqua mon agitation et m'ordonna de reprendre mon calme.

Cette immobilité de don Genaro me plongeait dans une frayeur extraordinaire et mystérieuse. J'eus l'impression que s'il restait là plus longtemps sans bouger, je ne pourrais plus me maîtriser.

Soudain il sauta, et cette fois-ci jusqu'à l'autre rive. Il atterrit à quatre pattes, comme un félin. Pendant un moment il resta accroupi, puis il se leva, regarda de l'autre côté de la cascade, et ensuite, en bas, dans notre direction. Il s'immobilisa face à nous, ses mains à ses côtés comme s'il tenait les invisibles rambardes d'une passerelle.

Dans sa position il y avait quelque chose d'infiniment gracieux, son corps semblait très fragile, extrêmement frêle. A cet instant je pensai que don Genaro, avec son bandeau, ses plumes, son poncho foncé et ses pieds nus, était le plus bel homme de la terre.

Il projeta ses bras en l'air, leva la tête, et par une sorte de saut périlleux sur le côté retourna en un éclair son corps vers sa gauche. Il disparut à nos yeux car le rocher sur lequel il avait été perché avait une forme arrondie.

Juste à ce moment-là, d'énormes gouttes commencèrent à tomber. Don Juan et les deux Indiens se levèrent brusquement. Je restai figé sur place. L'exploit de don Genaro m'avait plongé dans une sorte de choc émotionnel. Je sentais qu'il était un artiste accompli, je voulais le voir sur-le-champ, l'applaudir.

Je m'efforçai de le voir sur la rive gauche de la cascade, je croyais qu'il allait descendre, mais je ne vis rien. J'insistai pour savoir où il était passé, mais don Juan ne répondit pas.

« Dépêchons-nous, dit-il, c'est une grosse averse. Il faut reconduire Nestor et Pablito chez eux, et nous devons nous mettre en route, prendre le chemin du retour.

– Mais je n'ai même pas dit au revoir à don Genaro.

– Lui t'a déjà dit au revoir », répliqua sèchement don Juan.

Il me perça du regard pendant un instant, puis il relâcha son froncement de sourcils et se mit à sourire.

« Il t'a aussi souhaité beaucoup de bien, il s'est senti heureux de t'avoir près de lui.

– Mais nous ne l'attendons pas?

– Non! dit don Juan d'un ton tranchant. Laisse-le, où qu'il soit. Peut-être est-il un aigle volant vers l'autre monde, peut-être est-il mort là-haut. Maintenant ça n'a pas d'importance. »

Don Juan mentionna qu'il allait bientôt revenir au Mexique central.

« Allez-vous rendre visite à don Genaro?

– Peut-être, dit-il sans me regarder.

– Don Juan, il va bien, n'est-ce pas? Il ne lui est rien arrivé, là-haut, à la cascade?

– Rien ne lui est arrivé. Il est robuste. »

La conversation gravita autour de ce voyage qu'il projetait. Je lui répétai combien j'avais apprécié don Genaro, sa compagnie et ses plaisanteries. Il se mit à rire et déclara que vraiment Genaro se conduisait comme un gamin. Un long silence plana. J'essayais de trouver une astuce pour arriver à le questionner sur la leçon qu'il m'avait donnée. Don Juan me dévisagea et d'un ton espiègle me dit :

« Tu meurs d'envie de me poser des questions à propos de la leçon de Genaro, n'est-ce pas vrai? »

J'eus un rire embarrassé. Tout ce qui concernait la cascade m'obsédait. J'avais tourné et retourné tous les détails dont j'arrivais à me souvenir, et je me trouvais réduit à en conclure que j'avais été le témoin d'un incroyable exploit, d'une prouesse physique. Sans aucun doute don Genaro était un maître inégalable dans sa pratique de l'équilibre, mais comme chacun de ses mouvements avait été accompli d'une façon très rituelle, il était évident qu'ils devaient avoir une signification symbolique inextricable.

« Oui, je dois reconnaître que je meurs d'envie de connaître sa leçon.

– Laisse-moi te dire ceci. Pour toi ce fut une perte de temps. La leçon était destinée à ceux qui peuvent *voir*. Nestor et Pablito, bien qu'ils ne puissent pas très bien *voir*, en ont saisi l'essentiel. Mais toi, tu es venu pour regarder. J'avais prévenu Genaro que tu es un imbécile très curieusement constipé, et que sa leçon pourrait peut-être te purger, mais non! Cependant, cela n'a pas d'importance. *Voir* est très difficile.

« Je ne voulais pas que tu parles à Genaro, il nous fallut partir. Dommage. Mais rester aurait été bien pire. Pour te montrer quelque chose de splendide, Genaro a pris de grands risques. Dommage que tu ne puisses pas *voir*.

– Don Juan, si vous me révéliez ce qu'était cette leçon, peut-être découvrirais-je que j'avais vraiment *vu*. »

Don Juan s'esclaffa.

« Ta meilleure spécialité c'est de poser des questions. »

Il semblait qu'il allait, une fois de plus, abandonner ce sujet de conversation. Nous étions assis comme toujours devant sa maison, et soudain il se leva et rentra. Je le suivis en insistant pour lui décrire ce que j'avais vu, et fidèlement je lui racontai tout ce dont je me souvenais. Pendant mon récit il conserva son sourire, et une fois terminé il hocha la tête.

« *Voir* est très difficile », dit-il.

Je le suppliai d'expliquer cette déclaration.

« *Voir* n'est pas une affaire de mots », dit-il catégoriquement.

Comme il se confirmait qu'il n'allait pas en dire plus, je me levai et allai faire quelques achats dont il avait besoin.

Je revins presque à la nuit. Nous mangeâmes et ensuite allâmes nous asseoir sous la *ramada*. A peine étions-nous installés que don Juan commença à parler de la leçon de don Genaro. Je n'étais pas préparé à ce revirement, je n'avais pas amené mes carnets de notes, mais il faisait trop noir pour pouvoir écrire, et de plus je ne désirais pas interrompre le flot de ses paroles en allant chercher la lampe à pétrole.

Il déclara que don Genaro, un maître de l'équilibre,

pouvait accomplir des mouvements très difficiles et très compliqués. S'asseoir sur la tête en était un, celui par lequel il avait tenté de me montrer qu'il était impossible de « voir » tout en prenant des notes. Etre assis-sur-la-tête sans s'aider des mains était au mieux un numéro d'acrobate de cirque. Pour don Genaro écrire à propos de « voir » constituait un acte de même nature, c'est-à-dire une opération précaire, aussi étrange et inutile que de s'asseoir sur la tête.

Don Juan me fixa du regard et d'un ton extrêmement dramatique déclara que pendant que don Genaro faisait le singe assis sur sa tête, j'avais été excessivement proche de « voir ». Don Genaro s'en était rendu compte, et maintes et maintes fois il reprit sa manœuvre. Inutilement, car j'avais immédiatement perdu le fil.

Il me dit que don Genaro, poussé par l'amitié qu'il me portait personnellement, avait tenté d'une manière très dramatique de me ramener à ce moment proche du « voir ». Ayant longtemps réfléchi sur la méthode à adopter, il avait décidé de me montrer l'exploit d'équilibre que constitue la traversée de la cascade. Cette cascade, pensait-il, ressemblait au bord sur lequel j'hésitais encore, et il était certain qu'ainsi il pourrait m'obliger à franchir ce passage délicat.

Il expliqua l'exploit de don Genaro. Il me rappela qu'il avait dit que les hommes apparaissent pour ceux qui « voient » comme des œufs lumineux composés de quelque chose semblable à des fibres de lumière qui tournaient d'avant en arrière et maintenaient cette forme d'œuf. Je devais aussi me souvenir qu'il m'avait précisé que l'élément le plus remarquable de ces créatures en forme d'œuf était un faisceau de longues fibres qui jaillissait de la région autour du nombril. Dans la vie de l'homme ces fibres avaient une extrême importance, et elles constituaient le secret de don Genaro. Sa leçon n'avait rien à voir avec des sauts acrobatiques au-dessus du vide d'une cascade. Son exploit d'équilibre résidait dans la façon dont il faisait usage de ses fibres « comme de tentacules ».

Don Juan laissa tomber ce sujet aussi brusquement qu'il l'avait abordé, et il se mit à parler de quelque chose d'autre.

Le 24 octobre 1968

Je pressai don Juan : je lui déclarai que je savais intuitivement que jamais plus je n'aurais de leçon d'équilibre, il devait donc m'en expliquer tous les détails pertinents; sans cela, je ne les découvrirais jamais par moi-même. Il me répondit que j'avais raison de croire que don Genaro ne me donnerait jamais plus une autre leçon.

« Que veux-tu donc savoir?

— Ce que sont ces fibres-tentacules.

— Ce sont des tentacules qui jaillissent du corps de l'homme. Ils sont visibles à tout sorcier qui *voit*. Les sorciers agissent envers les gens en accord avec la manière dont ils *voient* leurs tentacules. Les personnes faibles ont des fibres très courtes, presque invisibles. Les personnes fortes ont des fibres longues et brillantes. Par exemple celles de Genaro sont si brillantes qu'elles semblent épaisses. D'après les fibres tu peux savoir si une personne est en bonne santé, malade, méchante, gentille, ou perfide. Les fibres t'indiquent aussi si quelqu'un peut *voir*. Et c'est là qu'avec toi il se passe quelque chose de déroutant. Quand Genaro te *vit*, exactement comme mon ami Vicente, il sut que tu pouvais *voir*. Quand je te *vois*, je *vois* que tu peux *voir*, et cependant je sais que tu ne peux pas. Déconcertant! Genaro n'en revenait pas. Je lui ai dit que tu étais un drôle de numéro. Je pense qu'il a voulu *voir* par lui-même, et il t'a amené à la cascade.

– Pourquoi, à votre avis, je donne cette impression que je peux *voir*? »

Don Juan ne me répondit pas. Il resta silencieux pendant longtemps, et je n'osais pas le questionner davantage. Enfin il déclara qu'il savait pourquoi, mais qu'il ne savait comment l'expliquer.

« Tu crois que tout au monde est simple à comprendre, parce que tout ce que tu fais est une routine facile à comprendre. A la cascade, quand tu regardais Genaro se déplacer au travers du courant, tu as cru qu'il était un maître en sauts périlleux, cela parce que tu ne pouvais penser qu'à des sauts périlleux. Et pour toujours c'est tout ce que tu croiras. Cependant jamais Genaro n'a sauté au-dessus du courant d'eau. Genaro s'équilibrait avec ses magnifiques fibres brillantes. Il les allongeait, les rendait assez longues pour, disons, rouler sur elles au travers de la cascade. Il a montré la façon d'allonger ces tentacules et comment les déplacer avec précision.

« Pablo a *vu* presque toutes les actions de Genaro. Nestor n'a *vu* que les manœuvres les plus évidentes et les détails lui ont échappé. Mais toi, tu n'as rien *vu*, rien du tout.

– Don Juan, peut-être que si vous m'aviez prévenu auparavant de ce qu'il fallait regarder... »

Il m'interrompit pour me dire que le fait de me donner des instructions aurait gêné don Genaro, car si j'avais su ce qui allait se passer mes fibres se seraient agitées et auraient interféré avec celles de don Genaro.

« Si tu avais pu *voir*, continua-t-il, dès le premier faux pas fait par Genaro tu aurais su qu'il ne glissait pas en montant la piste le long de la cascade. Il dégageait ses tentacules. Par deux fois il les envoya autour d'un rocher, et comme une mouche, resta accroché à la pente verticale. Arrivé en haut il se prépara à traverser le courant d'eau. Il concentra ses tentacules sur un petit rocher au milieu du courant, et lorsqu'ils y furent bien accrochés, il se laissa tirer. Jamais il ne sauta, et c'est pour cette raison qu'il pouvait sembler capable d'atterrir sur la surface visqueuse de petites pointes de rocher juste à la retombée de la cascade. Chaque fois ses fibres étaient soigneusement agrippées autour de ces rochers.

« Il ne resta pas sur le premier de ces rochers très longtemps parce qu'il avait une partie de ses fibres fixées à un autre rocher, un rocher beaucoup plus petit placé au milieu du courant d'eau. Ses tentacules le tirèrent et il arriva sur ce rocher. Là eut lieu l'acte le plus remarquable de sa traversée. La taille de ce rocher ne permettait pas à un homme de s'y maintenir, et la force du courant d'eau l'aurait précipité dans la cascade s'il n'avait pas conservé une partie de ses fibres toujours attachées au premier rocher.

« Là, il demeura assez longtemps parce qu'il lui fallut à nouveau étendre ses tentacules pour les envoyer de l'autre côté de la cascade. Une fois ceux-ci fortement agrippés, il dut relâcher l'emprise de ceux restés sur le premier rocher. Ce qui constituait un réel tour de force. Genaro est sans doute le seul à pouvoir faire cela. Il perdit presque l'équilibre, ou peut-être fit-il semblant, jamais nous ne pourrons le savoir. Personnellement je crois qu'il fut près de tout lâcher. Je sais cela, car il devint presque rigide et fit jaillir une magnifique excroissance, semblable à un faisceau de lumière, qui traversa l'eau. Une fois arrivé sur l'autre rive, il se redressa et laissa ses fibres briller comme un groupe de lumières. Cela il le fit uniquement pour toi. Si tu avais été capable de *voir*, tu aurais *vu* cette lumière.

« Genaro resta là, te regardant, et alors il a su que tu n'avais pas *vu*. »

SECONDE PARTIE

L'affaire de « voir »

7

Lorsque j'arrivai chez don Juan, le 8 novembre 1968, il n'y était pas. Je m'assis pour l'attendre, car j'ignorai où aller le chercher, mais, je ne sais pourquoi, je savais qu'il allait revenir sans tarder. Peu de temps après il était là. Il me fit un signe de tête, nous nous saluâmes, et il alla s'allonger sur sa natte. Il paraissait fatigué. Il bâilla.

L'idée de « voir » m'obsédait, et j'avais décidé de recommencer à prendre son mélange à fumer pour avancer dans cette voie. Ce fut une décision très difficile, je désirai donc en reparler à don Juan.

« Don Juan, je veux apprendre à *voir*, déclarai-je carrément. Mais je ne veux vraiment pas avoir à prendre quelque chose. Je ne veux pas fumer votre mélange. Pensez-vous qu'il y ait un moyen d'apprendre à *voir* sans passer par là ? »

Il s'assit, me regarda un moment, puis s'allongea à nouveau.

« Non ! Tu devras utiliser la fumée.

— Mais vous m'avez dit qu'avec Genaro j'avais été sur le point de *voir*.

— Je voulais dire par là qu'il y avait en toi quelque chose qui brillait comme si tu avais réellement su ce que faisait Genaro, mais tu regardais seulement. Sans doute y a-t-il en toi quelque chose qui ressemble à *voir*, mais qui ne l'est pas. Tu es bouché, et seul[1] la fumée peut t'aider.

– Pourquoi avoir besoin de fumer? Pourquoi ne pas pouvoir apprendre à *voir* par moi-même? Mon désir d'apprendre est très intense. Cela ne suffit-il pas?

– Non, ça n'est pas suffisant. *Voir* n'est pas une chose si simple, et seul la fumée peut te fournir la vitesse indispensable pour jeter un coup d'œil sur ce monde flottant.

– Que voulez-vous dire par monde flottant?

– Le monde, lorsque tu le *vois* n'est pas comme tu penses qu'il est. C'est plutôt un monde flottant qui se déplace et qui change. On pourrait peut-être apprendre à appréhender ce monde par soi-même, mais cela n'avancerait à rien, car sous la contrainte le corps se détériore. Par contre, avec la fumée on ne subit jamais la fatigue. La fumée fournit la vitesse nécessaire pour saisir le mouvement flottant du monde, et en même temps il conserve le corps et sa force intacts.

– D'accord! dis-je d'un ton théâtral. Je ne vais pas tourner autour du pot plus longtemps. Je fumerai. »

Ma mimique le fit éclater de rire.

« Ça suffit, déclara-t-il. Tu cours toujours après le mauvais gibier. Te voilà maintenant prêt à penser que laisser la fumée te guider va te faire *voir*. Il s'agit de beaucoup plus que cela. Il y a toujours beaucoup plus à faire pour n'importe quoi. »

Il devint sérieux.

« Avec toi, j'ai fait très attention, et mes actions ont été soigneusement pesées, parce que le désir de Mescalito est que tu comprennes ma connaissance. Mais je sais que je ne vais pas avoir le temps de t'enseigner tout ce que je voudrais. Je vais avoir seulement le temps de te mettre en route et ensuite de faire confiance en ta recherche, une recherche à la façon de la mienne. Je

1. Cf. note p. 42.

dois admettre que tu es plus indolent et plus têtu que moi. Encore que tu aies d'autres vues, et je ne peux pas prévoir la direction que prendra ta vie. »

Son ton décidé et quelque chose dans son attitude firent revenir en moi une impression ancienne, un mélange de peur, de solitude, et d'espérance.

« Très bientôt, nous allons savoir ce qu'il en est de toi », annonça-t-il mystérieusement.

Il n'ajouta rien, et un moment plus tard alla s'installer à l'extérieur. Je le suivis et restai devant lui, ne sachant si je devais m'asseoir ou déballer les paquets que je lui avais apportés.

« Cela va-t-il être dangereux? demandai-je.

– Tout est dangereux. »

Il ne semblait pas avoir envie de m'en dire plus. Il réunit quelques ballots empilés dans un coin et les mit dans un filet à provisions. Je ne me proposai pas pour l'aider car je savais que s'il désirait mon aide il me la demanderait. Ensuite il s'allongea sur sa natte et me dit de me détendre, de me reposer. Je m'allongeai sur ma natte pour essayer de dormir, mais je n'étais pas fatigué car j'avais passé la nuit précédente dans un motel et dormi jusqu'à midi en sachant que trois heures de conduite me suffiraient pour arriver chez don Juan. D'ailleurs il ne s'était pas endormi. Bien qu'il gardât les yeux clos je perçus un très léger mouvement de tête qui me fit penser qu'il devait chanter pour lui-même.

« Mangeons, dit-il tout à coup, ce qui me fit sursauter. Tu vas avoir besoin de toutes tes forces. Tu dois être en grande forme. »

Il fit de la soupe, mais je n'avais pas faim.

Le jour suivant, 9 novembre, don Juan ne me permit de prendre que très peu de nourriture et me conseilla vivement le repos. Toute la matinée je restai allongé, mais je n'arrivai pas à me détendre. J'ignorais ce que don Juan préparait, mais le pire était que je ne me sentais pas certain de ce que j'avais en tête.

Vers trois heures de l'après-midi nous étions assis sous la *ramada*, j'eus faim, et à plusieurs reprises je proposai que nous allions prendre un morceau, mais il refusa.

« Tu n'as pas préparé ton mélange pendant trois ans, dit-il brusquement[1]. Il va falloir que tu fumes le mien, alors disons que je l'ai récolté pour toi. Tu en auras besoin seulement d'un tout petit peu, je remplirai la pipe une seule fois. Tu fumeras le tout, puis tu te reposeras. Alors le gardien de l'autre monde viendra. Tu ne feras rien, sinon l'observer. Fais attention à la façon dont il se déplace, et à tout ce qu'il fera. Ta vie pourrait dépendre de l'exactitude avec laquelle tu l'observeras. »

Il me donna ses instructions sans m'avoir préalablement prévenu, et je ne savais que dire ou penser. Pendant un moment je murmurai de manière incohérente, je n'arrivais pas à mettre de l'ordre dans mes pensées. Enfin la première question bien définie qui se présenta, je la posai :

« Qui est ce gardien ? »

Catégoriquement don Juan refusa d'entrer dans ce genre de conversation, mais j'insistai désespérément car j'étais trop énervé pour pouvoir cesser de parler. Je voulais qu'il me dise quelque chose à propos de ce gardien.

« Tu le verras, il garde l'autre monde.

– Quel monde ? Le monde des morts ?

– Ce n'est ni le monde des morts ni le monde de n'importe quoi d'autre. C'est seulement un autre monde. Ça ne sert à rien d'en parler. *Vois*-le pour toi-même. »

1. La notion de « mélange de don Juan » s'explique par l'existence d'un mélange préparé par chaque praticien de la « petite fumée » selon une technique très particulière qui exige deux années. Cf. *op. cit.*, chap. III et VII.

Cela dit, don Juan rentra. Je le suivis jusque dans sa chambre.

« Attendez! Attendez, don Juan. Qu'allez-vous faire? »

Il ne me répondit pas. Il sortit sa pipe d'un ballot, s'assit sur sa natte au centre de la pièce et me fixa d'un regard interrogateur. Il semblait attendre mon assentiment.

« Tu fais l'imbécile, dit-il d'une voix douce. Tu n'as pas peur. Tu dis que tu as peur. »

Il dodelina de la tête de gauche à droite, puis il prit le sachet contenant le mélange à fumer, et il bourra la pipe.

« Don Juan, j'ai peur, j'ai vraiment peur.

– Non. Ce n'est pas de la peur. »

Désespéré, j'essayai de gagner du temps en me lançant dans une longue discussion sur la nature de mes sentiments. J'affirmai sincèrement que j'avais peur, mais il me fit remarquer que je ne haletais pas, que mon cœur ne battait pas plus vite qu'à l'ordinaire.

Je pensais à ce qu'il venait de dire. Il avait tort. J'éprouvais bien les effets communément associés à la peur, et j'étais manifestement désespéré. Un sens de fatalité menaçante semblait tout imprégner autour de moi. J'avais des nausées, j'étais sûrement pâle, mes mains étaient moites. Et malgré tout, je pensais que je n'avais pas peur. Je ne ressentais pas cette impression de peur à laquelle pendant ma vie tout entière je m'étais habitué, cette peur qui avait été toujours personnellement mienne n'était pas là. Je parlais tout en déambulant devant don Juan immobile sur sa natte. La pipe entre les mains il continuait à me dévisager de son regard interrogateur. Après un examen approfondi de mon cas, j'en conclus qu'au lieu de mon habituelle peur, je ressentais une sensation intense de malaise, de mécontentement due au seul fait de penser à la confusion produite par la prise des plantes hallucinogènes.

Don Juan me fixa un court instant, puis il regarda au-delà, clignant des yeux comme s'il essayait de voir au loin.

Je continuai à déambuler devant lui jusqu'à ce qu'il m'eût ordonné de m'asseoir et de me détendre. Pendant quelques minutes il y eut un silence complet.

« Tu ne veux pas perdre ta clarté, n'est-ce pas? dit-il tout à coup.

– Exact, don Juan, très exactement. »

Il se mit à rire avec un plaisir évident.

« La clarté, le second ennemi de l'homme de connaissance[1] vient d'apparaître au-dessus de toi.

– Tu n'as pas peur, dit-il d'un ton rassurant, mais maintenant tu es stupéfait à la pensée de perdre ta clarté, et puisque tu fais le bêta, tu nommes cela peur. »

Il sourit.

« Va chercher des braises », ordonna-t-il d'une voix calme et apaisante.

Machinalement je me levai et allai derrière la maison prendre quelques braises dans le feu. Je les plaçai sur une pierre plate et je revins.

« Viens ici, sur le porche », cria don Juan.

A l'endroit où habituellement je m'assois, il avait posé une natte de paille[2]. Je déposai les braises à côté de lui. Il souffla dessus. J'allais m'installer, lorsqu'il m'arrêta pour m'indiquer de m'asseoir sur le bord droit de la natte. Il mit une braise dans la pipe et me la tendit. Je la pris. J'étais surpris par la tranquille aisance manifestée

---

1. Le concept des « quatre ennemis de l'homme de connaissance » est primordial dans la poursuite des enseignements de don Juan car il est un des éléments directeurs quant à la conduite à tenir pour devenir homme de connaissance. Cf. *op. cit.*, chap. III.

2. Le concept de « place », *sitio* en espagnol, est lui aussi particulier à la connaissance de don Juan. Chaque sorcier ou apprenti doit découvrir un emplacement particulier d'un lieu pour s'y asseoir, car cet emplacement est pour lui le plus bénéfique. Cf. *op. cit.*, chap. I.

par don Juan pour me diriger. Il n'y avait rien que je puisse penser à dire, j'étais convaincu de ne pas avoir peur, mais d'être seulement peu désireux de perdre ma clarté.

« Une bouffée, une autre, m'ordonnait-il d'une voix douce. Seulement une pipe cette fois-ci. »

Je tirai sur la pipe et j'entendis le crépitement du mélange prenant feu. Instantanément une carapace de glace recouvrit l'intérieur de ma bouche et de mon nez. A la seconde bouffée, elle descendit jusque dans ma poitrine. A la dernière, j'eus l'impression que mon corps tout entier était recouvert par une sensation très particulière de chaleur froide.

Don Juan ôta la pipe de mes mains, la tapota sur sa paume pour en détacher le résidu, puis, comme d'habitude, il mouilla de salive un de ses doigts et le passa à l'intérieur du fourneau.

Mon corps était insensible, mais je pouvais toujours bouger. Je changeai de position pour m'asseoir plus confortablement.

« Que va-t-il se passer? » demandai-je.

J'éprouvai quelques difficultés à former les mots.

Très soigneusement don Juan glissa la pipe dans son étui, qu'il emballa ensuite dans un long morceau de tissu. Cela terminé il s'assit tourné vers moi, le dos bien droit. Je me sentais étourdi, mes paupières tombaient. Don Juan me secoua vigoureusement et m'ordonna de rester éveillé. Je savais très bien, me dit-il, que je pourrais mourir si je m'endormais. Cette semonce me fit tressaillir, puis je pensai que don Juan avait déclaré cela seulement pour m'obliger à rester en éveil; mais par ailleurs il était quand même bien possible qu'il eût dit la vérité. J'ouvris les yeux autant que possible, et don Juan éclata de rire. Il m'annonça que je devais attendre et garder en permanence les yeux ouverts, qu'à un moment donné j'allais voir le gardien de l'autre monde.

Une chaleur irritante gagna tout mon corps. Je voulus

changer de position mais je n'arrivai plus à bouger. J'essayai de parler à don Juan, mais les mots semblaient être perdus au fond de moi et je n'arrivai pas à les faire sortir. Je m'effondrai sur mon flanc gauche, et du sol je regardai don Juan.

Il se pencha vers moi et dans un murmure m'ordonna de ne pas le regarder, mais de fixer un point sur la natte juste devant mes yeux. Il précisa que je devais regarder du seul œil gauche, et que, tôt ou tard, je *verrais* le gardien.

Je conservai mon regard sur le point qu'il avait désigné, mais rien n'y était visible. Cependant, à un moment donné, je vis un moustique, un cousin, passer devant mes yeux. Il se posa sur la natte. J'observais ses mouvements. Il s'avança très près de moi, si proche que ma vision se troubla. Et alors, brusquement j'eus l'impression de m'être levé. C'était une sensation surprenante qui aurait mérité quelques moments de réflexion, mais je n'en eus pas le temps. J'avais la sensation indiscutable de regarder en avant à la hauteur habituelle de mes yeux, et ce que j'aperçus me fit trembler jusqu'à la dernière fibre de mon corps. C'est la seule manière de décrire le choc émotionnel que je subis. Là, droit devant moi, très proche, il y avait un animal gigantesque et monstrueux. Une chose vraiment monstrueuse! Jamais je n'avais vu, même dans les fantaisies les plus fantasques de la fiction, quelque chose de comparable. Je regardais l'animal, saisi d'un ahurissement intense et total.

Sa taille fut ce qui me surprit au premier coup d'œil, et pour une raison inconnue je pensais qu'il devait avoir près de trente mètres de haut. Il paraissait être debout, bien que tel que je le voyais il m'était difficile de comprendre comment il aurait pu se tenir debout. Puis je remarquai qu'il avait des ailes, deux ailes courtes et larges. A ce moment-là je me rendis compte que je persistais à examiner cet animal comme s'il s'agissait d'un spectacle ordinaire, c'est-à-dire que je le regardais. Cependant, je ne pouvais en aucun cas le regarder de la manière habituelle dont je regarde. Je m'aperçus que je remarquais de plus en plus de choses, comme si son image devenait de plus en plus claire chaque fois qu'un détail s'y ajoutait. Son corps était couvert de mèches de poils noirs, il avait un long museau et il bavait. Ses yeux étaient protubérants et sphériques comme deux énormes boules blanches.

Il se mit à battre des ailes, non pas d'un mouvement d'ailes d'oiseau, mais en un tremblement vibratoire, un genre de tremblotement. Il prit de la vitesse et se mit à tourner autour de moi. Il ne volait pas, mais glissait avec une vitesse et une agilité surprenantes à seulement quelques centimètres du sol. Pendant un moment je restai absorbé par ses mouvements. Le monstre me paraissait disgracieux, et malgré tout sa vitesse et son aisance gardaient un caractère admirable.

Par deux fois il fit un cercle autour de moi, et il faisait vibrer ses ailes, ce qui projetait sa bave dans toutes les directions. Puis il se retourna et s'éloigna en glissant à une vitesse incroyable jusqu'à disparaître au loin. Je continuais à regarder dans cette direction parce que je n'avais rien d'autre à faire. Une sensation très particulière de lourdeur m'envahissait, j'avais l'impression d'être incapable d'organiser mes pensées. Je ne pouvais pas bouger, j'étais comme englué à cet endroit.

Soudain j'aperçus comme un nuage lointain, et un instant plus tard la bête gigantesque tournait autour de moi à très grande vitesse. Ses ailes passèrent de plus en plus proches de mes yeux, et tout à coup me frappèrent. J'eus la nette impression qu'il avait de ses ailes heurté je ne sais quelle partie de mon corps, et sous la douleur la plus violente que j'eus jamais ressentie de ma vie, je hurlai de toutes mes forces.

Ayant repris connaissance, je me retrouvai assis sur ma natte, et don Juan me frictionnait le front, puis les bras et les jambes avec des feuilles. Ensuite, il me conduisit au canal d'irrigation passant derrière la maison et m'y trempa complètement. Il me tira à la surface, me trempa à nouveau, me tira, et ainsi de suite.

Pendant que je demeurais allongé au fond du canal peu profond, de temps à autre don Juan levait mon pied gauche pour en tapoter doucement la plante, et après un certain temps je ressentis un chatouillement. Il s'en rendit compte et déclara que j'allais bien. Je sortis de l'eau, je m'habillai et nous revînmes chez lui. Je m'assis sur ma natte et j'essayai de parler, mais malgré une grande clarté dans mes pensées, je n'arrivai pas à me concentrer sur ce que je désirais exprimer. Je fus surpris de me rendre compte qu'il fallait tant de concentration simplement pour parler, et je m'aperçus que pour dire quelque chose il était nécessaire que je cesse de regarder. J'avais l'impression d'être profondément empêtré, et pour parler il me fallait faire surface tel un plongeur, remonter comme tiré par les mots. Par deux fois je parvins à éclaircir ma gorge presque normalement, et je crois qu'alors j'aurais pu dire tout ce que je voulais. Mais je n'en fis rien, je préférai me confiner dans un curieux silence, où je pouvais seulement regarder. J'avais l'impression de commencer à ressentir ce que don Juan désignait par « voir », et cela me remplit de joie.

Plus tard don Juan me tendit un bol de soupe et des *tortillas* tout en m'ordonnant de manger, et j'y parvins sans aucune difficulté, sans perdre ce que je pensais être mon « pouvoir de voir ». Je concentrais mon regard sur tout ce qui m'entourait, j'étais persuadé que je pouvais tout « voir », et cependant, pour autant que j'ai pu en juger, le monde n'était pas différent. Je m'efforçai de « voir » jusqu'à ce que tout en devînt noir. Cet effort m'épuisa, je dus m'allonger et je m'endormis.

Lorsque don Juan me recouvrit d'une couverture, je

me réveillai. J'avais mal à la tête et à l'estomac, mais rapidement je me sentis mieux et me rendormis jusqu'au jour suivant.

Au matin, je me sentis parfaitement bien, et avec impatience je demandai à don Juan :

« Que m'est-il arrivé ? »

Il se mit à rire discrètement.

« Tu es allé chercher le gardien, et bien sûr, tu l'as rencontré.

– Mais, don Juan, de quoi s'agissait-il ?

– Du gardien, du portier, de la sentinelle de l'autre monde », répondit-il d'un ton parfaitement neutre.

J'allais me lancer dans la description détaillée de la bête monstrueuse et grotesque, mais il m'interrompit en disant que mon expérience n'avait rien de particulier, qu'elle était accessible à n'importe qui.

Je déclarai, malgré cette remarque, que le gardien m'avait tellement surpris que je n'avais pas encore eu le temps de penser à cette expérience.

Don Juan éclata de rire et se moqua de ce qu'il nomma mon penchant à l'extrême dramatisation.

« Mais cette chose, quelle qu'en soit la nature, m'a blessé, m'exclamai-je. Elle était là, tout aussi réelle que vous ou moi.

– Bien sûr qu'elle était réelle. Elle t'a fait mal, n'est-ce pas ? »

Le souvenir de mon expérience m'agitait. Don Juan m'ordonna de me calmer. Puis il me demanda si j'avais eu vraiment peur. Il insista sur le mot « vraiment ».

« J'étais pétrifié, jamais de ma vie je n'ai eu si peur.

– Allons donc, dit-il en riant, tu n'étais pas aussi effrayé que tu veux bien le croire.

– Je vous jure, dis-je d'un ton très sincère, que si j'avais pu bouger, je me serais enfui comme un dératé. »

Il rit aux éclats.

« Don Juan, pourquoi me faire voir un tel monstre? »

Il reprit son sérieux et me fixa du regard.

« C'était le gardien. Si tu veux *voir*, il te faut vaincre
le gardien.

– Mais, don Juan, qui suis-je pour le vaincre? Il a au
moins trente mètres de haut. »

Don Juan riant tant que des larmes glissèrent sur ses
pommettes.

« Pourquoi ne pas me laisser raconter ce que j'ai vu,
ainsi nous saurions à quoi nous en tenir.

– Si cela doit te faire plaisir, eh bien raconte. »

Je fis le récit de tout ce dont je me souvenais, mais
cela ne changea rien à son attitude.

« Et alors! Tout ça n'est rien de bien neuf, dit-il en
souriant.

– Mais comment espérez-vous me voir vaincre une
telle chose? Avec quoi? »

Il garda le silence pendant un moment et calmement
se tourna vers moi pour me dire :

« Tu n'as pas eu peur, pas vraiment peur. Tu as été
blessé, mais tu n'as pas eu peur. »

Il s'adossa à quelques ballots, les mains derrière la
nuque. Je crus qu'il se désintéressait de cette conversation.

« Tu sais, dit-il brusquement en gardant les yeux
tournés vers la *ramada*, tous les hommes peuvent *voir* le
gardien, et pour certains il est quelque chose d'aussi
haut que le ciel. Tu as de la chance, pour toi il n'a que
trente mètres. Et malgré sa taille, son secret est tellement simple. »

Il s'arrêta de parler, il chantonnait une chanson
mexicaine.

« Le gardien de l'autre monde n'est qu'un cousin,
reprit-il avec lenteur, comme s'il voulait juger de l'effet
de ses paroles.

– Qu'avez-vous dit ?

– Le gardien de l'autre monde est un cousin, ce que tu as rencontré hier était un cousin, et ce petit cousin te repoussera jusqu'à ce que tu le domines. »

Pendant un moment, je n'eus aucune envie de croire ce qu'il venait de dire, mais en reprenant la suite des scènes de ma vision, je dus admettre qu'à un certain moment je vis un cousin et qu'à l'instant suivant un genre de mirage s'installa; c'est alors que je fis face à la bête.

« Mais comment un cousin pourrait-il me blesser ? demandai-je réellement déconcerté.

– Lorsqu'il te blessa il ne s'agissait pas d'un cousin, mais du gardien de l'autre monde. Peut-être auras-tu un jour le courage de le dominer. Pas encore, malgré tout. Pour l'instant il s'agit d'une bête baveuse de trente mètres de haut, et ça ne sert à rien d'en parler. Lui faire face n'est pas un exploit, donc si tu désires en savoir plus, va retrouver le gardien. »

Deux jours plus tard, le 11 novembre, je fumai à nouveau le mélange de don Juan.

J'avais demandé, non pas impulsivement mais après de longues délibérations, à fumer une fois de plus pour rencontrer le gardien. Ma curiosité l'emportait sur ma peur et sur le malaise causé par un manque de clarté.

Don Juan bourra la pipe, et lorsque je l'eus fumée, il la nettoya et la rangea.

L'effet fut sensiblement plus lent à se produire. Lorsque je sentis l'étourdissement me gagner, don Juan s'approcha et en soutenant ma tête m'aida à m'allonger sur mon flanc gauche. Il me dit d'étirer mes jambes et de me détendre, puis il m'aida à placer mon bras droit devant mon corps au niveau de ma poitrine. Il tourna ma main de façon à ce que la paume soit contre la natte, et ainsi je pouvais équilibrer mon poids sur ce bras. Je ne fis rien soit pour l'aider soit pour l'empêcher de me remuer car j'ignorais ce que cela signifiait.

Il s'assit en face de moi et me dit de ne penser à rien, le gardien allait venir et j'étais dans une position princière pour le *voir*. D'un ton de voix très banal, il me précisa que le gardien pouvait faire grand mal, mais que c'était le seul moyen d'y parer. Deux jours plus tôt, lorsqu'il avait jugé que l'expérience avait assez duré, il m'avait fait asseoir. Il désigna mon bras droit et déclara qu'il l'avait ainsi placé pour que je puisse me redresser si je le désirais à n'importe quel moment de l'expérience.

Une fois qu'il eut terminé ses instructions je remarquai que mon corps était devenu insensible, et j'aurais voulu lui faire remarquer qu'il me serait impossible de me redresser puisque je n'avais plus la maîtrise de mes muscles. J'essayai de former des mots, mais en vain. Il m'avait d'ailleurs devancé en disant que l'astuce résidait dans un effort de volonté. Il me pria de bien me souvenir de la première fois où j'avais fumé les champignons, quelques années auparavant[1]; j'étais alors tombé par terre puis avais été remis sur pied par un acte qu'il avait nommé ma « volonté », je m'étais « relevé par la pensée ». C'était la seule manière de me redresser.

Mais tout ce qu'il pouvait raconter était inutile car je ne me souvenais plus de ce que j'avais fait il y a tant d'années, et le désespoir m'envahit. Je fermai les yeux.

Don Juan m'attrapa par les cheveux, secoua violemment ma tête et m'ordonna de ne pas fermer les yeux. Je les ouvris, mais en même temps je fis aussi quelque chose d'étonnant, je déclarai : « La fois dont vous parlez, j'ignore comment je m'étais relevé. »

Je fus le premier surpris, car dans le rythme de ma

1. Cf. *op. cit.*, chap. VII.

voix il y avait quelque chose d'excessivement monotone, et cependant il s'agissait sans aucun doute de ma voix. Mais en toute honnêteté, je ne croyais pas avoir dit cela puisque quelques instants auparavant j'avais été incapable de parler.

Je regardai don Juan qui tourna la tête et se mit à rire.

« Ce n'est pas moi qui ai dit cela. »

Et à nouveau ma voix me surprit. Un sentiment d'exaltation m'envahit. Parler dans ces conditions était vraiment amusant. J'aurais voulu demander à don Juan de m'expliquer pourquoi, mais je me découvris incapable d'exprimer un seul mot. Je m'efforçai de vocaliser mes pensées mais sans résultat. J'abandonnai, et alors presque involontairement, je dis :

« Qui parle! Qui parle? »

Cette question précipita don Juan dans une crise de fou rire telle qu'à un moment il roula sur le flanc.

Il semblait bien que je puisse dire des choses très simples, pour autant que je sache exactement ce que je désirais exprimer.

« Est-ce moi qui parle? Est-ce moi qui parle? »

Don Juan signala que si je ne cessai pas ces enfantillages, il allait s'en aller sous la *ramada* et me laisser seul avec mes clowneries.

« Je ne fais pas le clown », dis-je.

J'étais très sérieux. Mes pensées étaient claires. Néanmoins, mon corps demeurait insensible. Je n'éprouvai même pas la sensation de suffocation qu'une fois dans de telles conditions j'avais eu à supporter. J'étais fort à l'aise parce que je ne ressentais rien, je n'avais plus la maîtrise de mon système neuro-moteur et malgré tout j'arrivais à parler. Une pensée me traversa la tête : si je pouvais parler, je devais donc être capable de me lever ainsi que l'avait suggéré don Juan.

« Debout! » dis-je en anglais, et en un éclair je me retrouvai sur mes pieds.

Don Juan secoua la tête en signe d'incrédulité, puis il s'en alla.

« Don Juan! » hurlai-je à trois reprises.

Il revint.

« Faites-moi descendre, lui demandai-je.

– Descends par toi-même, me répondit-il, tu te débrouilles très bien tout seul. »

Je dis « Descends » et soudain la vision de la pièce s'évanouit. Je ne voyais plus rien. Un moment plus tard don Juan et la pièce réapparurent dans mon champ de vision. Je pensais que j'avais dû m'effondrer la face au sol, puisqu'il m'avait attrapé par les cheveux et redressé.

« Merci, dis-je très lentement d'un ton sans nuances.

– De rien », répliqua don Juan en imitant le ton de ma voix, et le fou rire le reprit.

Ensuite il commença à me frictionner avec des feuilles, d'abord les pieds puis les bras.

« Que faites-vous?

– Je te frictionne », dit-il, imitant toujours ma voix monotone.

Il ne pouvait s'empêcher de pouffer de rire. Ses yeux brillaient amicalement, et je l'aimais énormément. J'avais la sensation que don Juan était compatissant, honnête, amusant. J'aurais bien voulu rire en sa compagnie, mais je n'y arrivais pas. Une sensation d'exaltation me submergea et j'éclatai de rire, mais ce fut un son tellement terrifiant que don Juan fut saisi de surprise.

« Il est préférable que je t'amène au canal, sinon tu vas mourir de tes clowneries. »

Il m'aida à me relever et me fit marcher autour de la pièce. Peu à peu je sentis mes pieds, puis mes jambes, et enfin mon corps tout entier. Mes tympans éclataient sous une étrange pression, plutôt comme le picotement d'un membre engourdi. J'avais aussi l'impression d'une énorme charge sur mon cou et plus haut, sous le scalp au sommet du crâne.

Don Juan me poussa rapidement vers le canal d'irrigation, et m'y précipita tout habillé. Petit à petit l'eau réduisit à rien la charge sur mon dos et la pression dans mes oreilles.

J'allai changer de vêtements, puis je m'assis, et je me sentis à nouveau envahi du même genre de solitude, du même désir de rester là tranquillement. Je me rendis compte qu'il ne s'agissait plus de clarté d'esprit ou de pouvoir de concentration, mais plutôt d'une sorte de mélancolie mêlée de fatigue physique. Puis je m'endormis.

Le 12 novembre 1968

Ce matin j'allai avec don Juan récolter des plantes dans les collines des alentours. Pendant environ dix kilomètres nous avançâmes sur un terrain tourmenté, et la fatigue me gagna. A ma demande, nous fîmes une halte pendant laquelle tout à coup il déclara qu'il était enchanté de mes progrès.

« Maintenant je me rends compte que c'était moi qui parlais, dis-je. Mais alors j'aurais juré qu'il s'agissait de quelqu'un d'autre.

– Il est évident qu'il ne pouvait s'agir que de toi.

– Comment se fait-il que je ne pouvais pas reconnaître ma voix?

– C'est à cause de la petite fumée. On peut parler sans s'en rendre compte, on peut aller à des milliers de kilomètres sans le savoir. C'est aussi la manière pour passer au travers des choses. La petite fumée te débarrasse du corps et tu deviens libre, libre comme le vent, et même mieux que le vent qui peut être arrêté par un rocher ou une montagne. La petite fumée te rend libre comme l'air, peut-être plus libre encore, car l'air se trouve enfermé dans une tombe et devient vicié. Avec la petite fumée on ne peut être ni arrêté ni enfermé. »

Les paroles de don Juan suscitèrent en moi une sensation d'euphorie mêlée de doute. J'avais l'impression d'un malaise envahissant, une sensation de culpabilité diffuse.

« Don Juan, peut-on vraiment accomplir toutes ces choses?

– Qu'en penses-tu? Préférerais-tu croire que tu es cinglé? dis-moi! répondit-il sèchement.

– Eh bien, pour vous il est facile d'accepter toutes ces choses, mais pour moi c'est impossible.

– Pour moi, ça n'est pas facile. Je ne suis pas plus privilégié que toi. Ces choses-là sont aussi difficiles à accepter pour toi que pour moi, ou que pour n'importe qui.

– Mais, don Juan, vous êtes familier de ces choses-là?

– Oui, mais à quel prix! Il a fallu me battre, sans doute beaucoup plus que jamais tu ne devras te battre. La façon dont tout travaille en ta faveur est déconcertante. Tu ne peux pas imaginer le mal que je me suis donné pour accomplir ce que tu as fait hier. En toi il y a quelque chose qui t'aide à chaque pas que tu fais pour avancer. C'est la seule manière d'expliquer la façon dont tu apprends ce qui concerne les pouvoirs. Cela s'est produit avec Mescalito, et maintenant tu viens de le faire avec la petite fumée. Tu devrais te concentrer sur le fait que tu possèdes un don remarquable, et oublier tout le reste.

– Vous présentez tout cela comme si c'était vraiment facile, mais au contraire, je suis déchiré en morceaux.

– Bientôt tu seras à nouveau en une seule pièce. En premier lieu, tu n'as pris aucun soin de ton corps. Tu es trop gras. Auparavant je ne désirais pas te dire cela. Il faut toujours laisser les autres comme bon leur semble. Pendant des années tu es resté au loin. Je t'avais prévenu que tu reviendrais, et tu es revenu. La même chose m'est arrivée. Pendant cinq ans et demi j'abandonnai mon apprentissage.

– Pourquoi?

– Pour la même raison que toi. Je n'aimais pas cela.

– Et pourquoi l'avez-vous repris?

– Pour la même raison que toi, parce qu'il n'existe aucune autre manière de vivre. »

Cet aveu eut un écho profond en moi; j'avais parfois pensé que peut-être il n'y avait que cette manière de vivre, pourtant jamais je ne l'avais exprimé à qui que ce soit et don Juan l'avait bien vu.

Après un long silence je lui demandai :

« Hier, qu'ai-je fait?

– Lorsque tu l'as voulu, tu t'es levé.

– Mais j'ignore toujours comment je l'ai fait.

– La perfection de cette technique exige énormément de temps. Cependant l'important reste de savoir comment le faire.

– Mais je ne sais pas. Voilà où le bât blesse, je ne sais vraiment pas.

– Bien sûr que tu sais.

– Don Juan, je vous garantis, je vous jure... »

Il ne me laissa pas terminer, il se leva et s'en alla.

Plus tard dans la journée le sujet de la conversation revint sur le gardien de l'autre monde.

« Si je crois que ce dont j'ai fait l'expérience est vraiment réel, dis-je, le gardien est une créature gigantesque qui peut blesser gravement. Et si je crois qu'on peut, par un simple acte de volonté traverser de longues distances, alors il est logique d'en conclure que je puis faire disparaître le monstre en me servant de ma volonté. Est-ce exact?

– Pas tout à fait. Tu ne peux pas avec ta volonté faire disparaître le gardien. Ta volonté peut l'empêcher de te faire du mal. Si tu arrivais à cela, il est évident que la route te serait ouverte. Tu peux passer à côté du gardien et il n'y a rien qu'il puisse faire contre toi, même plus tourner follement autour de toi.

– Comment accomplir cela?

– Tu le sais déjà. Tu n'as besoin que d'entraîne ment. »

Je précisai que nous n'arrivions pas exactement à nous entendre sur ce point, à cause de nos différentes façons de percevoir le monde. Pour moi, connaître quelque chose signifiait qu'il me fallait rester parfaitement conscient de ce que j'accomplissais, et pouvoir répéter cette action selon mon désir. Dans ce cas précis, je n'étais ni conscient de ce que j'avais fait sous l'influence de la fumée ni capable de le répéter, même si ma vie en dépendait.

Don Juan me dévisagea d'un regard interrogateur. Ce que je venais d'avancer semblait l'amuser, il ôta son chapeau et se gratta les tempes comme lorsqu'il prétendait être déconcerté.

« Tu sais vraiment comment parler et ne rien dire, n'est-ce pas? dit-il en riant. Je te l'ai déjà dit, pour devenir homme de connaissance il faut avoir une intention inflexible[1]. Mais tu sembles avoir l'inflexible intention de tout embrouiller. Tu persistes à vouloir tout expliquer, comme si le monde se composait de choses qui peuvent toutes s'expliquer. Maintenant, te voilà face au gardien et au problème de se déplacer en utilisant ta propre volonté. N'as-tu jamais réalisé que dans ce monde rares sont les choses qui peuvent être expliquées à ta façon? Lorsque je déclare que le gardien est réellement en train de bloquer ton passage et qu'il pourrait d'un coup t'envoyer à tous les diables, je sais ce que j'entends par là. Lorsque je dis qu'on peut se déplacer en utilisant sa propre volonté, là encore je sais ce que je dis. Je voulais t'apprendre à te déplacer petit à petit, mais alors je me suis rendu compte que tu savais

1. Cf. *op. cit.*, chap. V, analyse structurale.

comment le faire, même quand tu prétends ne pas savoir.

– Mais je ne sais vraiment pas comment je fais!

– Malin, tu le sais bien, dit-il sèchement, puis il sourit. Cela me rappelle la fois où quelqu'un installa ce gosse, Julio, sur une moissonneuse. Il sut la faire marcher bien qu'il n'ait jamais appris auparavant.

– Don Juan, je vois ce que vous voulez dire, cependant j'ai l'impression d'être incapable de le refaire puisque je ne suis même pas certain que je l'ai fait.

– Un sorcier à la noix essaie de tout expliquer dans le monde, avec des explications dont il n'est même pas sûr, et alors tout devient de la sorcellerie. Mais tu ne fais pas mieux. Toi aussi tu voudrais tout expliquer à ta façon, mais tu n'es pas sûr de tes propres explications. »

8

De but en blanc don Juan me demanda si j'avais l'intention de partir à la fin de la semaine. J'avais l'intention de partir lundi matin. Vers midi, ce samedi 18 janvier 1969, nous étions assis sous la *ramada*, nous reposant après une longue marche dans les collines environnantes. Don juan se leva et entra dans la maison. Quelques instants plus tard il m'appela. Il était assis au milieu de sa chambre et devant lui il avait placé ma natte. Il me fit signe de m'asseoir, et sans un mot déballa l'étui de sa pipe, en sortit la pipe, la bourra, et l'alluma. Il avait même apporté un plateau de terre cuite couvert de braises.

Il ne me demanda pas si j'avais envie de fumer. Il me tendit la pipe et me dit de fumer. Je n'hésitai pas. Don Juan connaissait bien mon état d'esprit. Il avait senti ma curiosité grandissante à propos du gardien. Je n'eus pas besoin d'être poussé, je fumai avidement la pipe entière.

Je réagis de la même façon que les autres fois. Don Juan également, mais cette fois au lieu de m'aider à m'installer il me dit d'avancer mon bras droit sur la natte et de m'étendre sur mon flanc gauche, puis me suggéra de fermer mon poing droit pour ainsi avoir un meilleur levier pour me redresser.

J'agis selon ses instructions et je m'aperçus qu'il était plus facile de me reposer sur le poing que sur la paume à plat. Je n'avais pas envie de dormir. Pendant un certain temps je ressentis une extrême chaleur, puis je perdis toute sensibilité.

Don Juan allongé sur sa natte me faisait face, le coude au sol et la main sous la tête. Tout était vraiment calme; même mon corps insensibilisé. Je me sentais sastis-fait.

« Parfait, dis-je.

– Ne commence pas avec tes conneries, dit-il d'un ton énergique. Ne parle pas. Tu gaspilleras toute ton énergie à parler, et alors le gardien pourra t'écraser, exactement comme tu ferais d'un cousin. »

Il dut trouver cette image plutôt amusante car il se mit à rire, mais il s'arrêta net.

« Ne parle pas, je t'en prie, ne parle pas, me demanda-t-il avec une expression très sérieuse sur son visage.

– Je n'avais pas envie de dire quoi que ce soit », dis-je, et sincèrement je n'avais pas eu envie de dire cela.

Don Juan se leva. Je le vis s'éloigner derrière la maison. Un peu plus tard, je m'aperçus qu'un cousin s'était posé sur ma natte, ce qui m'inquiéta d'une façon entièrement nouvelle pour moi. Il s'agissait d'une sensation d'élévation, d'angoisse et de peur. J'étais parfaitement conscient que quelque chose de transcendant allait bientôt se dérouler devant moi, la vision d'un cousin gardien de l'autre monde. La pensée était plutôt amusante, et je ressentis un besoin de rire, mais alors je me rendis compte que cette élévation était en train de me distraire et que j'allais passer une période de transition que je désirais examiner en toute clarté. Pendant mes autres tentatives pour rencontrer le gardien, j'avais regardé le cousin de mon œil gauche, et ensuite j'avais eu l'impression de me lever et de regarder des deux yeux; mais je n'avais pas eu conscience du déroulement de cette transition.

Je vis le cousin tourner en rond sur la natte juste devant mon visage, et je m'aperçus que je le regardais des deux yeux. Il s'approcha, et à un moment donné, ne pouvant plus le voir des deux yeux, je fermai le droit pour regarder avec le gauche au niveau du sol. A l'instant où je changeai de vision je sentis que je venais de projeter mon corps à la verticale, et je vis un animal énorme et incroyable. Il était noir et brillait, avec le devant couvert de poils noirs très inquiétants qui ressemblaient à des pieux sortant d'écailles unies et luisantes. Ces poils étaient en touffes. Il avait un corps massif, épais et rond, des ailes larges et courtes par rapport à la longueur de son corps, deux yeux blancs protubérants et un long museau qui le faisait ressembler à un alligator. Il paraissait avoir de longues oreilles, sinon des cornes. Et il bavait.

Je m'efforçais de le fixer du regard, et alors je me rendis compte que je ne pouvais pas le voir à la façon dont d'ordinaire je regarde les choses. Une pensée étrange me traversa. En détaillant le corps du gardien, j'eus l'impression que chaque partie vivait par elle-même, chacune à la manière des yeux de l'homme, et pour la première fois de ma vie je réalisai que les seules parties d'un homme qui peuvent montrer qu'il est vivant sont les yeux. Ce gardien avait un « million d'yeux ».

Je pensais avoir fait une découverte remarquable. Avant, j'avais vainement tenté de décrire les « distorsions » qui faisaient d'un cousin une bête gigantesque, et j'avais pensé qu'une bonne image serait : « comme si on regardait un insecte sous un microscope ». Mais en fait cette image n'était pas bonne. Regarder le gardien était infiniment plus compliqué que de regarder un insecte agrandi.

Le gardien commença à tourbillonner devant moi. A un moment donné, il s'arrêta et j'eus la sensation qu'il me dévisageait. Je me rendis compte qu'il n'émettait aucun son. La danse du gardien restait silencieuse. Une impression générale de grotesque résultait de son apparence : des yeux protubérants, une bouche horrible, sa bave, des poils inquiétants, et par-dessus tout sa taille incroyable. J'observais très attentivement la façon dont il bougeait ses ailes, comment il les faisait vibrer sans un son. J'admirai sa façon de glisser au-dessus du sol tel un gigantesque patineur.

Tout en regardant cette créature de cauchemar, je me sentais en état d'extase. Je crus avoir découvert le secret pour le dominer. Je pensais que le gardien n'était qu'une image silencieuse comme projetée sur un écran de cinéma, et si cela était vrai il ne pouvait pas me blesser mais seulement donner l'impression d'être terrifiant.

Le gardien restait immobile, face à moi. Soudain il battit des ailes et se retourna. Son dos ressemblait à une armure brillamment colorée mais cette couleur me donna la nausée : il s'agissait de ma couleur adverse[1]. Il demeura dans cette position pendant un instant, puis il fit vibrer ses ailes et glissa au loin, hors de vue.

Restait à résoudre cet étrange dilemme. Très sincèrement je croyais avoir dominé la bête en pensant qu'il n'était qu'une image, une image de colère. Peut-être que cette croyance venait de l'assurance qu'avait donnée don Juan que j'en savais plus que je ne voulais l'admettre. Peu importe d'ailleurs, puisque j'avais l'impression d'avoir dominé le gardien. Donc la voie était libre. Mais alors, que faire ? Don Juan ne m'avait rien dit, et je ne savais comment continuer. Je voulus me retourner pour jeter un coup d'œil derrière moi, mais je n'arrivais pas à bouger alors que je pouvais clairement discerner la majeure partie des 180° de mon champ de vision droit devant moi. Je vis un horizon nuageux d'un jaune pâle, presque gazeux, et un genre de luminosité jaune citron

1. Le concept de couleur bénéfique et de couleur adverse s'explique par des expériences initiatrices aux hallucinogènes et à la connaissance de don Juan que fit l'auteur. Cf. *op. cit.*, chap I et III.

couvrait tout ce que je voyais, comme si je me trouvais sur un plateau inondé de vapeurs sulfureuses.

Soudain le gardien apparut à l'horizon. Avant de s'arrêter devant moi il accomplit un large cercle, et il resta là, avec sa bouche grande ouverte semblable à une grande caverne édentée. Il fit vibrer ses ailes, et tout à coup il chargea. Il se précipita sur moi comme l'aurait fait un taureau, et de ses ailes gigantesques il gifla mes yeux. La douleur me fit hurler, et je m'envolai. Ou plutôt j'eus l'impression d'être propulsé. Je planai au-delà du gardien, au-delà du plateau sulfureux, dans un autre monde, le monde des hommes : je me retrouvai debout, au milieu de la chambre de don Juan.

Le 19 janvier 1969

« Je pensais avoir vraiment dominé le gardien, dis-je à don Juan.

– Tu plaisantes! » répondit-il

Depuis la veille il n'avait pas dit un seul mot, mais cela m'importait peu. J'avais baigné dans un genre de rêverie, et à nouveau j'avais éprouvé la sensation que si je regardais les choses avec une extrême attention je pouvais être capable de « voir ». Mais je n'avais rien vu de différent. Le fait de ne pas parler m'avait malgré tout détendu.

Don Juan me demanda de récapituler l'expérience, et ce qui retint son attention fut la lueur que j'avais aperçue sur le dos du gardien. Il soupira, il paraissait préoccupé.

« Tu as eu de la chance que cette couleur ait été sur le dos. Si elle avait été devant, ou pire, sur sa tête, tu serais mort. Tu ne dois plus jamais essayer de *voir* le gardien. La traversée de ce plateau n'est pas dans ta nature, et cependant j'étais persuadé que tu pouvais le

170

traverser. Mais oublions tout cela. Il ne s'agissait que d'un chemin parmi tant d'autres. »

Le ton de don Juan était exceptionnellement grave.

« Que se passerait-il si j'essayais à nouveau de *voir* le gardien?

— Le gardien t'emporterait. Il te prendrait au vol dans sa bouche, te transporterait sur ce plateau et t'y abandonnerait pour toujours. Il est clair que le gardien savait que cela ne s'accordait pas à ta nature, et il te prévint qu'il fallait que tu t'éloignes.

— Pourquoi pensez-vous que le gardien savait cela? »

Il me lança un regard très soutenu, et il tenta de dire quelque chose, mais ce fut comme s'il n'arrivait pas à trouver les mots pour s'exprimer. Il y renonça.

« Je me laisse chaque fois prendre à tes questions, dit-il en riant. Tu n'avais vraiment pas réfléchi avant de poser cette question, n'est-ce pas? »

Je protestai, et insistai sur le fait que j'étais plutôt perplexe lorsqu'il prétendait que le gardien connaissait ma nature.

Une étrange lueur passa dans ses yeux pendant qu'il disait :

« Et tu n'avais sans doute pas indiqué la moindre des choses à propos de ta nature, pas la moindre lorsque tu faisais face au gardien? »

Son ton à la fois comique et sérieux nous fit éclater de rire. Un instant plus tard il précisa que le gardien, portier et veilleur de cet autre monde, connaissait bien des secrets qu'un *brujo* avait le droit de partager.

« C'est une des façons pour un *brujo* d'apprendre à *voir*, dit-il. Mais comme cela ne fera pas partie de ton domaine, il est donc inutile d'en parler.

— La seule manière de *voir* le gardien est-elle fournie par la fumée?

— Non. Tu pourrais aussi le *voir* sans cela. Il y a des quantités de gens qui y arrivent. Je préfère la fumée, c'est plus efficace et moins dangereux. Si tu essaies de *voir* le gardien sans l'aide de la fumée il y a beaucoup de chances pour que tu ne puisses échapper à son assaut. Il est évident que dans ton cas, il t'a prévenu en se tournant pour te permettre d'apercevoir ta couleur adverse. Puis il est parti. Mais à son retour tu étais toujours là. Il chargea. Tu étais prêt, et tu sautas. La petite fumée te fournit à ce moment-là la protection indispensable, car si tu étais allé dans ce monde sans son aide, tu n'aurais jamais pu te dégager de l'emprise du gardien.

— Et pourquoi?

— Tes mouvements auraient été trop lents. Dans ce monde-là, il faut avoir la rapidité de l'éclair si l'on veut survivre. Je n'aurais pas dû quitter la pièce, mais je voulais que tu cesses de parler. Tu es un moulin à paroles, et tu parles même sans le vouloir. Si j'avais été avec toi, j'aurais tiré ta tête en l'air. Tu as sauté par toi-même, tant mieux. Je préférerais ne pas prendre un tel risque. On ne peut pas plaisanter avec le gardien. »

9

Pendant les trois mois qui suivirent don Juan évita systématiquement de parler du gardien. A chacune de mes quatre visites il me chargea de faire des commissions pour lui, puis il me disait de rentrer à Los Angeles. A la quatrième, le 24 avril 1969, alors que nous étions assis autour du fourneau après avoir dîné, je me décidai à l'affronter. Je lui déclarai qu'il se comportait mal avec moi; en effet j'étais prêt à apprendre, et cependant il ne désirait pas me voir auprès de lui. Je lui rappelai que pour utiliser les champignons hallucinogènes j'avais dû faire un effort extraordinaire pour dominer mon aversion. En plus, comme il l'avait lui-même déclaré, je sentais que je ne devais pas perdre plus de temps.

Don Juan m'écouta patiemment. Puis il dit :

« Tu es trop faible. Tu te précipites lorsque tu devrais attendre, et tu attends quand il faudrait se précipiter. Aujourd'hui, tu penses qu'il n'y a pas de temps à perdre. Il n'y a pas si longtemps tu pensais que tu ne voulais plus jamais fumer. Ta vie est vraiment trop décousue. Tu n'es pas assez solide pour rencontrer la petite fumée. Je suis responsable de toi. Je ne veux pas que tu meures comme un sacré imbécile. »

Je me sentis embarrassé.

« Que puis-je faire, don Juan? Je suis excessivement impatient.

– Vis comme un guerrier! Je te l'ai déjà dit, un

guerrier prend la responsabilité de ses actes, du plus insignifiant de ses actes. Tu agis selon tes pensées, et c'est une erreur. Ton échec devant le gardien est dû au fait que tu penses.

– Comment cela, don Juan?

– Tu penses à propos de tout. Tu as pensé au gardien, et de ce fait tu n'as pu en venir à bout.

– En premier lieu tu dois vivre comme un guerrier. Je crois que tu comprends très bien cela. »

Je voulus intervenir, mais d'un geste de la main il me signifia le silence.

« Ta vie est assez compacte, en fait ta vie est plus compacte que celle de Nestor ou de Pablito, les apprentis de Genaro. Et cependant ils *voient*. Ta vie est plus compacte que celle d'Eligio, et il est fort probable qu'il *verra* avant toi. Cet état de choses me déconcerte. Genaro lui-même n'en revient pas. Tu as très soigneusement accompli tout ce que je t'ai dit de faire. Je t'ai passé tout ce que mon benefactor m'a appris dans cette première étape. La règle est juste[1]. Les étapes ne peuvent être changées. Tu as accompli tout ce qu'il faut accomplir et malgré tout tu ne *vois pas*. Mais pour ceux qui *voient* tu apparais comme si tu pouvais *voir*. Chaque fois que je me fie à cela, je suis dupé; tu fais un détour et te conduis comme un idiot qui ne *voit* pas, ce qui à coup sûr te va bien. »

Les paroles de don Juan me désespérèrent. Sans savoir pourquoi je me sentais prêt à pleurer. Je commençai à parler de mon enfance, et une vague de pitié pour moi-même me submergea. Don Juan me regarda un moment, puis détourna les yeux. J'avais eu l'impression qu'il m'avait accroché de ses yeux, comme une sensation d'être doucement étreint par deux doigts, et je

---

1. Le concept de règle dans les enseignements de don Juan a été expliqué au début de l'apprentissage de l'auteur. Cf. *op. cit.*, analyse structurale.

174

ressentis une agitation étrange, un chatouillement, un désespoir plaisant au voisinage du plexus solaire. Mon ventre était vivant. Je sentais sa chaleur. Je n'arrivais plus à parler, je marmonnais, puis je cessai toute parole.

« Peut-être s'agit-il d'une promesse? déclara don Juan après une longue pause silencieuse.

– Que voulez-vous dire?

– Une promesse que tu fis, il y a très longtemps.

– Quelle promesse?

– Peut-être peux-tu me le dire? Tu t'en souviens, n'est-ce pas?

– Non.

– Tu promis une fois quelque chose de très important. Je pense que peut-être cette promesse t'empêche de *voir*.

– J'ignore de quoi vous voulez parler.

– Je parle d'une promesse que tu as dû faire! Tu dois essayer de t'en souvenir.

– Si vous savez quelle était cette promesse, pourquoi ne pas me la dire?

– Non. Ça ne servirait à rien.

– S'agit-il d'une promesse que je me fis à moi-même? »

Pendant un moment je crus qu'il faisait allusion à ma décision d'abandonner son apprentissage.

« Non. C'est quelque chose qui s'est passé il y a très longtemps. »

Je ris sous cape parce que j'étais persuadé que don Juan se jouait d'une certaine manière de moi. Je me sentis plein de malice. J'exultais à l'idée que je pouvais duper don Juan qui, j'en restais convaincu, n'avait pas plus que moi la moindre idée de cette prétendue promesse. J'étais certain qu'il sondait au hasard, dans le noir, qu'il tentait quelque chose de nouveau. L'idée de m'amuser avec lui me réjouissait.

« S'agit-il de quelque chose que je promis à mon grandpa?

– Non, répondit-il, et ses yeux étincelèrent. Et encore moins d'une promesse que tu fis à ta grandma. »

L'intonation grotesque qu'il donna au mot « grandma » me fit éclater de rire. Je pensais que don Juan était en train de placer une sorte de piège à mon intention, mais je me sentais assez fort pour jouer son jeu. Je commençai à énumérer tous les gens à qui j'aurais pu promettre quelque chose d'assez important. A chacun il dit non. Puis il guida la conversation sur mon enfance.

« Ton enfance fut-elle triste? » demanda-t-il d'un ton très sérieux.

Pris au dépourvu, je lui répondis qu'elle n'avait vraiment pas été triste, mais plutôt assez difficile.

« Tout le monde pense comme toi, dit-il en me regardant. Moi aussi j'ai été un enfant très malheureux et peureux. Etre un enfant indien est difficile, extrêmement difficile. Mais le souvenir de cette époque n'a plus de sens pour moi. Avant même d'apprendre à *voir*, j'avais cessé de penser aux difficultés de ma vie.

– Moi aussi, je ne pense pas à mon enfance.

– Alors pourquoi cela te rend-il triste? Pourquoi étais-tu près de pleurer?

– Je n'en sais rien. Peut-être que, lorsque je pense à l'enfant que j'étais, j'éprouve de la pitié pour moi-même et pour tous mes semblables. Je me sens incapable et triste. »

Il me regarda fixement, et à nouveau cette curieuse sensation envahit mon ventre. Je remuai les yeux et lui rendis son regard. Il était perdu au loin, bien au-delà de moi, ses yeux étaient brouillés et ternes.

« Il s'agit d'une promesse faite pendant ton enfance, dit-il après un silence.

– Qu'ai-je promis? »

Il ne répondit pas. Ses yeux demeuraient clos. Involontairement j'esquissai un sourire. Je savais qu'il tâtait son chemin dans le noir, et cependant mon intention de le duper s'était dissipée.

« J'étais un enfant maigrichon, continua-t-il, et j'avais toujours peur.

– Moi aussi, dis-je en écho.

– Ce dont je me souviens le mieux, c'est de la terreur et de la tristesse qui me submergèrent lorsque les soldats mexicains tuèrent ma mère, dit-il d'un ton très doux, comme si le souvenir lui causait encore de la peine. C'était une vieille Indienne humble et pauvre. Peut-être fut-il préférable que sa vie se soit alors terminée. Je voulais qu'ils me tuent sur son corps, j'étais un enfant. Mais les soldats m'attrapèrent et me rouèrent de coups. Lorsque j'agrippai le corps de ma mère, ils tapèrent sur mes doigts avec un fouet à chevaux, et ils les cassèrent. Je ne sentis aucune douleur, mais je ne pouvais plus m'agripper, et ils me traînèrent au loin. »

Il cessa de parler. Ses yeux restaient fermés et je vis un léger tremblement parcourir ses lèvres. Une profonde tristesse s'empara de moi. Des images de ma propre enfance envahirent ma tête.

« Don Juan, quel âge aviez-vous ? demandai-je seulement pour ne pas m'enliser dans ma tristesse oppressante.

– Sept ans peut-être. C'était l'époque des grandes guerres contre les Yaqui [1]. Les soldats mexicains débou-

---

1. Les guerres contre les Yaqui furent menées par les Mexicains au cours des dernières années du XIXᵉ siècle. Les Yaqui, difficilement assimilables, étaient repoussés d'un côté et de l'autre de la frontière mexico-américaine. Bien des Yaqui ne revinrent jamais au Mexique et s'établirent dans le sud de l'Etat de l'Arizona. La guerre contre les Yaqui fut une des dernières guerres menées contre les Indiens avec l'intention délibérée de génocide. C'était au Mexique l'époque de la dictature de Porfiro Diaz, peu favorable aux Indiens. Sans une certaine protection des U.S.A., il est probable que les Yaqui auraient presque entièrement disparu. D'où leur haine des Mexicains et leur présence aux Etats-Unis.

lèrent sur nous soudainement, pendant que ma mère faisait à manger. C'était une femme sans défense. Sans aucune raison, ils la tuèrent. Qu'elle soit morte de cette manière ou d'une autre, ça ne fait pas vraiment de différence, pas vraiment, et pourtant pour moi ça en fait une. Je suis incapable de te dire pourquoi, c'est comme ça. Je pensais qu'ils avaient aussi tué mon père; mais non, il était seulement blessé. Ils nous amenèrent dans un wagon, nous y poussèrent comme du bétail, puis il fermèrent la porte. Pendant des jours et des jours ils nous laissèrent là, dans le noir, comme des animaux, nous jetant de temps à autre quelques morceaux de nourriture pour nous maintenir en vie.

« C'est dans ce wagon que mon père mourut des suites des ses blessures. Avec la douleur et la fièvre il commença à délirer, et il ne cessait de me dire qu'il fallait que je survive. Il continua de me répéter cela jusqu'à son dernier souffle.

« Les autres s'occupèrent de moi. Ils me donnèrent à manger. Une vieille rebouteuse remit en place les os cassés de ma main. Et comme tu peux t'en rendre compte, j'ai survécu. Pour moi, la vie ne fut ni bonne ni mauvaise, la vie fut difficile. La vie est difficile, et pour un enfant c'est parfois horrible »

Pendant très longtemps nous restâmes silencieux, au moins pendant une heure. Des sensations très confuses m'agitaient. Je me sentais abattu et cependant je n'aurais pas pu dire pourquoi. Le remords me rongeait. Peu avant j'avais pensé m'amuser en dupant don Juan, mais avec son récit il avait retourné la situation. Son récit simple, concis, avait éveillé d'étranges sensations en moi. L'idée d'un enfant qui souffre avait toujours été mon point sensible. Le dégoût de moi-même remplaçait la sympathie que je ressentais pour don Juan. Pendant tout son récit j'avais continué de prendre des notes comme s'il était un simple sujet, un simple cas d'observation clinique. J'allais déchirer mes notes, lorsque pour attirer mon attention don Juan poussa ma cuisse de la pointe de son pied. Il me dit qu'il « voyait » une lueur de violence autour de moi et qu'il se demandait si je n'allais pas me jeter sur lui pour le réduire en pièces. Il déclara que je me laissais aller à des accès de violence mais que je n'étais pas vraiment méchant, et que la plupart du temps cette violence se retournait contre moi-même.

« Don Juan, vous avez raison.

– Bien sûr », dit-il en riant.

Il me pressa de parler de mon enfance. Je commençai par lui raconter mes années de solitude et de peur, et je m'engageai dans la description de ce que je pensais avoir été mon combat accablant pour survivre et « conserver mon esprit ». Cette métaphore l'enchanta et il éclata de rire.

Je parlai pendant longtemps. Il m'écoutait avec une expression très sérieuse sur son visage. Brusquement ses yeux « m'étreignirent » à nouveau, et je m'arrêtai de parler. Après un certain silence, il déclara que personne ne m'avait humilié, ce qui expliquait que je ne sois pas réellement méchant.

« Tu n'as pas encore été vaincu », dit-il.

Quatre ou cinq fois il répéta cette phrase, et je me sentis obligé de lui demander ce qu'elle signifiait. Il expliqua que le fait d'être vaincu était une condition inévitable dans une vie. Les hommes étaient soit victorieux, soit vaincus, et selon le cas ils devenaient bourreaux ou victimes. Ces deux conditions prévalaient tant qu'on ne « voyait » pas. « Voir » chassait l'illusion de la victoire, de la défaite, de la souffrance. Il ajouta que je devrais apprendre à « voir » tant que j'étais victorieux pour ainsi éviter à tout jamais d'avoir en mémoire le fait d'une humiliation.

Je protestai. Je n'étais pas et n'avais jamais été victorieux en quoi que ce soit. Et ma vie était, si tant est

qu'elle fut quelque chose, rien qu'une permanente défaite.

Il éclata de rire et jeta son chapeau par terre.

« Si ta vie est une telle défaite, piétine mon chapeau. »

Très sincèrement je défendis mon point de vue. Don
Juan reprit son sérieux. Il ferma les yeux presque
entièrement et me jeta un regard oblique. Puis il déclara
qu'il pensais que ma vie était une défaite pour des
raisons qui n'avaient rien à voir avec la défaite propre-
ment dite. Soudain, d'une manière très rapide et parfaitement inattendue il saisit ma tête entre ses mains en
plaçant ses paumes contre mes tempes. Pris de frayeur
je respirai involontairement par la bouche. Il relâcha
ma tête et s'adossa au mur sans me quitter du regard. Il
avait accompli ces mouvements si vite, que lorsqu'il se
fut détendu et adossé confortablement au mur j'étais
suffoqué. Je me sentis tout étourdi, et complètement
déconcerté.

« Je *vois* un petit enfant qui pleure », dit-il après un
long silence.

A plusieurs reprises il répéta cette phrase comme s'il
pensait que je ne comprenais pas. J'avais l'impression
qu'il était en train de m'évoquer tel un bébé pleurant, et
je ne fis pas trop attention à lui.

« Hé! dit-il en exigeant toute mon attention. Je *vois*
un petit enfant qui pleure. »

Je lui demandai si j'étais ce petit garçon. Il me
répondit que non. Puis je lui demandai s'il s'agissait
d'une vision de ma vie, ou d'un souvenir de la sienne. Il
ne me répondit pas.

« Je *vois* un petit enfant, et il pleure et pleure.
— Est-ce un garçon?
— Oui.
— Est-ce mon petit garçon?
— Non.
— Pleure-t-il maintenant?

180

– Il est en train de pleurer », dit-il d'un ton absolument convaincant.

Je crus que don Juan avait une vision d'un petit garçon que je connaissais et qui en ce moment même pleurait. Je citai tous les enfants que je connaissais, mais il déclara que ces enfants n'avaient rien à voir avec ma promesse, alors que l'enfant qui pleurait se rapportait à celle-ci.

Ces déclarations me semblèrent farfelues. Il avait dit que j'avais promis quelque chose à quelqu'un pendant mon enfance, et que l'enfant qui était en train de pleurer avait aussi affaire avec cette promesse. Je lui déclarai que tout cela était insensé. Calmement il répéta qu'il « voyait » un petit garçon pleurant maintenant, et que le petit garçon était blessé.

Très sérieusement je m'efforçais de donner à ses déclarations un semblant de bon sens, mais je n'arrivais pas à les rattacher à un événement quelconque dont je me souvenais.

« Je donne ma langue au chat, dis-je, parce que je ne peux pas arriver à me souvenir d'avoir fait une promesse importante à quelqu'un, encore moins à un enfant. »

A nouveau il amincit ses yeux et déclara que l'enfant qui pleurait à ce moment précis était un enfant de mon enfance.

« Il était un enfant pendant mon enfance, et depuis il pleure encore? demandai-je.

– C'est un enfant qui pleure maintenant, insista-t-il.

– Vous rendez-vous compte de ce que vous dites?

– Bien sûr.

– Cela n'a pas de sens. Comment peut-il être un enfant maintenant s'il en était un lorsque moi-même j'étais enfant?

– C'est un enfant et il pleure maintenant, dit-il, têtu.

– Don Juan, expliquez-moi cela.

– Non. *Tu* dois me l'expliquer. »

Dans cette partie de ma vie dans laquelle je n'arrivais pas à me plonger, à qui donc faisait-il allusion?

« Il pleure, il pleure, continuait à dire don Juan d'un ton envoûtant. Et il te serre dans ses bras très fort, maintenant. Il est blessé! Il est blessé! Et il te regarde. Ne sens-tu pas ses yeux sur toi? Il est à genoux et il te serre dans ses bras. Il est plus jeune que toi. Il s'approcha de toi en courant. Mais son bras est cassé. Ne sens-tu pas son bras? Ce petit garçon à un nez semblable à un bouton. Oui! c'est un nez en bouton. »

Mes oreilles bourdonnèrent et je perdis la sensation d'être dans la maison de don Juan. Les mots « nez en bouton » me replongèrent dans une scène de mon enfance. Je connaissais ce garçon au nez en bouton! Don Juan avait pénétré dans un des recoins les plus cachés de ma vie. Alors je sus la promesse dont il parlait. J'éprouvais une sensation d'exaltation, de désespoir et de terreur envers don Juan et son remarquable comportement. Comment diable pouvait-il connaître le garçon au nez en bouton de mon enfance? Le souvenir que don Juan avait éveillé en moi me troublait tellement que ma capacité à me rappeler le passé fut aiguillonnée et me transporta à une époque où j'avais huit ans. Ma mère avait déjà disparu depuis deux ans et je passais les années les plus infernales de ma vie entre les mains de mes tantes maternelles qui servaient de mères subrogées et s'occupaient de moi à tour de rôle tous les deux mois. Chacune avait une famille nombreuse, et malgré leur attention et leur protection, j'avais quand même à faire face à vingt-deux cousins. Leur cruauté était parfois réellement bizarre. J'avais l'impression d'être entouré d'ennemis, et dans les années atroces qui suivirent je dus m'engager dans une guerre désespérée et sordide. Finalement, et par des moyens que j'ignore encore, j'arrivais à dominer tous mes cousins. J'étais vraiment victorieux. Il n'existait plus d'opposants valables. Cependant j'ignorais cela, tout autant que la façon d'en finir avec cette guerre qui, tout naturellement, avait ses prolongements à l'école.

A l'école rurale où nous allions, les différents cours avaient lieu dans la même salle de classe, chacun séparé des autres par un espace entre les tables. C'est là que je rencontrai un petit garçon au nez plat que l'on tourmentait en le surnommant. « Nez en bouton ». Il était en première année. Je pris l'habitude d'en faire mon souffre-douleur de manière tout à fait fortuite, presque sans intention délibérée. Mais en dépit de tout ce que je lui faisais, il semblait m'aimer. Il me suivait partout, et bien que me sachant responsable de quelques farces qui déconcertaient le directeur, il ne me dénonça jamais. Un jour je renversai volontairement un grand tableau noir. Il tomba sur lui; et si sa table absorba une bonne partie du choc, il eut néanmoins la clavicule brisée. Il tomba. Je l'aidai à se relever et je vis dans ses yeux la douleur et l'effroi alors qu'il me regardait tout en m'étreignant. L'émotion qui me gagna lorsque je vis qu'il souffrait et qu'il avait un bras démoli, fut plus que je ne pouvais supporter. Pendant des années je m'étais battu avec mes cousins et j'avais gagné, j'avais dominé mes ennemis; je m'étais senti sûr et puissant jusqu'au moment où la vue d'un petit garçon au nez en bouton en train de pleurer avait détruit mes victoires. A cet instant-là je quittai le terrain de combat. De toutes mes forces je pris la résolution de ne jamais plus gagner. Et comme je pensais qu'il faudrait lui couper le bras, je promis que s'il était guéri, plus jamais je ne serais victorieux. Je lui donnais mes victoires. C'est au moins de cette manière que je l'avais compris.

Don Juan avait rouvert une plaie de ma vie. Je me sentis étourdi, submergé. Un puits de tristesse m'attira, et je m'y engloutis. Le poids de mes actes était un fardeau pesant. Le souvenir de ce petit garçon au nez en bouton dont le nom était Joaquín, suscita en moi une angoisse tellement vive que je me mis à pleurer. Je fis part de ma tristesse à don Juan, tristesse pour un petit Joaquín qui n'eut pas assez d'argent pour aller voir un docteur et dont le bras ne se remit jamais correctement en place. Et tout ce que j'avais eu à lui offrir était des victoires enfantines. J'étais noyé de honte.

« Sois en paix, toi, étrange oiseau, dit don Juan d'un ton ferme. Tu as assez donné. Tes victoires étaient fortes, et elles étaient à toi. Tu donnas suffisamment. Maintenant tu dois changer ta promesse.

– Comment la changer ? Simplement en le disant ?

– Une promesse comme celle-là ne peut pas se changer simplement en le disant. Peut-être que bientôt, très bientôt tu seras capable de savoir que faire pour la changer. Peut-être aussi que du même coup tu pourras *voir*.

– Pourriez-vous m'indiquer comment procéder ?

– Tu dois attendre patiemment, tout en sachant que tu es en train d'attendre, tout en sachant ce que tu attends. Voilà une attitude de guerrier. Et s'il s'agit du problème de tenir ta promesse, alors tu dois prendre conscience que tu la tiens. Le moment viendra où ton attente prendra fin, et tu n'auras plus à honorer ta promesse. Il n'y a rien que tu puisse faire pour la vie de ce petit garçon. Lui seul pourrait annuler les effets de cet acte.

– Mais comment peut-il faire cela ?

– En apprenant à réduire ses besoins à rien. Aussi longtemps qu'il pense qu'il a été une victime, sa vie sera un enfer. Et pour aussi longtemps que tu penses de même, ta promesse restera valide. Ce qui nous rend malheureux est le fait de vouloir. Cependant si nous pouvions réduire nos besoins à rien, la plus petite des choses que nous aurions serait un cadeau véritable. Sois en paix, tu as fait à Joaquín un bon cadeau. Etre pauvre ou éprouver un désir quelconque n'est qu'une pensée. De même en est-il de haïr, d'avoir faim et de souffrir.

– Don Juan, je ne peux vraiment pas croire une telle

184

chose. Comment la faim et la douleur peuvent-elles être seulement des pensées ?

– Pour moi, maintenant, ce ne sont que des pensées. C'est tout ce que je sais. J'ai accompli cet exploit. Que tu le veuilles ou non, le pouvoir de faire constitue tout ce que nous avons à opposer aux forces de notre vie. Sans ce pouvoir nous sommes la lie du vin, la poussière dans le vent.

– Don Juan, je sais très bien que vous avez accompli cela, mais comment un simple homme comme moi ou le petit Joaquín peut-il accomplir la même chose ?

– C'est à chacun de nous, en tant que simple individu, de décider de s'opposer aux forces de nos vies. Je te l'ai dit maintes et maintes fois, seul un guerrier peut survivre. Un guerrier sait qu'il attend et il sait pourquoi il attend. Pendant qu'il attend, il ne désire rien. Ainsi reçoit-il la plus petite des choses, elle est plus qu'il n'en peut prendre. S'il a besoin de manger, il découvre un moyen, parce qu'il n'a pas faim. Si quelque chose le blesse, il trouve un moyen de l'arrêter, car il ne souffre pas. Avoir faim ou souffrir signifie que l'homme s'est laissé aller et qu'il n'est plus un guerrier. Les forces de sa faim et de sa souffrance le détruiront. »

Je désirais toujours soutenir ma position, mais n'en fis rien ; je me rendis compte que le fait d'argumenter consistait à créer une barrière pour me protéger de la force dévastatrice de l'exploit magnifique de don Juan, une force qui m'avait profondément marqué de sa remarquable puissance.

Comment savait-il cela ? Je pensais que peut-être je lui avais raconté l'histoire de « Nez en bouton » au cours d'un de mes états de réalité non ordinaire. Cependant je ne me souvenais de rien de semblable, mais en l'occurrence ne pas se souvenir était facilement compréhensible.

« Don Juan, comment connaissiez-vous ma promesse ?

– Je l'ai *vue*.

– L'aviez-vous *vue* lorsque je pris Mescalito, ou lorsque je fumai votre mélange?

– Je l'ai *vue* maintenant, aujourd'hui.

– Aviez-vous *vu* toute l'histoire?

– Et à nouveau te voilà avec tes questions. Je te l'ai déjà dit, ça ne sert à rien de parler de ce qu'est *voir*. C'est rien du tout. »

Je n'insistai pas, j'étais émotionnellement convaincu.

« Une fois, je fis un vœu, dit don Juan, et le son de sa voix me fit tressaillir.

« Je promis à mon père que j'allais vivre pour détruire mes assassins. Pendant des années cette promesse demeura avec moi. Maintenant elle est changée. Je ne suis plus intéressé à détruire qui que ce soit. Je n'éprouve pas de haine envers les Mexicains. Je ne hais personne. J'ai appris que les innombrables chemins que chacun dans sa vie traverse sont tous égaux. A la fin, oppresseurs et opprimés se retrouvent, et la seule chose qui l'emporte reste que la vie fut en tout trop courte pour les uns comme pour les autres. Aujourd'hui je suis triste non pas à cause de la manière dont mon père et ma mère sont morts. Je me sens triste parce qu'ils étaient Indiens. Ils vécurent comme des Indiens et ils moururent comme des Indiens. Jamais ils ne surent qu'avant toute autre chose ils étaient des hommes. »

10

Le 30 mai 1969, j'étais de retour chez don Juan. A peine arrivé je lui déclarai que je brûlais de « voir » et que je voulais renouveler ma tentative. Il rit et secoua la tête en signe de dénégation et je ne pus me retenir de protester. Il me dit de prendre patience, que le moment n'était pas encore venu, mais j'insistai sur le fait que j'étais prêt.

Mes prières agaçantes ne parurent pas l'importuner. Cependant, il tenta de changer de sujet. Je tins bon et lui demandai de m'indiquer ce que je devais faire pour surmonter mon impatience.

« Tu dois agir comme un guerrier.

– Et comment faire ?

– C'est en agissant qu'on apprend à agir comme un guerrier, et non pas en parlant.

– Vous m'avez dit qu'un guerrier pense à sa mort. Je ne fais que cela ; mais il est clair que ce n'est pas suffisant. »

Il sembla avoir un mouvement d'impatience et fit claquer ses lèvres. Je lui dis que je n'avais pas eu l'intention de le mettre en colère, et que s'il ne voulait plus de moi, là, chez lui, j'allais sur-le-champ revenir à Los Angeles. Il me tapota affectueusement le dos et m'assura qu'il ne se mettait jamais en colère contre moi, qu'il avait seulement supposé que je savais ce que signifiait le fait d'être un guerrier.

« Que puis-je faire pour vivre comme un guerrier? »

Il ôta son chapeau et se gratta les tempes. Il me regarda fixement et sourit.

« Tu aimes que tout soit formulé, n'est-ce pas?

– C'est ainsi que fonctionne mon esprit.

– Non, pas nécessairement.

– J'ignore comment changer. C'est la raison pour laquelle je vous demande de me dire exactement ce que je dois faire pour vivre comme un guerrier. Si je savais cela, je pourrais découvrir une façon de m'y plier. »

Il dut penser que ma déclaration était amusante, car il me tapota le dos tout en riant.

J'avais l'impression qu'il allait me demander de partir d'un instant à l'autre, donc je m'assis très vite sur ma natte, lui fit face et commençai à lui poser des questions. Je voulus savoir pourquoi il fallait que j'attende.

Il m'expliqua que si je tentais de « voir » à la va-vite, sans attendre d'avoir « guéri les blessures » reçues au cours de ma lutte contre le gardien, j'avais de fortes chances de me retrouver aux prises avec lui, même si je ne le cherchais pas. Il me certifia que dans ma situation aucun homme ne pouvait espérer survivre à une telle rencontre.

« Avant de pouvoir te remettre en quête du *voir*, tu dois complètement oublier le gardien, continua-t-il.

– Comment peut-on oublier le gardien?

– Un guerrier oublie en faisant usage de sa volonté et de sa patience. En fait, un guerrier n'a rien d'autre que sa volonté et sa patience et avec elles il construit tout ce qu'il veut.

– Mais je ne suis pas un guerrier.

– Tu as commencé à apprendre les voies des sorciers. Tu n'as plus le temps de battre en retraite ou d'avoir des regrets. Tu n'as que le temps de vivre comme un guerrier et d'exercer ta patience et ta volonté, que cela te plaise ou non.

– Comment un guerrier excerce-t-il sa patience et sa volonté? »

Don Juan réfléchit un long moment avant de me répondre.

« Je ne crois pas qu'il existe un façon de parler de cela, finit-il par dire. De la volonté plus particulièrement. La volonté est une chose très particulière. Elle surgit de façon mystérieuse. On ne peut vraiment pas expliquer comment quelqu'un s'en sert, tout ce qu'on peut dire c'est que les effets de la volonté sont stupéfiants. Et peut-être, en premier lieu il faut savoir qu'on peut développer sa volonté. Un guerrier sait cela et il s'engage dans cette attente. Ton erreur est de ne pas savoir que tu attends ta volonté.

« Mon benafactor me disait qu'un guerrier sait qu'il attend et ce qu'il attend. Toi, tu sais que tu attends. Bien que tu aies passé des années ici, avec moi, tu ne sais toujours pas ce que tu attends. Il est difficile, voire impossible, à l'homme moyen de savoir ce qu'il attend. Un guerrier, en revanche, n'a pas de problèmes, il sait qu'il attend sa volonté.

– Qu'est-ce exactement que la volonté? est-ce la détermination? Par exemple la détermination dont fait preuve votre petit-fils Lucio quand il veut à tout prix une motocyclette?

– Non, dit-il en riant doucement. Cela n'a rien à voir avec la volonté. Lucio ne fait que céder à un penchant. La volonté, c'est autre chose, quelque chose de très clair et d'extrêmement puissant qui peut diriger nos actions. La volonté c'est, par exemple, ce qu'un homme utilise pour gagner une bataille qu'il aurait normalement dû perdre.

– Donc la volonté doit être ce que nous appelons courage.

– Non. Le courage, c'est autre chose. Les hommes de courage sont des hommes de foi, des hommes nobles. On fait cercle autour d'eux, on les admire. Et pourtant très peu d'hommes de courage ont de la volonté. En général ce sont des hommes sans peur qui sont portés à accomplir tout naturellement des actes que le bon sens commun juge risqués. La plupart du temps, un homme courageux est effrayant et redouté. La volonté, en revanche, a trait à des faits étonnants qui défient le sens commun.

– La volonté est-elle la maîtrise que nous pourrions avoir sur nous-mêmes?

– Tu peux dire que c'est un genre de maîtrise.

– Pensez-vous que je puisse exercer ma volonté, par exemple en m'abstenant de certaines choses?

– Telles que poser des questions? » lança-t-il à brûle-pourpoint.

Il me dit cela d'un ton si malicieux que je cessai d'écrire pour le regarder. Nous éclatâmes de rire.

« Non, dit-il. S'abstenir, c'est encore être indulgent, et je ne te conseillerais rien de tel. C'est pourquoi je te laisse poser toutes les questions que tu veux. Si je te demandais de cesser de poser des questions, tu risquerais de gauchir ta volonté en essayant d'y parvenir. S'abtenir c'est bien souvent la pire complaisance car cela nous force à croire que nous faisons de grandes choses, alors qu'en réalité nous sommes complètement ancrés en nous-mêmes. Cesser de poser des questions n'a rien à voir avec la volonté dont je parle. La volonté est un pouvoir. Et puisque c'est un pouvoir, il faut la maîtriser et l'accorder avec soi. Cela prend du temps, je le sais, et je suis patient avec toi. Quand j'avais ton âge, j'étais aussi impulsif que toi. Cependant, j'ai changé. Notre volonté opère en dépit de notre complaisance. C'est ainsi que par exemple ta volonté ouvre peu à peu ta trouée.

– De quelle trouée parlez-vous?

– En nous, il y a une trouée et, un peu comme la fontanelle sur la tête des enfants qui se referme avec l'âge, cette trouée s'ouvre au fur et à mesure que l'on développe sa volonté.

– Où est cette trouée?

– A l'endroit où sont tes fibres lumineuses, dit-il en pointant le doigt sur son ventre.

– A quoi ressemble-t-elle? A quoi sert-elle?

– C'est une ouverture qui crée un espace permettant à ta volonté de s'élancer au-dehors, comme une flèche.

– La volonté est-elle un objet? Ou comme un objet?

– Non. J'ai seulement dit cela pour que tu comprennes. Ce qu'un sorcier appelle volonté est une force en nous. Ce n'est pas une pensée, ni un objet, ni un souhait. Cesser de poser des questions ce n'est pas de la volonté, car cela exige de penser et de souhaiter. La volonté, c'est ce qui te permet de vaincre alors même que tes pensées te déclarent vaincu. La volonté c'est ce qui te rend invulnérable. La volonté, c'est ce qui envoie un sorcier à travers un mur, à travers l'espace, dans la lune s'il le désire »

Je n'avais pas d'autres questions à poser. J'étais fatigué et quelque peu sur les nerfs. Je craignais que don Juan me demande de partir et cela m'ennuyait.

« Allons faire un tour dans les collines », dit-il de but en blanc, et déjà il était debout.

En chemin il se remit à parler de la volonté, et devant mon mécontentement de ne pas pouvoir prendre de notes ils éclata de rire.

Il décrivit la volonté comme une force qui était le véritable trait d'union entre l'homme et le monde. Il prit grand soin de préciser que le monde était l'ensemble de ce que nous pouvions percevoir quel que soit le mode de perception envisagé. Don Juan expliqua qu'il fallait entendre par « percevoir le monde » le processus par lequel nous appréhendons toute chose qui se présente à nous. Cette « perception » particulière s'accomplissait par nos sens et par notre volonté.

Je lui demandai si la volonté était un sixième sens. Il déclara que c'était plutôt un certain rapport entre nous et le monde perçu.

Je lui suggérai une halte pour me permettre de prendre des notes. Il s'esclaffa et continua de marcher.

Cette nuit-là, il ne me demanda pas de partir, et le lendemain matin, après le petit déjeuner, il recommença à me parler de la volonté.

« Ce que tu appelles volonté, c'est le caractère et une forte disposition. Ce qu'un sorcier appelle volonté, c'est une force qui vient de l'intérieur de nous-mêmes et qui va se greffer sur le monde en dehors de nous. Elle sort par le ventre, là où sont tes fibres lumineuses. »

Il frotta son nombril pour me montrer la zone dont il parlait.

« Je dis qu'elle sort par là parce qu'on peut la sentir sortir.

— Pourquoi l'appelles-tu volonté?

— Je ne lui donne pas n'importe quel nom de mon propre gré. Mon benefactor l'appelait volonté, et d'autres hommes de connaissance l'appellent volonté.

— Hier, tu disais qu'on peut percevoir le monde avec ses sens aussi bien qu'avec sa volonté. Comment est-ce possible?

— L'homme moyen peut " attraper " les choses du monde seulement avec ses mains, ou avec ses yeux, ou avec ses oreilles. Mais un sorcier peut aussi les " attraper " avec son nez, ou sa langue, ou sa volonté, particulièrement avec sa volonté. Je ne puis pas exactement te décrire comment cela se fait, mais toi-même, par exemple, tu ne peux pas me décrire comment tu entends. Il se trouve que moi aussi j'entends, par conséquent nous pouvons parler de ce que nous entendons, mais jamais de la manière dont nous entendons. Un sorcier se sert de sa volonté pour percevoir le monde. Mais percevoir de cette façon, ce n'est pas comme entendre. Quand on regarde le monde, ou quand on l'entend, on a l'impression qu'il est présent et qu'il est réel. Mais quand on perçoit le monde avec sa volonté, on sait qu'il n'est pas " aussi présent " ou " aussi réel " qu'on le croit en général.

– La volonté, est-ce comme *voir* ?

– Non. La volonté c'est une force, un pouvoir. *Voir* ce n'est pas une force, mais plutôt une façon de passer au travers des choses. Un sorcier peut avoir une volonté très forte et cependant n'être pas capable de *voir*; ce qui veut dire que seul un homme de connaissance perçoit avec ses sens et avec sa volonté, et aussi avec sa faculté de *voir*. »

Je lui confiai que j'étais de plus en plus dérouté quant à la manière de faire usage de ma volonté pour oublier le gardien. Cette constatation et mon air perplexe parurent le combler d'aise.

« Je t'ai prévenu qu'à force de parler on embrouille tout, dit-il en riant. Mais au moins, tu sais maintenant que tu es en train d'attendre ta volonté. Tu ignores toujours ce que c'est, ou comment elle va se manifester en toi. Surveille donc soigneusement tout ce que tu fais. Ce qui pourrait t'aider à développer ta volonté se trouve parmi toutes les petites choses que tu fais. »

Je ne vis pas don Juan de toute la matinée. Au début de l'après-midi il revint avec une brassée de plantes sèches. Il me fit un signe de tête pour m'inviter à l'aider et, sans jamais desserrer les dents, nous travaillâmes pendant des heures à trier les plantes. Quand nous eûmes terminé, nous nous assîmes pour nous reposer, et il me sourit avec bienveillance.

Je lui avouai alors qu'après avoir relu mes notes je n'arrivais toujours pas à comprendre les conséquences du fait d'être un guerrier, et encore moins ce que signifiait l'idée de volonté.

« La volonté n'est pas une idée. »

C'était la première fois de la journée qu'il m'adressait la parole.

Après avoir marqué une longue pause, il poursuivit :

« Nous sommes différents, toi et moi. Nous n'avons pas le même caractère. Ta nature est plus violente que la mienne. Quand j'avais ton âge je n'étais pas violent mais méchant. Tu es le contraire. Mon benefactor était comme toi. Il aurait été parfait pour être ton maître. C'était un grand sorcier, mais il ne *voyait* pas. Pas comme je *vois*, ni comme Genaro *voit*. Je comprends le monde et je vis guidé par ma faculté de *voir*. Par ailleurs, mon benefactor devait vivre en guerrier. Un homme qui *voit* n'a pas de raison de vivre comme un guerrier, ou comme n'importe quoi d'autre, car il peut *voir* les choses telles qu'elles sont réellement, et diriger sa vie en conséquence. Compte tenu de ton caractère, il se pourrait que tu n'apprennes jamais à *voir*, et dans ce cas il te faudra vivre toute ta vie comme un guerrier.

« Mon benefactor disait qu'un homme qui s'engage sur les chemins de la sorcellerie se rend compte peu à peu qu'il a pour toujours délaissé la vie ordinaire, que la connaissance est en effet une chose effrayante, que les moyens du monde ordinaire ne constituent plus pour lui des garde-fous, et qu'il doit adopter un mode de vie nouveau s'il veut survivre. Arrivé à ce point, la première chose qu'il doit faire est de vouloir devenir un guerrier. C'est un pas qu'il doit faire à tout prix, une décision de la plus haute importance. La nature effrayante de la connaissance ne laisse pas d'autre choix que celui de devenir guerrier.

« Lorsque la connaissance devient une affaire

effrayante, l'homme se rend aussi compte que la mort est assise à côté de lui, sur sa natte, qu'elle devient sa compagne irremplaçable. Toute bribe de connaissance qui devient pouvoir a la mort comme force centrale. La mort donne la touche finale, et tout ce qui est touché par la mort devient pouvoir.

« L'homme qui s'avance sur le chemin de la sorcellerie doit à tout moment faire face à une imminente annihilation et inévitablement il acquiert une conscience aiguë de sa mort. Sans la conscience de la mort, il ne serait qu'un homme ordinaire impliqué dans des actes ordinaires. Il n'aurait pas la puissance et la concentration indispensables pour transformer son temps ordinaire sur terre en pouvoir magique.

« Ainsi, pour être un guerrier, un homme doit avoir, en tout premier lieu et de manière vraiment authentique, une conscience aiguë de sa propre mort. Mais se soucier en permanence de la mort contraindrait normalement tout homme à se concentrer sur soi, et cela serait débilitant. Donc la seconde chose dont on a besoin pour être un guerrier est le détachement. L'idée de la mort imminente, au lieu de tourner à l'obsession, devient indifférence. »

Don Juan cessa de parler, puis me regarda. Il paraissait attendre un commentaire de ma part.

« Est-ce que tu comprends? » demanda-t-il.

Je comprenais ce qu'il m'avait dit, mais je ne voyais pas comment on pouvait arriver à un sens de détachement vis-à-vis de la mort. Je lui dis que du point de vue de mon propre apprentissage j'avais déjà connu le moment où la connaissance devient une affaire effrayante. Je pouvais également affirmer que les données ordinaires de ma vie quotidienne ne m'étaient plus d'aucun secours, et je désirais, et beaucoup mieux que désirer, j'avais besoin de vivre comme un guerrier.

« Maintenant tu dois te détacher, dit-il.

— De quoi?

– Détache-toi de tout.

– C'est impossible. Je ne veux pas devenir un ermite.

– Etre un ermite c'est aussi une indulgence envers soi et jamais je n'ai voulu dire cela. Un ermite n'est pas détaché, car il s'abandonne volontairement pour devenir ermite.

« Seule l'idée de la mort détache suffisamment l'homme au point de le rendre incapable de s'abandonner à quoi que ce soit. Seule l'idée de la mort détache suffisamment l'homme au point qu'il ne peut plus considérer qu'il se prive de quelque chose. Un homme de cette sorte ne désire, malgré tout, absolument rien, car il a acquis un appétit silencieux pour la vie et toutes les choses de la vie. Il sait que sa mort le traque, qu'elle ne lui laissera pas le temps de se cramponner à quoi que ce soit; donc, sans en ressentir un désir obsédant, il essaie la totalité de toute chose.

« Un homme détaché, homme qui sait qu'il n'a pas la possibilité d'éviter sa mort, n'a qu'une seule chose sur laquelle il puisse s'appuyer : le pouvoir de ses décisions. Il doit être, pour ainsi dire, le maître de ses choix. Il doit clairement comprendre que son choix dépend de lui seul et qu'une fois fait il n'y a plus de temps pour des regrets ou des lamentations. Ses décisions sont irrévocables simplement parce que la mort ne lui laisse pas le temps de se cramponner à quoi que ce soit.

« Et alors, conscient de sa mort, grâce à son détachement, et avec le pouvoir de ses décisions, un guerrier fixe sa vie stratégiquement. La connaissance de sa mort le guide, le rend détaché et silencieusement robuste. Le pouvoir de ses décisions le rend capable de choisir sans regrets, et du point de vue stratégique son choix est toujours le meilleur. Ainsi il accomplit tout ce qu'il doit faire avec plaisir et avec une compétence sûre.

« Quand un homme se conduit de cette façon on peut

196

réellement dire que c'est un guerrier, et qu'il a acquis la patience! »

Don Juan me demanda si j'avais quelque chose à dire, et je lui fis remarquer qu'il faudrait une vie tout entière pour mener à bien la tâche qu'il venait de décrire. Il dit que je protestais trop souvent devant lui alors qu'il savait bien que je me conduisais, ou tout au moins essayais de me conduire, dans ma vie quotidienne en suivant les préceptes de la vie de guerrier.

« Tu as d'assez bonnes griffes, dit-il en riant. Montre-les moi de temps à autre. C'est un bon exercice. »

Je fis comme si j'avais des griffes et je grondai. Il rit, s'éclaircit la voix et poursuivit :

« Quand un guerrier a acquis la patience il est sur la voie de la volonté. Il sait comment attendre. Sa mort est avec lui assise sur sa natte. Ils deviennent amis. Sa mort lui conseille par des voies mystérieuses comment choisir, comment vivre de manière stratégique. Et le guerrier attend! Je pourrais dire que le guerrier apprend sans se presser parce qu'il sait qu'il attend sa volonté. Et un beau jour il accomplit un acte pratiquement impossible à accomplir ordinairement. Il se peut qu'il ne se rende pas lui-même compte de son extraordinaire exploit. Mais comme il continue d'accomplir des actes impossibles, ou comme des choses impossibles continuent à lui arriver, il finit par prendre conscience qu'une sorte de pouvoir est en train d'émerger. Un pouvoir qui sort de son corps au fur et à mesure qu'il s'avance sur le chemin de la connaissance. Au début, c'est comme une démangeaison au ventre, ou un point chaud, qui ne peut pas être soigné; puis il éprouve une douleur, un grand malaise. Parfois la douleur et le malaise sont tels que le guerrier est pris de convulsions qui peuvent durer des mois. Plus les convulsions sont sévères, mieux cela vaut. Un excellent pouvoir s'annonce par de grandes souffrances.

« Quand les convulsions cessent, le guerrier remarque qu'il a des sensations bizarres par rapport aux choses. Il remarque qu'il peut maintenant toucher tout ce qu'il veut avec une sensation qui sort juste au-dessus ou juste en dessous de son nombril. Cette sensation c'est la volonté, et quand il devient capable de s'en servir pour attraper les choses, on peut vraiment dire que le guerrier est un sorcier, et qu'il a acquis la volonté. »

A nouveau don Juan cessa de parler comme s'il espérait des commentaires ou des questions de ma part. Je n'avais rien à dire. J'étais profondément préoccupé par l'idée qu'un sorcier devait faire l'expérience de la douleur et des convulsions, mais je me sentis gêné de lui demander si je devais moi aussi passer par là. Finalement après un long silence je surmontai ma gêne. Il gloussa de rire comme s'il avait prévu ma question. Il dit que la douleur n'était absolument pas nécessaire. Lui, par exemple, ne l'avait jamais connue, et la volonté lui était un jour arrivée.

« Un jour, j'étais dans les montagnes, raconta-t-il, et je tombai sur un puma, une femelle enceinte et affamée. Je courus et elle courut à mes trousses. Je grimpai sur un rocher et elle s'arrêta à quelques pas de moi, prête à bondir. Je lui jetai des pierres. Elle gronda et s'apprêta à charger. Ce fut à ce moment précis que ma volonté se manifesta, et de ma volonté je l'arrêtai avant qu'elle n'ait sauté sur moi. Avec ma volonté je la caressai, et je m'en servis même pour lui frictionner les mamelles. Elle me regarda avec de gros yeux langoureux et se coucha. Et je m'enfuis comme un dératé sans lui laisser le temps de se raviser. »

Don Juan fit un geste très comique évoquant un homme qui court pour sauver sa peau en retenant d'une main son chapeau.

Je lui dis qu'il m'était très désagréable de penser que je devais m'attendre à avoir des convulsions ou sinon à faire face à un puma affamé si je désirais la volonté.

198

« Mon benefactor était un sorcier aux grands pouvoirs, poursuivit-il. Il fut toujours et toujours un guerrier. Sa volonté était incontestablement son plus magnifique accomplissement. Mais un homme peut aller encore plus loin que cela, un homme peut apprendre à *voir*. Une fois qu'il a appris à *voir* il n'a plus besoin de vivre comme un guerrier, ni d'être un sorcier. Le fait d'avoir appris à *voir* transforme un homme en tout en ne devenant rien. Pour ainsi dire, il disparaît et cependant il est toujours là. Je pourrais dire que c'est le moment où un homme peut devenir ou avoir tout ce qu'il veut. Mais il ne désire rien, et au lieu de jouer avec ses semblables comme s'ils n'étaient que des marionnettes, il les rencontre dans le brouillard de leur folie. Entre lui et eux la seule différence réside dans le fait que celui qui *voit* contrôle sa folie, alors que ses semblables, les hommes, n'y arrivent pas. Un homme qui *voit* ne s'intéresse plus activement à ses semblables. *Voir* l'a détaché de tout, absolument de tout ce qu'il connaissait auparavant.

– La seule idée d'être détaché de tout me donne des frissons dans le dos.

– Tu veux plaisanter! Ce qui devrait te donner des frissons dans le dos c'est de n'avoir pas d'autre perspective que de faire toute ta vie ce que tu as toujours fait. Pense à l'homme qui année après année plante du maïs jusqu'à ce que, trop vieux et trop fatigué pour se lever, il reste écroulé comme un vieux chien. Sa pensée et ses sentiments, c'est-à-dire le meilleur de lui-même, errent sans but parmi la seule chose qu'il ait jamais connue : planter du maïs. Selon moi, c'est le gaspillage le plus effrayant qu'il puisse y avoir.

« Nous sommes des hommes, et notre lot c'est d'apprendre et d'être projetés dans d'inconcevables nouveaux mondes.

– Y a-t-il vraiment pour nous des mondes nouveaux? demandai-je.

– Imbécile, nous n'avons rien épuisé, dit-il d'un ton péremptoire. *Voir* est réservé aux hommes parfaits. Tempère donc ton esprit dès maintenant, deviens un guerrier, apprends à *voir*, et tu sauras alors qu'il n'y a pas de fin aux nouveaux mondes de notre vision. »

11

Une fois que j'eus fait les commissions qu'il m'avait demandées, don Juan ne me dit pas de partir comme à plusieurs reprises cela s'était produit dernièrement. Il déclara que je pouvais rester. Le jour suivant, le 28 juin 1969, peu avant midi il me prévint que j'allais à nouveau fumer.

« Vais-je tenter de *voir* le gardien?

– Non. Ça c'est du passé. Il s'agit de quelque chose d'autre. »

Très calmement don Juan bourra sa pipe, l'alluma et me la tendit. Je n'éprouvai aucune crainte, et immédiatement une plaisante somnolence m'enveloppa. Lorsque j'eus fini la pipe, don Juan la nettoya, la rangea, puis m'aida à me relever. Jusqu'à ce moment-là nous étions restés assis face à face sur deux nattes qu'il avait placées au centre de la chambre. Il m'encouragea à sortir pour une courte promenade, et avec douceur me montra comment marcher. Je fis un pas. Mes jambes fléchirent et lorsque mes genoux heurtèrent le sol je ne sentis pas le choc. Don Juan passa son bras sous le mien et me redressa.

« Il faut que tu marches, à la façon dont la dernière fois tu t'es relevé, tu dois faire usage de ta volonté. »

J'avais l'impression d'être cloué au sol. J'essayai d'avancer le pied droit et je tombai presque. Don Juan me soutenait sous l'aisselle droite, et d'un geste lent il me catapulta en avant. Mes jambes ne me supportèrent pas et s'il ne m'avait pas rattrapé le bras et retenu je serais tombé à terre. Il me laissa reposer contre lui tout en me maintenant toujours sous l'aisselle droite. Je ne ressentais rien, mais j'étais certain que ma tête reposait sur son épaule. Je voyais la pièce dans une position oblique. Il me traîna sur le porche et par deux fois nous en fîmes le tour. Enfin, sans doute parce que j'étais trop lourd, il me laissa m'affaisser. Je savais qu'il n'aurait pas pu me déplacer, car d'une certaine manière il y avait comme une partie de moi qui se fit lourde comme du plomb. D'ailleurs, don Juan ne tenta pas de me relever. Il me lança un regard assez bref. Allongé sur le dos je lui faisais face et je voulus lui sourire. Il éclata de rire, se pencha sur moi et me gifla le ventre. Je ressentis une sensation particulière, ni plaisante, ni pénible, ni semblable à quelque chose de pensable. Il s'agissait plutôt d'une décharge. Puis il me tourna en rond, un mouvement que je ne pouvais pas sentir, mais qui m'était rendu visible par le déplacement circulaire de ma vision du porche. Il me plaça dans la direction qu'il désirait, et se recula.

« Lève-toi, me commanda-t-il. Lève-toi comme tu le fis l'autre jour. Ne badine pas. Tu sais comment te lever. Maintenant, lève-toi. »

Pour lui obéir je tentai de me rappeler les actions accomplies à cette occasion-là. Mais, malgré mes efforts mes pensées fuyaient comme d'elles-mêmes. Enfin j'eus l'impression que si je disais « debout! », comme je l'avais alors fait, je me lèverais à coup sûr. Je dis « debout », clairement, à haute voix, et rien ne se produisit.

Don Juan me jeta un regard mécontent, puis il me contourna pour se diriger vers la porte. Allongé sur mon flanc gauche, j'avais devant moi la vue de toute la région qui s'étend devant sa maison. Lorsqu'il passa derrière moi j'en conclus qu'il avait dû rentrer dans sa chambre.

« Don Juan! » appelai-je en hurlant. Il ne me répondit pas.

Une sensation d'impuissance et de désespoir me gagna. Je voulais me lever. Je dis : « Debout! Debout! Debout! » comme s'il y avait là un mot magique qui me relèverait. Rien ne se produisit, et de la frustration je passai à la colère. J'avais envie de me taper la tête par terre; j'avais presque les larmes aux yeux. La situation devenait intenable, je désirais parler, bouger, et je ne pouvais faire ni l'un ni l'autre. J'étais immobilisé, paralysé.

Je parvins à crier : « Don Juan, venez m'aider! »

Il revint, s'assit devant moi et éclata de rire. Il déclara que ma crise d'hystérie et ce que je ressentais n'avaient absolument aucune importance. Il leva ma tête, me regarda droit dans les yeux et me dis que j'avais une attaque de fausse peur. Il me précisa de ne pas m'affoler.

« Ta vie devient compliquée. Débarrasse-toi de ce qui te fait perdre ton calme. Repose-toi tranquillement et mets de l'ordre dans ta vie. »

Il déposa ma tête par terre, m'enjamba, et j'entendis le glissement de ses sandales pendant qu'il s'éloignait.

Ma première réaction fut de m'affoler, mais je n'arrivais même pas à réunir l'énergie nécessaire à cela. Au contraire je me découvris en train de sombrer dans un état de rare sérénité, et une ample sensation d'aisance m'enveloppa. Je savais où résidait le point complexe de ma vie. Il s'agissait de mon petit garçon. Mon désir le plus cher et prédominant à tout autre était d'en être le père. Je me complaisais à l'idée de modeler son caractère, de l'emmener en promenade, de lui enseigner « comment vivre », et cependant je détestais l'idée d'avoir à le contraindre à ma manière de vivre, ce qui précisément était ce que je serais obligé de faire, c'est-à-dire l'obliger par force ou bien avec cet ensemble perfide d'arguments et de récompenses que nous nommons compréhension.

« Je dois le laisser agir par lui-même, pensais-je, je ne dois pas m'y cramponner. Je dois le laisser libre. »

Ce dilemme suscita une terrible sensation de mélancolie, et j'en pleurai. Mes yeux se remplirent de larmes, la vue du porche se brouilla. Soudain je fus pris du désir impératif de me lever, de chercher don Juan pour lui expliquer ce problème. Et alors je me rendis compte que je voyais le porche dans sa position normale, que j'étais debout. Je fis demi-tour et je découvris don Juan debout devant moi. Sans doute avait-il été derrière moi pendant tout ce temps-là.

Sans pourtant avoir ressenti le mouvement, je dus marcher parce que je m'approchais de lui. Il s'avança vers moi en souriant et me soutint sous les aisselles. Son visage était très proche du mien.

« C'est bien, c'est du bon travail », dit-il d'un ton réconfortant.

A ce moment précis je pris conscience que quelque chose d'extraordinaire se déroulait. En premier lieu, j'eus l'impression de me souvenir d'un événement vieux de plusieurs années[1]. Une fois, j'avais vu le visage de don Juan de très près. C'était aussi après avoir fumé son mélange, et j'avais eu la sensation que son visage était submergé dans un réservoir d'eau. Il m'était apparu énorme, lumineux et mouvant. Mais la vision avait été si brève que je n'avais pas eu le temps de la détailler. Aujourd'hui, don Juan me soutenait et son visage était à moins de trente centimètres de mes yeux; j'avais la possibilité de l'examiner. Lorsque je m'étais levé et retourné j'avais sans aucun doute vu don Juan, le « don Juan que je connaissais », s'avancer vers moi et venir me soutenir. Mais lorsque je concentrai mon regard sur

1. Cette expérience est racontée in *op. cit.*, chap. X.

son visage je vis un don Juan différent de celui auquel j'étais habitué. A sa place je vis un immense objet. Je savais qu'il s'agissait de son visage, mais une telle connaissance ne découlait pas de mes perceptions, elle était plutôt une conclusion logique de ma part. Après tout ma mémoire me confirmait qu'à l'instant précédent le « don Juan que je connaissais » me soutenait par les aisselles. Par conséquent, l'étrange objet lumineux devant moi ne pouvait pas ne pas être le visage de don Juan. Cet objet avait quelque chose de familier mais ne ressemblait en rien à ce que je nommerais le « vrai » visage de don Juan. Je regardais un objet rond possédant sa propre luminosité. Chaque partie bougeait. Je percevais un flot rythmique ondulatoire strictement limité, comme si le mouvement était contenu par lui-même, ne dépassait jamais ses propres limites. Et cependant, de l'objet placé devant mes yeux émanait un mouvement partout à sa surface. Je pensais que c'était la vie. En fait l'objet était tellement vivant que la contemplation de son mouvement m'absorba. Il s'agissait d'une palpitation envoûtante. Elle m'absorba de plus en plus jusqu'à ce que je sois devenu incapable de me soucier de ce qu'était vraiment ce phénomène devant mes yeux.

Une secousse brutale me traversa, l'objet lumineux se brouilla comme si quelque chose l'agitait, il perdit sa luminosité, redevint solide et charnu. Je regardais le visage foncé bien familier de don Juan. Il souriait tranquillement. La vision de son « vrai » visage ne dura qu'un instant, il fut envahi d'une luminosité, d'une brillance, et d'une iridescence. Ce n'étaient ni la lumière ni la luminosité que l'on perçoit habituellement. C'était plutôt un mouvement, le scintillement incroyablement rapide de quelque chose. L'objet lumineux à nouveau tressaillit de haut en bas, ce qui perturba son ondulation continuelle. Son éclat diminua avec le tremblement jusqu'à ce que réapparaisse le « solide » visage de don

Juan, tel que je le vois tous les jours. C'est à ce moment-là que je me rendis vaguement compte que don Juan me secouait. Il me parlait. Je ne comprenais pas ce qu'il disait. Il continua à me secouer, et j'entendis :

« Ne me regarde pas. Ne me regarde pas. Cesse ce regard figé. Cesse ce regard figé. Remue les yeux. »

Le seul fait de me secouer dut suffire à libérer la fixité de mes yeux. Maintenant il me semblait bien que si je ne fixais pas le visage de don Juan je ne pouvais pas voir l'objet lumineux. Lorsque je détournais mon regard pour le regarder du coin des yeux, je pouvais percevoir sa consistance, c'est-à-dire son existence en trois dimensions. D'ailleurs sans vraiment concentrer mon regard je pouvais voir son corps tout entier, mais lorsque je me concentrai à nouveau, son visage redevint un objet lumineux.

« Ne me regarde absolument pas », déclara-t-il d'un ton sérieux.

Je bougeai mes yeux et regardai par terre.

« Ne fixe rien du regard », me commanda-t-il, puis il se plaça à mon côté pour m'aider à marcher.

Je ne sentis aucun de mes pas, et j'ignorais même comment j'arrivais à marcher; néanmoins, avec l'aide de don Juan, nous allâmes derrière sa maison, au bord du canal d'irrigation.

« Maintenant fixe l'eau de ton regard. »

Je ne parvins pas à me concentrer sur l'eau car le courant avait pour effet de me distraire. Comme s'il s'agissait d'une bonne plaisanterie, don Juan insistait pour que j'exerce mes « pouvoirs de fixer du regard ». Mais je n'y arrivais pas, et alors je me tournai vers don Juan, mais son visage resta inchangé.

Un étrange picotement se manifesta dans tout mon corps, un picotement comme lorsqu'on a des « fourmis » dans un membre engourdi. Les muscles de mes jambes commencèrent à avoir des spasmes. Don Juan me poussa dans l'eau et je roulai au fond du canal. Il avait dû tenir ma main droite car lorsque je heurtai le fond il me tira immédiatement à la surface.

Le retour à la maîtrise de moi-même exigea beaucoup de temps. Quelques heures plus tard je lui demandai de m'expliquer mon expérience. Tout en me changeant je lui avais décrit ce que j'avais perçu, mais il écarta ce récit en prétendant qu'il ne contenait absolument rien d'important.

« Quelle histoire! dit-il en se moquant de moi. Tu as vu une lueur, quelle histoire! »

J'insistai, j'avais absolument besoin de savoir. Il se leva et dit qu'il devait sortir. Il était environ cinq heures de l'après-midi.

Le jour suivant je revins à la rescousse.

« Don Juan, *voir*, qu'est-ce donc? »

Il garde le silence, souriant mystérieusement pendant que je l'assaillais de questions.

« Disons que *voir* est quelque chose comme ceci, finit-il par me dire. Tu regardais mon visage et tu le vis s'illuminer, mais il demeurait mon visage. Il se trouve que la petite fumée permet de regarder de cette façon-là. Rien de particulier.

– Mais en quoi *voir* diffère-t-il de cela?

– Lorsque tu *vois*, il n'y a plus aucune image familière dans le monde. Tout est nouveau. Rien n'a jamais été auparavant. Le monde est incroyable.

– Pourquoi dites-vous incroyable? Qu'est-ce qui le rend incroyable?

– Rien n'y est plus familier. Tout ce que tu regardes fixement s'anéantit! Hier, tu n'as pas *vu*. Tu as fixé mon visage et, parce que tu m'aimes, tu as remarqué mon rayonnement. A l'inverse du monstrueux gardien, j'étais magnifique et intéressant. Mais tu ne m'as pas *vu*. Devant toi je ne me suis pas anéanti. Cependant ton comportement a été excellent, tu as fait le premier pas pour *voir*. Un seul inconvénient, tu t'es concentré sur moi, et dans une telle situation je ne constitue pas pour toi une meilleure chose que le gardien. Dans les deux cas tu as succombé, et tu n'as pas *vu*.

– Les choses disparaissent-elles? Comment s'anéantissent-elles?

– Les choses ne disparaissent pas. Elles ne s'évanouissent pas si c'est cela que tu veux savoir. Simplement elles deviennent rien, et cependant elles sont toujours là.

– Don Juan, comment cela peut-il être possible?

– Tu ne pourras donc jamais cesser de parler! s'exclama-t-il avec une expression très sérieuse. Je crois que nous n'avons pas pêché la bonne promesse. Peut-être avais-tu vraiment promis de ne jamais, au grand jamais, cesser de parler. »

Le ton de sa voix ne prêtait pas à la plaisanterie et son visage reflétait une certaine préoccupation. Je n'osai pas rire, cette fois-ci don Juan était sérieux. Mais il ne l'était pas, il éclata de rire. Je lui confiai que si je ne parlais pas je m'énervais.

« Alors, allons nous promener », dit-il.

Il me conduisit au débouché d'un canyon, au pied des collines à environ une heure de marche de chez lui. Là nous fîmes une courte pause, puis, il me guida au travers de l'épaisse broussaille du désert vers un point d'eau, en fait à l'endroit qu'il déclara être un point d'eau car il était aussi sec que n'importe quel autre endroit aux alentours.

« Assieds-toi au milieu du creux », m'ordonna-t-il.

J'obéis.

Je le vis préparer une place contre les rochers au pied de la pente, à environ vingt mètres de moi.

De là, me dit-il, il allait m'observer. J'étais assis les genoux contre la poitrine, mais il me demanda de m'asseoir sur ma jambe gauche repliée et de garder la droite en avant, le genou en l'air et le talon au sol. Mon bras droit devait être allongé sur le côté, le poing fermé reposant au sol et mon bras gauche croisant ma poitrine. Je devais lui faire face, détendu mais non « relâché », précisa-t-il. Puis il sortit de sa pochette une ficelle blanche qui paraissait former une grande boucle. Il la passa autour de son cou et la tira jusqu'à ce qu'elle soit bien tendue. De sa main droite il la pinça, elle émit une vibration sourde.

Il relâcha la tension, me regarda et me dit que lorsqu'il jouerait de sa corde si je sentais quelque chose s'approcher de moi, je devrais hurler un mot particulier.

Je voulus savoir ce qui allait se précipiter sur moi. Il me fit taire. D'un signe de la main il m'indiqua qu'il commençait. Il n'en fit rien. Il me donna une dernière instruction : si quelque chose se jetait sur moi, il fallait que j'adopte la forme de combat qu'il m'avait apprise il y a des années[1], une sorte de danse qui consistait à taper le sol avec le pied gauche pendant que de la main je frappais vigoureusement ma cuisse droite. Cette forme de combat était une des techniques à n'utiliser qu'en cas d'extrême danger.

Cette dernière recommandation me troubla et suscita une vive appréhension. J'allais lui demander la raison de notre présence en ce lieu, mais il commença à pincer la corde. Tout d'abord à plusieurs reprises avec des intervalles d'environ vingt secondes et tout en tendant de plus en plus la corde. Je pouvais voir sa nuque et son bras vibrer sous l'effort. Le son devint plus clair. Je pus me rendre compte qu'à chaque pincement de corde il poussait un petit cri particulier. La combinaison des deux sons produisait une réverbération sonore étrange et surnaturelle.

Je ne sentais rien venir, mais la vision de don Juan en

1. Cf. *op. cit.*, chap. XI.

plein effort ainsi que le son mystérieux qu'il créait me conduisirent presque à un état de transe.

Pendant qu'il jouait il me tournait le dos, faisant face, comme moi, au sud-est. Il relâcha la tension sur la corde, se retourna, et me dévisagea.

« Ne me regarde pas lorsque je joue, et surtout ne ferme pas les yeux. Ne les ferme pour rien au monde. Regarde par terre devant toi et écoute. »

Il recommença à jouer. Les yeux rivés au sol je me concentrais sur le son qu'il créait, car jamais je n'avais entendu un tel son.

La frayeur me surprit. La mystérieuse réverbération sonore remplissait l'étroit canyon qui renvoyait un écho. Plus exactement, le son créé par don Juan me revenait en écho de toutes les parois du canyon. Il dut s'en rendre compte car il augmenta la tension sur la corde, et bien que le son fût devenu plus aigu l'écho subsista pour, en apparence, se concentrer en un seul point, vers le sud-est.

Graduellement don Juan relâcha la tension jusqu'à revenir à la vibration du départ. Il replaça la corde dans sa pochette puis s'avança vers moi. Il m'aida à me relever. Les muscles de mes jambes et de mes bras étaient crispés, durs comme des cailloux. Je ruisselais de sueur. Jusqu'à ce moment-là mon état physique ne m'avait pas été perceptible, mais maintenant les gouttes de sueur me brûlaient les yeux.

En fait pour m'arracher de l'endroit don Juan dut me traîner. Je voulus dire quelque chose, mais il ne m'en laissa pas le temps et plaqua sa main sur ma bouche.

Au lieu de revenir par le même chemin, il fit un détour. Nous montâmes le flanc de la montagne pour ensuite redescendre dans les collines très loin du canyon. Nous gardâmes le silence jusqu'à chez lui.

La nuit tomba avant notre arrivée. Une fois, je tentai de lui parler, mais aussitôt il mit sa main sur ma bouche.

Nous ne mangeâmes pas. Sans allumer la lampe à pétrole don Juan m'indiqua du menton ma natte qu'il avait placée dans sa chambre. Je compris qu'il voulait que je m'allonge et dorme.

« Je sais ce qu'il faut que tu fasses, dit-il aussitôt que j'ouvris l'œil le matin suivant. Tu vas partir aujourd'hui. Il n'y a pas de temps à perdre, vois-tu. »

Un long silence suivit. Très mal à l'aise je me sentis poussé à le questionner.

« Que m'avez-vous fait faire, hier, dans le canyon? »

Il pouffa comme un gamin.

« J'ai simplement capté l'esprit de ce point d'eau. Ce genre d'esprit doit être capté lorsque le point est asséché, lorsqu'il s'est retiré dans les montagnes. Disons qu'hier je l'ai sorti de son sommeil. Mais cela ne le dérangea pas le moins du monde, et il montra ta direction bénéfique. Sa voix vint de cette direction. » Et il pointa vers le sud-est.

« Quelle est cette corde avec laquelle vous avez fait ce son? »

— Un capteur d'esprit.

— Puis-je le voir?

— Non. Mais je t'en ferai un. Mieux encore tu en feras un, un jour, pour ton usage personnel, lorsque tu apprendras à *voir*.

— En quoi est-il fait?

— Le mien est un sanglier. Lorsque tu en auras un, tu te rendras compte qu'il est en vie et qu'il peut t'enseigner les divers sons qu'il affectionne. Avec beaucoup de pratique tu arriveras à tellement bien connaître ton capteur d'esprit qu'ensemble vous pourrez créer des sons chargés de puissance.

— Pourquoi m'avoir conduit à la recherche de l'esprit du point d'eau?

— Tu le sauras très bientôt. »

Vers onze heures et demie nous allâmes nous asseoir sous la *ramada*, et il prépara sa pipe.

Il m'indiqua de me relever quand mon corps serait presque insensible, et je le fis très facilement. Il m'aida à marcher. Ma maîtrise me surprit, et par deux fois je fis le tour de la *ramada* sans qu'il eût à me soutenir. Il m'accompagnait, mais il me laissa entièrement libre. Puis il me prit par le bras et me guida jusqu'au canal d'irrigation. Je m'assis. Il m'ordonna de fixer du regard le courant d'eau et de ne penser à rien d'autre.

J'essayais, mais les mouvements de l'eau étaient distrayants. Mes yeux et mes pensées vagabondaient sur toutes les autres choses existant aux alentours. Don Juan secoua ma tête de haut en bas et me commanda de fixer l'eau du regard et de ne penser à rien du tout. Il précisa qu'il savait qu'il était difficile de fixer l'eau du regard, mais que je devais m'effocer d'obtenir ce résultat. Trois fois quelque chose d'autre retint mon attention, et chaque fois don Juan secoua ma tête sans toutefois manifester la moindre impatience. Enfin, je pus me rendre compte que mes pensées et mes yeux se concentraient sur l'eau, et que malgré ses mouvements je sombrais dans la vision de sa fluidité. Elle se transforma légèrement, devint plus épaisse et uniformément colorée d'un gris verdâtre. Je remarquai facilement les rides qu'elle faisait en s'écoulant, des rides extrêmement accusées. Et soudain j'eus l'impression que je ne regardais pas une masse d'eau mouvante mais une photographie d'eau. J'avais devant mes yeux un morceau d'eau figée dans son mouvement. Les rides restaient immobiles et je pouvais examiner chacune d'entre elles. Puis une verte phosphorescence les envahit et une sorte de brouillard vert s'en dégagea. Il se répandit en rides, et pendant son mouvement sa coloration devint de plus en plus brillante jusqu'à se transformer en une radiance verte éblouissante qui recouvrit tout.

J'ignore combien de temps je passai au bord du canal.

Don Juan n'intervint pas, immergé dans la lueur verte du brouillard je pouvais néanmoins le sentir tout autour de moi. Il avait un effet sédatif. Je n'éprouvais ni pensées ni sensations, je n'avais plus qu'une conscience parfaitement tranquille, la conscience d'une verdeur brillante et sereine.

La sensation suivante fut un très grand froid et une humidité envahissante. Peu à peu je réalisais que j'étais dans le canal. A un moment donné l'eau pénétra dans mes narines et me fit tousser. Une irritation très désagréable persista dans mon nez. A plusieurs reprises j'éternuai. Je me redressai, et je fus secoué par un tel éternuement que je fis aussi un pet. Don Juan applaudit et éclata de rire.

« Lorsqu'un bonhomme pète, c'est qu'il est en vie », dit-il.

Il me fit signe de le suivre et nous rentrâmes chez lui.

J'avais l'intention de ne rien dire, car d'une certaine façon je m'attendais à être d'humeur morose et renfermée, mais rapidement je ne me sentis ni fatigué ni mélancolique. Au contraire une fois changé, j'éclatais de rire et je me mis à siffler. Don Juan me dévisagea avec une expression de surprise, il ouvrit sa bouche et ses yeux d'une façon telle que cela me fit rire plus que de raison.

« Tu te fissures », dit-il et il éclata d'un rire communicatif.

Je déclarai que je ne voulais plus sombrer dans une humeur maussade après avoir fumé. Quand j'ai essayé de rencontrer le gardien, lui rappelai-je, au moment où il m'avait sorti du canal j'avais été convaincu que je pouvais « voir » en fixant les choses pendant assez longtemps.

« Voir n'a rien à faire avec regarder et rester silencieux, dit-il. *Voir* est une technique qu'il faut apprendre. Peut-être est-ce aussi une technique que certains d'entre nous connaissent déjà. »

Il me scruta du regard comme pour insinuer que j'étais peut-être un de ceux qui connaissaient déjà la technique.

« Te sens-tu capable de marcher? »

Je me sentais fort; je n'avais pas faim bien que je n'eusse rien mangé de toute la journée. Je répondis par l'affirmative. Il fourra quelques morceaux de viande séchée et du pain dans un sac à dos qu'il me tendit en me faisant un signe de tête pour m'indiquer de le suivre.

« Où allons-nous? »

D'un léger mouvement du menton il montra les collines. Nous marchâmes vers le canyon du point d'eau, mais sans y pénétrer don Juan s'éleva sur les rochers juste à droite de son débouché. Nous continuâmes à grimper. Le soleil touchait l'horizon. La journée avait été tempérée, cependant je me sentais suffoqué et bouillant et je respirais difficilement.

Don Juan qui toujours me devançait devait s'arrêter pour m'attendre. Il déclara que vu mon état physique lamentable il serait sans doute préférable de ne pas continuer. Nous fîmes une halte d'une heure. Puis il choisit un bloc de roche arrondi et lisse, et me dit de m'y allonger. Il plaça mon corps et m'indiqua de laisser mes bras et mes jambes pendre le long du rocher. J'avais le dos légèrement arqué et mon cou relâché de façon que ma tête pende librement en arrière. Pendant un quart d'heure il me laissa dans cette position, puis il me demanda de découvrir mon ventre. Il y amoncela des branches et des feuilles qu'il choisit attentivement. Immédiatement une chaleur se répandit dans tout mon corps. Il saisit mes pieds et me tourna jusqu'à ce que ma tête soit dirigée vers le sud-est.

« Maintenant je vais appeler l'esprit du point d'eau », dit-il.

Je voulus tourner la tête plus en arrière pour le regarder, mais il la maintint en place en empoignant mes cheveux. Il déclara que j'étais dans une position excessivement vulnérable, dans un état de fatigue physique extrême, et que je devais rester tranquille et immobile. Il précisa qu'il avait placé ces branches sur mon ventre pour me protéger, et qu'il allait rester auprès de moi au cas où j'aurais besoin d'aide.

Il était debout près de ma tête et en roulant les yeux je pouvais l'apercevoir. Il saisit sa corde, la tendit, puis se rendit compte que je l'observais. De la jointure de son poing il cogna le sommet de mon crâne, et me commanda d'observer le ciel, de ne jamais fermer les yeux, et de me concentrer sur le son. Il ajouta, après une pause et comme s'il s'agissait d'une pensée qui lui était venue en tête au dernier moment, que si je sentais quelque chose venir vers moi je ne devrais pas hésiter à hurler le mot qu'il m'avait appris.

Don Juan et son « capteur d'esprit » commencèrent par une vibration très basse. La tension de la corde augmenta graduellement et je ne tardai pas à percevoir tout d'abord une sorte de réverbération sonore qui devint un écho bien net venu du sud-est. La tension augmentait toujours. Don Juan et son « capteur d'esprit » étaient en parfait accord. La corde produisait une note basse que don Juan amplifiait jusqu'à ce qu'elle se transforme en une plainte perçante, un appel hurlant. Le point culminant fut un inconcevable cri mystérieux, tout au moins au niveau de mon expérience.

Le son se répercutait sur la montagne et revenait en écho. Je me disais qu'il venait droit vers moi. J'eus l'impression qu'il n'était pas étranger à la température de mon corps. En effet avant que don Juan n'entame sa série d'appels je m'étais senti à l'aise, chaud, mais à leur point le plus aigu j'étais parcouru de frissons et mes dents claquaient. J'eus vraiment l'impression de quelque chose venant sur moi. Je m'aperçus qu'au-dessus le ciel était devenu très noir, un changement dont je ne m'étais absolument pas rendu compte auparavant. Saisi par une panique incontrôlable je hurlai le mot que don Juan m'avait appris.

Immédiatement don Juan diminua la tension de ses appels mystérieux, mais cela ne changea en rien mes sensations.

« Couvre tes oreilles », murmura-t-il d'un ton péremptoire.

Je les couvris de mes mains. Quelques minutes plus tard don Juan cessa ses appels. Il vint à mes côtés, ôta soigneusement les branches et les feuilles placées sur mon ventre, m'aida à me relever, les replaça à l'endroit où j'avais été allongé, puis y mit le feu. Pendant qu'elles brûlaient il me frictionna l'estomac avec des feuilles qu'il sortit de sa pochette.

J'allais lui dire que j'avais un terrible mal de tête, mais il plaqua sa main sur ma bouche.

Nous attendîmes que toutes les branches et les feuilles soient carbonisées. Il faisait presque nuit lorsque nous descendîmes le flanc de la colline. Je fus pris de vomissements.

Pendant que nous longions le canal d'irrigation don Juan déclara que j'en avais assez fait, et que je ne devais pas rester plus longtemps. Je lui demandai de m'expliquer ce qu'était l'esprit du point d'eau, mais il me fit signe de me taire. Il dit que nous en parlerions une autre fois. Puis volontairement il changea de sujet et se lança dans une longue explication sur la faculté de « voir ». Je mentionnai mon désappointement car chaque fois qu'il en parlait je ne pouvais pas prendre de notes. Cela l'amusa et il précisa que la plupart du temps je ne faisais pas assez attention à ce qu'il me disait parce que je désirais tant tout prendre en notes.

Il définit « voir » comme un processus entièrement indépendant des alliés et des techniques de sorcellerie. Un sorcier était quelqu'un capable de commander un allié, donc susceptible de manipuler le pouvoir de cet allié à son avantage. Mais commander un allié ne signifiait en aucun cas que le sorcier soit capable de « voir ». Je lui rappelai qu'il m'avait dit qu'il était impossible de « voir » à moins d'avoir un allié. Imperturbable, il me répondit qu'il était arrivé à la conclusion qu'on pouvait « voir » et cependant ne pas avoir le commandement d'un allié. D'ailleurs il n'y avait là aucune contradiction puisque « voir » n'avait rien de commun avec les techniques manipulatoires de la sorcellerie. Ces dernières servaient uniquement à agir sur les hommes alors que les techniques pour « voir » n'avaient aucun effet sur nos semblables.

J'éprouvais une grande clarté d'esprit. Ma fatigue s'était dissipée ainsi que mes étourdissements et mes nausées. Par contre une faim intense me tenaillait, et aussitôt arrivé chez don Juan je me mis à dévorer.

Le dîner terminé je lui demandai de me parler à nouveau des techniques pour « voir ». Il eut un large sourire, puis déclara que mon naturel revenait au galop.

« Don Juan, comment se fait-il que les techniques pour *voir* n'aient aucun effet sur les hommes?

– Je te l'ai déjà dit, *voir* n'est pas la sorcellerie. Cependant il est facile de les confondre, car celui qui *voit* peut en un rien de temps apprendre à manipuler un allié, et ainsi devenir un sorcier. Par ailleurs un homme peut apprendre certaines techniques pour arriver à commander un allié, donc devenir sorcier, et malgré tout ne jamais pouvoir apprendre à *voir*.

« En outre *voir* s'oppose à la sorcellerie. *Voir* permet de se rendre compte de la futilité de tout cela.

– La futilité de quoi, don Juan?

– La futilité de tout. »

Nous restâmes silencieux. Je me sentais détendu, je n'avais plus envie de parler. Je m'étais allongé sur le dos avec pour oreiller mon blouson. J'étais heureux, très à l'aise, et pendant des heures je remplis mes carnets de notes à la lumière de la lampe à pétrole.

Brusquement don Juan parla.

« Aujourd'hui tu t'es bien comporté. Près de l'eau tu as bien agi. L'esprit du point d'eau t'a en estime, et il t'a aidé jusqu'au bout. »

C'est alors seulement que je me rendis compte que j'avais oublié de lui récapituler mon expérience, et je commençai à lui raconter comment j'avais vu l'eau. Mais il m'arrêta en me disant qu'il savait que j'avais vu un brouillard vert.

« Don Juan, comment savez-vous cela?

– Je t'ai *vu*.

– Qu'ai-je donc fait?

– Rien, tu étais là, assis, fixant l'eau, et enfin tu as perçu le brouillard vert.

– Etait-ce *voir*?

– Non, mais presque. Tu en approches. »

Je m'énervais. Je désirais en savoir plus. Il éclata de rire et se moqua de mon impatience. Il déclara que n'importe qui pouvait voir le brouillard vert, car comme dans le cas du gardien, il s'agissait de quelque chose qui nécessairement se trouvait là. Le percevoir n'était rien de particulièrement remarquable.

« Lorsque j'ai dit que tu t'étais bien comporté, j'ai voulu exprimer que tu n'avais pas eu la trouille, comme tu l'as eue face au gardien. Si tu t'étais agité, j'aurais été obligé de te secouer la tête et de te ramener. Chaque fois qu'un homme va dans le brouillard vert il faut que son benefactor reste avec lui au cas où le brouillard commencerait à l'emprisonner. Avec le gardien tu peux t'échapper par toi-même, mais seul on n'échappe jamais à l'emprise du brouillard vert. Tout au moins pas au début. Plus tard tu apprendras peut-être un moyen de t'échapper par toi-même. Mais pour l'instant nous cherchons quelque chose d'autre.

— Quoi donc?

— Savoir si tu peux *voir* l'eau.

— Comment pourrai-je savoir que je l'ai *vue*, ou que je suis en train de la *voir*?

— Tu sauras cela. En toi, la confusion n'existe que lorsque tu parles. »

12

La rédaction de mes notes me conduisit à une série de questions et le 8 août 1969, aussitôt que nous fûmes assis sour la *ramada*, je demandai à don Juan :

« Le brouillard vert, est-ce quelque chose qu'il est nécessaire de dominer, comme c'était le cas avec le gardien?

– Oui. On doit tout dominer.

– Comment en venir à bout?

– A la manière dont tu aurais dû vaincre le gardien, en le laissant changer en rien.

– Que dois-je donc faire?

– Rien. Pour toi, le brouillard vert est quelque chose de beaucoup plus facile que le gardien. L'esprit du point d'eau t'apprécie alors que ta nature ne te conduisait absolument pas à avoir affaire au gardien. D'ailleurs tu n'as jamais réellement *vu* le gardien.

– Peut-être était-ce parce que je ne l'aimais pas. Que se passerait-il si je rencontrais un gardien que j'aime? Il doit y avoir des gens qui considèrent le gardien que j'ai vu comme quelque chose de magnifique. Le domine-raient-ils parce qu'ils l'aiment?

– Non! Tu n'y comprends toujours rien. Aimer ou ne pas aimer le gardien n'influence rien. Pour aussi long-temps que tu exprimes quelque sentiment envers le gardien il demeure identique, monstrueux ou magnifi-que, comme tu voudras. Si tu n'as aucun sentiment pour lui, alors il deviendra rien bien qu'il soit toujours devant toi. »

L'idée que le gardien, une chose colossale, puisse devenir rien et toujours être présent à mes yeux, me parut absurde. J'eus l'impression qu'il s'agissait d'une des prémisses illogiques propres à la connaissance de don Juan. Néanmoins je pensais que s'il avait vraiment désiré me l'expliquer il pourrait le faire. Par conséquent j'insistais dans cette direction.

« Tu pensais que le gardien était quelque chose dont tu avais déjà pris connaissance, voilà ce que j'ai voulu dire, reprit don Juan.

— Mais ça n'est pas vrai!

— Tu pensais qu'il était laid, qu'il avait une taille effrayante, qu'il était un monstre. Tu sais ce que toutes ces choses sont. Donc, pour toi, le gardien restera toujours quelque chose que tu connaissais, et pour aussi longtemps qu'il constituait quelque chose de connu, tu n'avais aucune chance de le *voir*. Je te l'ai déjà dit, le gardien doit devenir rien, et cependant être là, debout devant toi. Il fallait qu'il soit là, et en même temps qu'il soit rien.

— Mais c'est impossible, don Juan, c'est absurde.

— Bien sûr. Mais *voir*, c'est cela. On ne peut absolument pas en parler. *Voir*, ainsi que je te l'ai dit, s'apprend en *voyant*.

— Il semble qu'avec l'eau tu n'as aucun problème. L'autre jour tu l'as presque *vue*. L'eau est pour toi la " charnière ". Maintenant, tu dois perfectionner ta technique pour *voir*, c'est tout. L'esprit du point d'eau est pour toi un assistant puissant [1].

— Don Juan, voici encore autre chose qui me brûle la langue.

— Tu peux poser toutes les questions brûlantes que tu

---

1. Le concept d'assistant, assez particulier dans le cadre de la connaissance de don Juan, est défini in *op. cit.*, chap. XI.

voudras, mais ici nous ne pouvons pas parler de l'esprit du point d'eau. En fait, il vaut mieux ne même pas y penser. Sinon l'esprit te capturera, et dans ce cas aucun homme ne pourra t'aider. Donc tais-toi et pense à autre chose. »

Le jour suivant, vers dix heures du matin, don Juan sortit sa pipe de l'étui, la bourra et me la tendit en me disant d'aller au bord du canal d'irrigation. Tout en tenant la pipe à deux mains je parvins à déboutonner ma chemise pour l'y glisser dessous[1]. Don Juan apporta deux nattes et un petit plateau de braises. Il faisait très chaud. Nous nous assîmes sur les nattes juste au bord du courant d'eau, à l'ombre d'un bouquet d'arbres, des *breas*. Don Juan plaça une braise dans le fourneau de la pipe et m'ordonna de fumer. Je n'éprouvai aucune anxiété, et même pas de sensation d'exaltation. Pendant ma seconde tentative de « voir » le gardien, après que don Juan m'en eut expliqué la nature, je me souvenais d'avoir eu une particulière sensation d'étonnement et de frayeur. Cependant cette fois-ci, bien que don Juan m'eût prévenu de la possibilité de « voir » l'eau, je n'avais pas de réaction émotionnelle. J'étais simplement curieux.

Don Juan me fit fumer deux fois plus de mélange qu'au cours des expériences précédentes. A un moment donné il se pencha vers moi et me chuchota qu'il allait m'apprendre à me servir de l'eau pour me déplacer. Je sentis son visage très proche, comme s'il avait placé sa bouche contre mon oreille. Il me précisa de ne pas fixer l'eau du regard mais de concentrer mes yeux à sa surface, sans bouger, jusqu'à ce qu'elle se transforme en brouillard vert. Maintes et maintes fois, il répéta qu'il

1. Ce soin, en apparence inutile, de la pipe, s'explique lorsque le rituel s'y attachant est connu. Cf. *op. cit.*, chap. III.

me fallait porter toute mon attention sur le brouillard jusqu'à ce que je ne perçoive plus rien d'autre.

« Regarde l'eau devant toi, l'entendis-je dire, mais ne laisse pas sa musique t'emporter ailleurs. Si tu laisses le bruit de l'eau t'emporter, il se pourrait bien que je ne puisse plus te retrouver pour te ramener. Maintenant, rentre dans le brouillard vert et écoute ma voix. »

Je l'entendais et le comprenais d'une façon extraordinairement claire. Je regardais fixement l'eau et j'éprouvais une sensation particulière de plaisir physique, une démangeaison, un bonheur indéfini. Pendant longtemps j'attendis. Je ne vis pas le brouillard vert. Je sentis mes yeux se brouiller et je m'efforçai de continuer à fixer la surface de l'eau, mais survint le moment où je perdis le contrôle de mes yeux. Je dus les avoir fermés, ou alors je clignotais, ou peut-être je perdis simplement mon pouvoir de concentration, mais c'est à ce moment précis que l'eau se figea. Elle cessa de bouger. Elle ressemblait à un tableau. Les rides restaient immobiles. Puis elle commença à faire des bulles qui explosaient comme si elles étaient gazeuses. Pendant un court instant je perçus cette ébullition telle l'expansion lente d'une matière verte. Il y eut comme une explosion silencieuse, l'eau explosa en une brillante bruine verte qui se répandit et m'enveloppa.

Je restais suspendu dans ce brouillard jusqu'à ce qu'un bruit strident, soutenu et très perçant, fasse tout trembler. Le brouillard parut se condenser en reprenant l'habituelle apparence de la surface de l'eau. Le bruit strident n'était rien d'autre que don Juan hurlant dans mon oreille « hééééé! ». Puis il me dit de bien l'écouter, de revenir dans le brouillard et d'attendre jusqu'à ce qu'il m'appelle à nouveau. Je répondis en américain « O.K. » et j'entendis le bruit caquetant de son rire.

« Je t'en prie, ne parle pas. Laisse tomber les " O.K. ". »

Je l'entendis très clairement, le son de sa voix était mélodieux et surtout très amical. Je savais cela sans avoir à y penser, il s'agissait d'une conviction qui me frappait, puis s'évanouissait.

Don Juan m'ordonna de me concentrer sur le brouillard mais de ne pas me laisser aller. A plusieurs reprises il répéta qu'un guerrier ne se laissait jamais aller à quoi que ce soit, même pas à sa mort. A nouveau je fus absorbé dans la verte bruine, car c'est alors que je constatai qu'il ne s'agissait pas d'un brouillard, c'est-à-dire que cela ne ressemblait pas à ce que je concevais comme étant du brouillard. Le phénomène se composait d'une multitude de très petites bulles, d'objets ronds qui passaient dans mon champ de « vision » et s'en allaient comme en flottant. Pendant un moment j'observai leur mouvement, mais un son bruyant et lointain secoua mon attention. Je perdis ma concentration, je ne pouvais plus voir les petites bulles. J'avais seulement conscience d'une lueur bruineuse amorphe et verte. Une fois de plus j'entendis le son bruyant, et le choc qu'il provoqua fit instantanément disparaître le brouillard. Je me retrouvai en train de regarder l'eau du canal d'irrigation. Puis, cette fois-ci bien plus proche, le son reprit. C'était la voix de don Juan. Il me commanda de bien faire attention à ce qu'il disait, car sa voix allait constituer mon seul guide. Il m'ordonna de regarder la rive et la végétation juste devant moi. Je vis quelques roseaux et un espace sans roseaux. Il s'agissait d'une échancrure dans la rive, de l'endroit où don Juan enjambait le canal pour plonger son seau et le remplir. Un peu plus tard il m'ordonna de revenir dans le brouillard tout en restant attentif à sa voix car il allait me guider pour que j'apprenne comment me déplacer. Il précisa que lorsque j'aurai aperçu les bulles je devrais monter l'une d'elles et me laisser emporter.

J'obéis. Je fus entouré du brouillard, vis à nouveau les petites bulles. La voix de don Juan me parvint tel un grondement très étrange et assez effrayant. A cet instant même je commençais à perdre ma perception des bulles.

« Monte sur une de ces bulles », l'entendis-je dire.

Je m'efforçais de maintenir ma perception des bulles vertes tout en restant à l'écoute de sa voix. J'ignore le temps que dura cette épreuve, mais tout à coup je me rendis compte qu'il m'était possible de l'entendre tout en conservant les bulles en vue. Elles continuaient à passer, flottant lentement au travers de mon champ de perception. La voix de don Juan me pressait d'en suivre une et de la chevaucher.

Je me demandai comment faire et automatiquement je dis : « Comment! » J'eus la sensation d'un mot qui, profondément ancré en moi, en jaillissant m'emportait à la surface. Le mot était comme une bouée libérée de mes profondeurs et faisant brusquement surface. Je m'entendis dire : « How! » – « Comment! » en américain – et cela ressemblait au hurlement d'un chien. Don Juan imita mon hurlement, puis celui des coyotes, et il s'esclaffa. Moi aussi je pensais cet effet amusant et je me mis à rire.

Très calmement don Juan me dit de me laisser engluer à une bulle simplement en la suivant.

« Retourne dans le brouillard. Retourne dans le brouillard! Dans le brouillard! »

J'y revins. Je m'aperçus que le mouvement des bulles s'était ralenti et qu'elles avaient maintenant la taille d'un ballon de basket. D'ailleurs elles étaient si lentes et si grandes que je pouvais examiner chacune d'elles dans le moindre détail. Ce n'étaient pas des bulles. Elles n'avaient rien de commun avec des bulles de savon, ou un ballon, ou un récipient sphérique. Elles n'étaient pas des récipients, et cependant elles étaient contenues. Elles n'étaient pas sphériques, bien que j'eusse pu jurer qu'elles l'étaient la première fois, et alors j'avais pensé au mot « bulles ». Comme au travers d'une vitre je les

225

regardais passer, c'est-à-dire comme si un encadrement de fenêtre avait existé pour m'interdire de les suivre dans leur déplacement et m'avait seulement permis de les voir entrer, passer, et sortir de mon champ de perception.

Dès l'instant où je cessai de les considérer comme des bulles, je fus capable de les suivre, et alors je me collai à l'une d'entre elles et flottai en sa compagnie. J'eus vraiment l'impression de me déplacer. En fait j'*étais* la bulle, ou plutôt cette chose qui avait ressemblé à une bulle.

Brusquement j'entendis le son strident de la voix de don Juan. Ce son me secoua et je perdis la sensation d'*être* une bulle. Ce fut un son extrêmement effrayant, comme si une voix métallique très lointaine me parvenait amplifiée par un haut-parleur. J'arrivai à déterminer quelques-uns des mots.

« Regarde les rives », me sembla-t-il entendre.

Je vis un grand courant d'eau. Un torrent. Je pouvais même en entendre le grondement.

« Regarde les rives », m'ordonna à nouveau don Juan.

Je vis un mur de béton.

Le bruit de l'eau s'amplifia énormément et il me submergea. Sur-le-champ il cessa. J'éprouvais une sensation de noirceur, de sommeil.

Je me rendis compte que j'étais submergé dans le canal d'irrigation. Tout en chantonnant, don Juan aspergeait mon visage. Puis il m'enfonça dans l'eau. Il tira ma tête à l'air libre et fit reposer mon corps sur le bord du canal tout en me retenant par le col de ma chemise. Une sensation plaisante parcourait mes bras et mes jambes. Je les étirai. Mes yeux fatigués picotaient et je levai ma main droite pour les frotter. Le mouvement fut très pénible, mon bras semblait de plomb et j'arrivais difficilement à l'extraire de l'eau. Lorsque enfin il en sortit, je le vis couvert d'une étonnante masse de bruine verte.

Je le levai à hauteur de mes yeux. Les contours apparaissaient comme une masse verte plus foncée entourée d'une lueur verte intense. En un éclair je me relevai, et debout au milieu du courant je regardai mon corps. Ma poitrine, mes bras et mes jambes étaient verts, colorés d'un vert très foncé. La lueur verte les environnant était tellement intense que j'eus l'impression d'une substance visqueuse. Je ressemblais à la figurine que, quelques années auparavant, don Juan avait faite dans une racine de *datura* avant de me la confier[1].

Don Juan me pressa de sortir du canal.

« Je suis vert, lui dis-je.

– Ferme-la! dit-il, tu n'as pas de temps à perdre. Sors de là. L'eau est en train de te piéger! Sors! Sors! »

La panique s'empara de moi, je sautai sur la rive.

« Cette fois-ci tu dois me raconter tout ce qui s'est passé », déclara-t-il dès que nous fûmes assis dans sa chambre.

La séquence des scènes de mon expérience ne l'intéressa pas, et la seule chose qu'il voulut savoir c'est ce que j'avais vu lorsqu'il m'avait demandé de regarder la rive. Il désirait une description détaillée du mur de béton.

« Ce mur, était-il à ta gauche ou à ta droite? »

Je lui répondis qu'il était devant moi, mais il insista. Ce mur devait avoir été à gauche ou à droite.

« La première fois que tu le vis, où était-il? Ferme tes yeux et ne les rouvre que lorsque tu te souviendras. »

Il se leva, et tourna mon corps jusqu'à ce que je fisse face à l'est, ma position au bord du canal. Il me demanda dans quelle direction je m'étais déplacé.

Je répondis que j'étais allé en avant, droit devant moi.

1. La confection de cette figurine et son rôle sont expliqués in *op. cit.*, chap. III.

Il insista. Je devais me souvenir du moment où je vis l'eau passer sous forme de bulles.

« Dans quel sens allaient-elles? »

Don Juan me pressa, et enfin je dus admettre qu'elles semblaient aller vers la droite, sans toutefois en être aussi certain qu'il le désirait. Soumis à cet examen, je me rendis compte que j'étais incapable de mettre de l'ordre dans mes perceptions. La première fois que je vis les bulles, elles se dirigeaient vers la droite, mais en devenant de plus en plus grosses elles s'écoulaient dans toutes les directions. Il y en avait qui semblaient venir directement sur moi, d'autres de n'importe quelle direction; il y en avait qui passaient au-dessus, d'autres au-dessous. Elles étaient tout autour de moi. Je me souvins d'avoir entendu leur pétillement, par conséquent j'avais dû les percevoir avec mes oreilles aussi bien qu'avec mes yeux.

Lorsque les bulles devinrent assez grandes pour que je puisse en « monter » une, je les « vis » frotter l'une contre l'autre comme des ballons de baudruche gonflés et attachés ensemble.

Cette recherche des détails de ma perception me surexcitait. Cependant elle n'intéressait en aucune manière don Juan. Je lui dis que j'avais vu les bulles pétiller, non pas par une sensation purement auditive ou purement visuelle, mais grâce à quelque chose d'indifférencié et malgré cela avec une clarté de cristal. Je n'avais ni vu ni entendu leur mouvement, je l'avais ressenti. J'étais alors à la fois le son et le mouvement.

Tout en racontant mon expérience, une émotion étrange m'envahit. Je tenais le bras de don Juan, et dans un accès d'extrême agitation je le secouais violemment.

J'avais bien réalisé que les bulles étaient sans limites et néanmoins contenues. Elles changeaient de forme, elles étaient irrégulières et bosselées. Ces bulles fusionnaient et se séparaient à grande vitesse, et cependant leur mouvement n'avait rien de déconcertant. Il était simultanément lent et rapide.

Je me souvins aussi de la qualité de la couleur qu'elles paraissaient avoir, transparentes, très brillantes, presque vertes bien qu'il ne se soit pas agi d'une coloration comparée avec ce que je perçois ordinairement comme une coloration.

« Tu cherches à gagner du temps, déclara don Juan. Ces choses ne sont pas importantes. Tu t'occupes des mauvais éléments. Seule la direction est importante. »

Je me souvenais seulement de m'être déplacé sans points de repères. Mais don Juan déduisit que si les bulles allaient vers ma droite, c'est-à-dire vers le sud, au début de l'expérience, le sud était la direction dont il fallait tenir compte. Une fois de plus il insista fermement sur le besoin de savoir si le mur était à droite ou à gauche. Je fis un effort pour tâcher de m'en souvenir.

Lorsque don Juan « m'appela » et que, pour ainsi dire, je fis surface, le mur devait être à ma gauche. Il était si proche que je pouvais voir les nervures et le relief laissés sur le béton par le coffrage de bois. Ce coffrage avait dû être fait de minces planches de bois, et il avait laissé un dessin très imbriqué. Le mur était très haut, et je ne voyais qu'une extrémité de son faîte qui n'était pas en angle mais en courbe.

Don Juan demeura assis en silence, comme s'il tentait de déchiffrer la signification de mon expérience. Finalement, il annonça que je n'avais pas accompli grand-chose, bien moins qu'il ne l'avait espéré.

« Qu'aurais-je donc dû faire ? »

Il me répondit par une grimace.

« Tu t'es très bien comporté. Aujourd'hui tu as appris qu'un *brujo* se sert de l'eau pour se déplacer.

– Mais, ai-je *vu* ? »

Il me dévisagea en prenant une expression curieuse; il roula ses yeux, puis il me dit qu'il faudrait que j'aille bien des fois dans le brouillard vert avant de pouvoir moi-même répondre à cette question. De façon très subtile il changea le sujet de la conversation en déclarant que je n'avais pas exactement appris comment me déplacer dans l'eau, mais seulement le fait qu'un *brujo* pouvait le faire. Il m'avait demandé de regarder la rive pour que je puisse vérifier mon déplacement.

« Tu as avancé très vite, aussi rapidement qu'un homme qui sait comment se servir de cette technique de déplacement. J'ai eu beaucoup de peine à garder le contact avec toi. »

Je le suppliai de me raconter ce qui depuis le début s'était passé. Il éclata de rire et secoua la tête en signe d'incrédulité.

« Tu insistes toujours pour connaître les choses depuis le début. Mais il n'y a pas de début; le début n'existe que dans tes pensées.

– Je pense que le début fut lorsque assis sur la rive, je fumai.

– Mais avant cela, il a bien fallu que je cherche à savoir que faire de toi. Il faudrait donc que je te raconte ce que je fis et je ne peux pas, parce que cela me conduirait à nouveau à un autre point, et ainsi de suite. Par conséquent, peut-être que si tu ne pensais pas au commencement, les choses deviendraient plus claires pour toi.

– Eh bien, racontez-moi ce qui s'est passé après le moment où je fumais assis sur la rive.

– Je crois que tu m'as déjà raconté cela, dit-il en riant.

– N'y a-t-il là-dedans rien d'important? »

Il haussa les épaules.

« Tu as suivi les instructions à la lettre, et tu n'as eu aucun problème à pénétrer dans le brouillard et à t'en dégager. Puis tu as écouté ma voix et tu es revenu à la surface chaque fois que je t'ai appelé. Cela constituait l'exercice principal. Le reste était très simple. Tu as laissé le brouillard t'emporter, et tu t'es conduit comme si tu savais comment agir. Une fois que tu es allé très loin, je t'ai appelé pour te faire regarder la rive pour que tu saches où tu avais été. Ensuite, je t'ai ramené.

– Don Juan, que voulez-vous dire? Me suis-je réellement déplacé dans l'eau?

– C'est ce que tu as fait. D'ailleurs, tu es allé très loin.

– A quelle distance?

– Si je te le dis, tu ne me croiras pas. »

Je tentai de l'enjôler pour qu'il se décide à me le dire. Mais il abandonna le sujet en disant qu'il devait s'en aller. J'insistai. Je voulais au moins qu'il me donne une indication.

« Je n'aime pas rester dans le noir, don Juan.

– C'est toi-même qui te laisses dans le noir. Pense à ce mur. Assieds-toi sur ta natte et tâche de te souvenir de ce mur dans le moindre de ses détails. Alors peut-être pourras-tu découvrir l'endroit où tu es allé. Tout ce que je sais est que tu es allé très loin, parce que j'ai eu beaucoup de mal à te tirer de là. Si je n'avais pas été à tes côtés, tu aurais pu vagabonder au loin et ne jamais revenir. Dans ce cas-là, il ne serait resté de toi que ton corps sans vie au bord du canal. Ou peut-être serais-tu revenu par toi-même. Avec toi, on ne sait jamais. En jugeant d'après les efforts que j'ai dû mettre en œuvre pour te ramener, disons que tu devais être au... »

Il fit une longue pause tout en me jetant un regard amical.

« J'irai aussi loin que les montagnes du centre du Mexique. J'ignore à quelle distance tu aurais pu aller, aussi loin que Los Angeles, peut-être même aussi loin que le Brésil. »

Don Juan fut de retour le jour suivant, tard dans l'après-midi. Entre-temps j'avais pris note de tous mes souvenirs ayant trait à ma perception. Tout en écrivant, j'en vins à penser que je pourrais tenter une vérification : suivre les rives du canal pour savoir si je découvrais quelque chose qui aurait pu susciter ma vision d'un mur de béton. En effet, j'avais pensé que, vu mon état de stupeur, don Juan aurait bien pu me faire marcher le long du canal et concentrer mon regard sur quelque chose d'existant. Je calculai que dans l'intervalle de temps séparant le moment où je perçus la première fois le brouillard vert et celui où je sortis du canal pour rentrer chez don Juan, nous n'aurions pas pu aller au-delà de quatre kilomètres. J'allais donc suivre le canal pendant six kilomètres dans chaque direction. Il avait de un mètre vingt à un mètre cinquante de large, et nulle part je ne vis la moindre chose qui aurait pu susciter l'image d'un mur de béton.

Dès que don Juan rentra, j'insistai pour lui lire le récit que j'avais rédigé. Il refusa net, me dit de m'asseoir et prit place en face de moi. Il ne souriait pas. A en juger par le regard pénétrant de ses yeux perdus au-dessus de l'horizon, il devait réfléchir profondément.

« Je crois que maintenant tu devrais être conscient du fait que tout est mortellement dangereux, déclara-t-il brusquement d'un ton sévère. L'eau est aussi mortelle que le gardien. Si tu ne fais pas assez attention elle te capturera. Hier, elle y est presque parvenue, mais un homme n'est capturé que lorsqu'il le désire. Et voilà l'ennui qui existe avec toi, tu étais prêt à te laisser aller. »

Je n'avais pas la moindre idée de ce qu'il voulait dire, mais la vigueur de l'attaque me déconcerta, et je lui demandai de s'expliquer. A contrecœur, il mentionna qu'il revenait du canyon et qu'il avait « vu » l'esprit du point d'eau. Maintenant il était persuadé que j'avais bousillé mes chances de « voir » l'eau.

« Quoi ? dis-je, vraiment abasourdi.

– L'esprit est une force, dit-il, et en tant que telle elle ne répond qu'à la fermeté. Tu ne peux pas te complaire en sa présence.

232

– Quand donc ai-je fait montre de complaisance?

– Hier, lorsque tu es devenu vert.

– Il n'y avait là aucune complaisance. J'ai cru qu'il s'agissait d'un moment important, et je vous ai dit ce qui se passait.

– Qui es-tu pour décider ce qui est ou non important? Tu ignores tout des forces que tu captes. L'esprit du point d'eau existe là-bas et il aurait pu t'aider, et en fait il t'a aidé jusqu'au moment où tu as tout bousillé. Maintenant, je ne sais pas ce qu'il adviendra de toi. Tu as succombé à la force de l'esprit du point d'eau. Il peut te capturer n'importe quand.

– Quelle faute ai-je donc commise lorsque je me suis vu tourner au vert?

– Tu t'es laissé aller. Tu as voulu te laisser aller. Voilà la faute. Je t'ai déjà dit et je vais te répéter ceci : dans le monde du *brujo*, tu ne peux survivre que si tu es un guerrier. Un guerrier traite tout avec respect, il ne piétine rien; à moins qu'il n'y soit obligé. Hier, tu n'as pas traité l'eau respectueusement. Habituellement tu te conduis très bien. Cependant hier, tu t'es laissé aller à la mort comme un sacré imbécile. Un guerrier ne se laisse aller à rien, même pas à sa mort. Un guerrier n'est jamais un partenaire bénévole. Un guerrier n'est pas disponible, et si jamais il s'engage dans quelque chose, sois certain qu'il reste parfaitement conscient de ce qu'il fait. »

Je n'avais rien à dire. Don Juan était au bord de la colère et cela me troublait énormément car rarement il avait eu cette attitude envers moi. Je lui confirmai que je n'avais absolument eu aucune intention de mal faire. Après quelques minutes de silence il enleva son chapeau, et dans un sourire me dit qu'il fallait que je m'en aille. Je ne reviendrais chez lui que lorsque j'aurais la certitude d'avoir gagné la maîtrise sur ma tendance à la complaisance. Il précisa que je devais éviter tout contact avec l'eau pendant trois à quatre mois.

« Je ne me crois pas capable de vivre sans prendre de douche. »

Don Juan s'esclaffa, et les larmes roulaient sur ses joues.

« Tu ne peux pas vivre sans prendre une douche! Parfois tu as de telles faiblesses que je crois que tu te moques de moi. Mais ça n'est jamais une plaisanterie. Il y a des moments où tu n'as aucune maîtrise de toi-même et les forces de la vie l'emportent en toute facilité. »

Je protestai, je prétendis qu'il était impossible pour un homme d'être en permanence maître de soi. Il répliqua que rien ne peut échapper à la maîtrise d'un guerrier. J'introduisis alors l'idée de la possibilité d'accidents. Ce qui avait eu lieu au canal pouvait se classer parmi les accidents, puisque je n'avais jamais désiré ni même été conscient de ma conduite inadéquate. Je mentionnai plusieurs personnes qui avaient subi des événements malheureux que l'on pouvait expliquer comme étant des accidents. Par exemple Lucas, un excellent homme, un vieil Indien Yaqui qui avait été sérieusement blessé lorsque le camion qu'il conduisait s'était retourné.

« Il me semble impossible d'éviter les accidents, ajoutai-je. Aucun homme ne peut tout contrôler autour de lui.

– C'est vrai, répondit-il. Mais tout n'est pas un accident inévitable. Lucas n'a pas vécu comme un guerrier. Sinon il aurait su qu'il attendait et ce qu'il attendait. Et il n'aurait jamais conduit ce camion un jour où il était saoul. Il a capoté sur la falaise le long de la route parce qu'il était ivre. Il a mutilé son corps pour rien.

« La vie d'un guerrier est un continuel exercice de stratégie. Mais toi, tu veux découvrir le sens de la vie. Un guerrier n'a que faire du sens des choses. Si Lucas avait vécu comme un guerrier, et il aurait pu comme nous tous avoir cette chance, il aurait établi sa vie stratégiquement. Aussi, même s'il ne pouvait éviter l'accident qui lui a écrasé la poitrine, il aurait en revanche trouvé un moyen de pallier ce handicap, d'en éviter les conséquences ou bien de les combattre. Si Lucas était un guerrier, il ne resterait pas assis dans sa baraque en train de mourir de faim. Jusqu'à la fin il se battrait. »

Je pris don Juan comme exemple, et je lui demandai ce qu'il ferait si à la suite d'un accident il était privé de ses jambes.

« Si je ne pouvais pas éviter cet accident et que je sois privé de mes jambes, répondit-il, je ne serais plus capable d'être un homme, donc j'irais rejoindre ce qui m'attend ailleurs. » Et de sa main il fit un geste pour montrer tout ce qui nous entourait.

Je déclarai qu'il m'avait mal compris, que j'avais voulu montrer qu'il était impossible à chaque individu de prévoir toutes les variables de sa vie de tous les jours.

« Tout ce que je peux te dire, reprit-il, est que le guerrier n'est jamais disponible. Jamais il ne restera sur la route en attendant d'être matraqué. Par conséquent il réduit au minimum les chances de l'imprévisible. Ce que tu désignes par accidents, ce sont la plupart du temps des événements très faciles à éviter, sauf pour les imbéciles qui vivent à la va-vite.

– Il n'est pas possible de vivre en permanence de manière stratégique, répliquai-je. Imaginez que quelqu'un vous attende avec un fusil à longue portée muni d'une lunette de tir. A coup sûr il pourrait vous descendre à cinq cents mètres de distance. Dans ce cas que feriez-vous ? »

Don Juan prit l'air de quelqu'un qui n'en croit pas ses yeux.

« Que feriez-vous ? insistai-je.

– Si quelqu'un m'attendait avec un fusil muni d'une

lunette de tir? dit-il en se moquant ouvertement de moi.

– Si quelqu'un était caché, invisible, vous attendant. Vous n'auriez pas une seule chance de vous en sortir vivant. Vous ne pouvez pas arrêter une balle.

– Non. Je ne peux pas. Mais je ne comprends pas où tu veux en venir.

– Je veux dire que, dans le cas que j'expose, toute votre stratégie ne sert plus à rien.

– Oh! Mais bien sûr qu'elle sert. Si quelqu'un m'attendait avec un fusil à longue portée muni d'une lunette de tir, c'est très simple, je ne viendrais pas. »

13

Ma tentative suivante pour essayer de « voir » eut lieu le 3 septembre 1969. Don Juan me fit fumer deux fois sa pipe. Les premiers effets furent identiques à ceux des expériences antérieures. Je me souviens que lorsque mon corps fut presque insensible il me prit par l'aisselle et me fit déambuler à travers des broussailles qui s'étendent sur des kilomètres autour de sa maison. Je ne peux cependant pas me souvenir ni de ce que nous fîmes ni de la durée de cette marche. A un moment donné, je me retrouvai assis au sommet d'une petite colline, avec don Juan à mon côté gauche assis et serré contre moi. Je ne pouvais pas sentir son contact, mais je pouvais le voir du coin de l'œil. J'avais aussi l'impression qu'il m'avait parlé bien que je ne sache plus ce qu'il avait dit. Cependant, je sentais que je n'ignorais pas cela, malgré le fait de ne plus être capable de l'extraire sous forme claire de ma mémoire. J'avais la sensation que ses mots étaient comme les wagons d'un train qui s'éloigne, son dernier mot étant le fourgon de queue. Je savais quel était ce dernier mot, mais je n'aurais pu ni le dire ni le penser clairement. J'étais dans un état de demi-éveil contenant comme dans un rêve l'image d'un train de mots.

La voix très faible de don Juan me parvint.

« Maintenant, tu dois me regarder », disait-il tout en

tournant ma tête pour que je sois face à lui. Il répéta cette phrase trois ou quatre fois.

Je le regardai, et immédiatement je vis le genre de lueur qu'à deux reprises j'avais déjà perçue en le dévisageant : un mouvement envoûtant, une alternance ondulatoire de lumière dans des zones contenues, sans limites définies. Et cependant les vagues de lumière ne débordaient jamais, elles se déplaçaient dans d'invisibles limites.

J'examinais en détail l'objet lumineux devant moi, et immédiatement il commença à perdre sa luminosité pour retrouver l'apparence du visage familier de don Juan, où, pour mieux décrire, je devrais dire que son visage se superposa à la luminosité évanescente. Je dus me concentrer à nouveau car l'image du visage de don Juan se dissipa pendant que la luminosité s'intensifiait. Je fixais un endroit qui devait être son œil gauche, et là je m'aperçus que la luminosité n'était pas contenue. Je perçus quelque chose ressemblant à une gerbe d'étincelles; une sorte de série d'explosions rythmées projetant des particules de lumière qui se dirigeaient vers moi rapidement, puis revenaient sur leur trajectoire comme si elles étaient des fibres de caoutchouc.

Don Juan avait dû tourner ma tête parce que je faisais face à un champ labouré.

« Maintenant, regarde droit devant toi », l'entendis-je dire.

Devant moi, à environ deux cents mètres, il y avait une colline longue et large dont la pente était entièrement labourée. Des sillons horizontaux parallèles couvraient le flanc de la colline de la base au sommet. Je me rendis compte que dans ce labour il y avait pas mal de petits cailloux et trois énormes rochers qui interrompaient l'alignement des sillons. Plus près de moi, quelques buissons me cachaient le ravin creusé au pied de la colline. De mon point de vue, ce ravin, plutôt un canyon, paraissait très nettement marqué comme une cassure profonde couverte de végétation verte tranchant avec la nature dénudée et brune de la colline. Cette masse verte devait être constituée d'arbres poussant au fond du canyon. Je remarquai une brise qui passa dans mes yeux. Je me sentais paisible, profondément tranquille. Il n'y avait aucun bruit d'oiseaux ou d'insectes.

Don Juan parla. Il me fallut un certain temps pour arriver à comprendre ce qu'il disait.

« Vois-tu un homme dans ce champ? » n'arrêtait-il pas de me demander.

J'aurais bien voulu lui dire que je ne voyais pas un seul homme dans ce champ, mais je ne pouvais même pas formuler mes mots. Par-derrière il prit ma tête entre ses mains. Je pouvais voir ses doigts le long de mes sourcils et sur mes pommettes. Lentement il fit tourner ma tête de droite à gauche, puis de gauche à droite.

« Observe chaque détail. Ta vie peut en dépendre », l'entendis-je dire maintes et maintes fois.

Ainsi il me fit parcourir du regard tout l'horizon devant moi. A un moment donné, alors que ma tête était complètement tournée vers la gauche, j'eus l'impression d'avoir aperçu quelque chose bouger. Ce fut une brève impression de mouvement dans le coin de mon œil droit. Don Juan commança à faire tourner ma tête de gauche à droite, et je pus fixer à nouveau le champ labouré. J'aperçus un homme marchant le long des sillons, un homme habillé comme un paysan mexicain, avec des sandales, un pantalon gris, une chemise beige à manches longues, et un chapeau de paille. Il portait un sac en bandoulière sur son épaule droite.

Don Juan dut remarquer que j'avais vu l'homme. Il n'arrêtait pas de me demander si l'homme me regardait ou s'il se dirigeait vers moi. J'aurais voulu lui préciser que l'homme s'en allait et me tournait le dos, mais je n'arrivais à dire que « non ». Don Juan déclara que si l'homme se retournait et venait vers moi, je devrais hurler, et il tournerait ma tête pour me protéger.

Je n'éprouvais ni peur, ni anxiété, ni même l'impression d'être concerné par la présence d'un danger. Froidement, je regardais la scène. L'homme s'arrêta au milieu du champ. Il avait son pied droit sur un des gros rochers et semblait rattacher sa sandale. Puis il se redressa et tira de son sac une ficelle qu'il enroula autour de sa main gauche. Il me tournait le dos. Face à la colline il semblait examiner le terrain devant lui. Je pensais qu'il l'examinait à cause de la façon dont il déplaçait sa tête. Lentement il la tournait de la gauche vers la droite. Je le vis de profil. Il continua à se retourner jusqu'à me faire face, et alors il me regarda. Il secoua la tête de telle façon que je sus, sans l'ombre d'un doute, qu'il m'avait vu. Il étendit son bras gauche devant lui, le dirigea vers le sol, et le soutenant de sa main droite, il s'avança vers moi.

« Il arrive! » hurlai-je sans aucune difficulté.

Don Juan avait dû tourner ma tête car maintenant je voyais des broussailles. Il me dit de ne pas fixer les choses, mais de les regarder « légèrement », de simplement les parcourir des yeux. Il ajouta qu'il allait se placer devant moi, pas très loin, et se diriger sur moi. Il fallait que je le fixe du regard jusqu'au moment où je percevrais sa luminosité.

Je vis don Juan aller à environ vingt mètres plus loin. Il marchait avec une agilité et une rapidité incroyables, et j'eus de la peine à me persuader qu'il s'agissait de lui. Il me fit face et m'ordonna de le fixer.

Son visage s'illumina, devint une tache de lumière qui paraissait déborder sur sa poitrine presque jusqu'à sa ceinture. C'était comme si je regardais une lumière les yeux mi-clos. Par pulsations, la luminosité semblait s'élargir et se rétrécir. Il dut commencer à marcher vers moi, car la lumière s'intensifia et devint plus nette.

Il dit quelque chose. Je m'efforçais de comprendre.

Sur-le-champ la lumière s'évanouit, et je vis don Juan tel que je le vois chaque jour. Il était à soixante centimètres de moi. Il s'assit en me faisant face.

J'observai son visage attentivement; je commençai à percevoir une vague luminosité. Puis ce fut comme s'il était traversé de minces rayons de lumière s'entrecroisant. Un peu comme si quelqu'un d'autre renvoyait avec de petits miroirs de la lumière sur son visage. La luminosité s'intensifia, le visage perdit ses contours familiers et fut à nouveau un objet amorphe lumineux. Une fois de plus, je perçus ces explosions de lumière émanant d'une zone qui devait être son œil gauche. Intentionnellement je ne fixai pas cette zone, mais une zone voisine que j'estimai être l'œil droit. Immédiatement j'aperçus un bassin de lumière claire et transparente, une lumière liquide.

Je remarquais que percevoir consistait à beaucoup plus que regarder, que c'était une sensation. Le bassin de lumière noire et liquide avait une extraordinaire profondeur. Il était « amical » et « bienveillant ». La lumière qui en émanait n'explosait pas mais tourbillonnait lentement vers l'intérieur tout en créant des réflexions très nuancées. Cette lumière avait une façon très aimable et très délicate de me toucher, elle me tranquillisait et me procurait une sensation de suavité exquise.

J'aperçus un anneau de points de lumière brillante symétriquement disposés qui s'élargissait dans un plan vertical par rapport à la zone lumineuse. L'anneau s'élargissait presque assez pour couvrir toute la surface lumineuse, puis se resserrait en un point de vive lumière au milieu du bassin brillant. Cela se produisit à plusieurs reprises. Puis, sans perdre ma fixité de regard, je m'en éloignai volontairement, et je fus capable de percevoir les deux yeux. Je distinguais le rythme des deux genres d'expansions lumineuses. L'œil gauche lançait des traits de lumière qui en fait jaillissaient au-

241

dehors, alors que le droit émettait des traits qui rayon-
naient sans se matérialiser extérieurement. Le rythme
des deux yeux composait une alternance; la lumière de
l'œil gauche explosait au-dehors alors que les faisceaux
lumineux de l'œil droit se resserraient pour tourbillonner vers l'intérieur. Puis la lumière de l'œil droit s'élargissait jusqu'à couvrir la surface de l'objet lumineux
pendant que se réduisait l'explosion de l'œil gauche.

Don Juan avait dû tourner ma tête car je regardais à
nouveau le champ labouré. Je l'entendis me dire d'observer l'homme.

Celui-ci, debout à côté du rocher, me fixait du regard.
Je ne distinguais pas clairement son visage à moitié
recouvert par son chapeau. Un moment plus tard, il
glissa son sac sous son bras droit et s'en alla vers ma
droite. Il marcha presque jusqu'à la fin de la zone
labourée, puis changea de direction et se dirigea vers le
ravin. Alors je perdis le contrôle de ma concentration, et
il disparut avec la scène tout entière. Graduellement se
superposa l'image des buissons de broussailles du
désert qui seule persista.

Je ne me souviens pas comment je revins chez don
Juan, ni ce qu'il fit pour me « ramener ». A mon réveil
je me découvris allongé sur ma natte. Il s'approcha de
moi et m'aida à me lever. Je fus pris d'étourdissements,
et j'eus la nausée. D'une façon rapide et efficace, don
Juan me traîna dans les broussailles non loin de sa
maison. Je vomis. Il riait.

Je me sentis mieux. Je regardai ma montre, Il était
onze heures du soir. Je me rendormis et ne me réveillai
que le jour suivant, à une heure de l'après-midi. J'eus
l'impression d'avoir repris mes esprits.

Don Juan ne cessait de m'importuner pour savoir si je
me sentais vraiment bien. J'avais la sensation d'être
distrait, je n'arrivais pas à me concentrer. Je fis un tour
autour de la maison, et don Juan me suivit sans me
quitter des yeux. Comme je sentis qu'il n'y avait rien

d'autre à faire j'allai me recoucher. Je me réveillai tard dans l'après-midi, cette fois-ci en bien meilleure forme. Autour de moi je découvris des tas de feuilles écrasées. Lorsque j'ouvris les yeux, j'étais allongé à plat ventre sur un tas de feuilles qui dégageaient une odeur très forte. Je me souvins d'avoir perçu cette odeur avant de me réveiller complètement.

J'allai derrière la maison pour rejoindre don Juan assis au bord du canal d'irrigation. Mais lorsqu'il m'aperçut il me fit des gestes désespérés pour m'indiquer de m'arrêter et de rentrer en courant dans la maison.

« Rentre en vitesse », hurla-t-il.

Je courus jusque dans sa chambre. Quelques instants plus tard il arriva.

« Ne va jamais à ma recherche, dit-il. Si tu désires me voir, attends-moi ici. »

Je m'excusai. Il me répondit de ne pas perdre mon temps à des excuses ridicules qui n'avaient pas le pouvoir d'annuler mes actions. Il déclara qu'il avait eu beaucoup de mal à me « ramener », et qu'auprès de l'eau il était en train d'intercéder en ma faveur.

« Maintenant nous devons prendre un certain risque en te lavant dans l'eau. »

Je lui certifiai que je me sentais en excellente forme. Il me fixa droit dans les yeux.

« Viens avec moi. Je vais te mettre dans l'eau.

– Je me sens bien. D'ailleurs, la preuve, je prends des notes. »

Avec une force incroyable, il m'arracha de ma natte.

« Pas d'indulgence ! dit-il. En un rien de temps tu vas encore t'endormir. Et cette fois-ci je ne serai peut-être pas capable de te réveiller. »

Nous courûmes derrière la maison, et là, d'un ton dramatique, il m'ordonna de fermer les yeux et de ne les rouvrir que lorsqu'il me le dirait. Il précisa que si je fixais l'eau, ne serait-ce qu'un instant, je pourrais en mourir. Il me guida par la main et me poussa la tête la première dans le canal.

Je gardais les yeux fermés, et des heures durant il me submergea, me tira à la surface, et ainsi de suite. J'éprouvais une sensation de changement absolument remarquable. Ce qui n'allait pas juste un moment auparavant avait été très subtil et avant de rentrer dans l'eau m'avait complètement échappé. Mais la sensation de bien-être et de vivacité ressentie pendant que don Juan me maintenait dans l'eau fut très différente.

L'eau rentra dans mon nez. J'éternuai. Don Juan me tira hors de l'eau et me conduisit chez lui. Je gardais toujours les yeux fermés. Il me fit changer de vêtements, me guida dans sa chambre, me fit asseoir sur ma natte, plaça mon corps dans la direction bénéfique, et enfin m'ordonna d'ouvrir les yeux. Je m'exécutai. Et ce que je vis me fit reculer brusquement. Je m'agrippai à la jambe de don Juan. Ce fut un moment d'extraordinaire confusion. Il appliqua un coup sec de la jointure de son poing au sommet de mon crâne, un coup rapide, ni dur ni pénible, mais un coup en quelque sorte choquant.

« Que t'arrive-t-il ? Qu'as-tu vu ? » demanda-t-il.

En ouvrant les yeux j'avais aperçu la même scène que pendant l'expérience. J'avais vu le même homme, mais cette fois-ci il me touchait presque. J'ai vu son visage. Il avait quelque chose de familier. Je savais presque qui il était. Lorsque don Juan me frappa sur la tête la scène s'évanouit.

Je regardai don Juan. Il avait le poing prêt à frapper une seconde fois. Il éclata de rire en me demandant si je désirais un autre coup. Je lâchai sa jambe et m'allongeai sur ma natte. Il m'ordonna de regarder droit devant moi et de ne tourner en aucun cas la tête dans la direction de l'eau.

C'est alors que je réalisai qu'il régnait un noir d'encre dans la pièce. Pendant un moment je me demandai si

244

j'avais les yeux ouverts, et pour m'en assurer je touchai mes paupières de mes doigts. A haute voix j'appelai don Juan. Je lui déclarai que quelque chose n'allait pas, car je ne voyais rien du tout alors que quelques instants auparavant je l'avais distinctement vu prêt à me frapper. Je l'entendis rire, à ma droite au-dessus de ma tête. Puis il alluma la lampe à pétrole. En quelques secondes mes yeux s'accoutumèrent à la lumière. Tout dans la pièce était exactement comme d'habitude. Les murs de torchis, les racines de plantes médicinales étrangement tordues qui y étaient accrochées, les bottes d'herbes, le toit de chaume, la lampe à pétrole pendue à une solive. J'avais vu cette pièce des centaines de fois, et cependant, à ce moment-là, elle avait quelque chose de particulier. En moi aussi je ressentais quelque chose de singulier. C'était la première fois que je ne croyais pas à la « réalité » finale de ma perception. Graduellement, je m'étais avancé dans cette direction, et bien des fois j'avais intellectualisé cette sensation. Mais jamais je n'avais été à deux doigts d'un doute aussi sérieux. Pour la première fois, je ne crus pas que la pièce était « réelle » et pendant un moment j'éprouvais l'étrange sensation qu'elle constituait une scène qui s'évanouirait si don Juan me frappait sur la tête.

Je n'avais pas froid, mais je tremblais. Des spasmes nerveux parcouraient mon échine. J'avais la tête lourde, surtout au-dessus de la nuque.

Je me plaignis de ce malaise, et je racontai à don Juan ce que j'avais vu. Il éclata de rire et déclara que succomber à la frayeur était de ma part une déplorable indulgence.

« Tu es effrayé sans avoir peur, dit-il. Tu as vu ton allié te fixer du regard, quelle histoire! Attends de l'avoir vu face à face, alors tu chieras dans ton froc! »

Il m'ordonna de me lever, d'aller vers ma voiture et de m'y installer sans jamais tourner la tête dans la direction de l'eau, puis de l'attendre. Il alla chercher une pelle et une corde. Nous partîmes. Il me dirigea vers un endroit où il y avait une souche d'arbre. Nous commençâmes à creuser. Il faisait nuit. Pendant des heures, je m'acharnai à cette tâche. Nous ne dégageâmes pas la souche, mais je me sentis bien mieux. Nous revînmes chez lui pour manger. Tout était parfaitement « réel », normal.

« Que m'arriva-t-il? Hier, qu'ai-je donc fait?

– Tu m'as fumé, puis tu as fumé ton allié.

– Quoi? »

Don Juan éclata de rire, et il ajouta que j'allais maintenant lui demander de tout me raconter depuis le début.

« Tu m'as fumé, répéta-t-il. Tu as fixé ton regard sur mon visage, dans mes yeux. Tu as vu les lumières qui marquent le visage d'un homme. Je suis un sorcier. Tu l'as vu dans mes yeux. Mais tu ne le savais pas parce que c'était la première fois. Les yeux des hommes ne se ressemblent pas. Tu découvriras cela très vite. Puis tu as fumé ton allié.

– L'homme dans le champ?

– Ce n'était pas un homme, c'était un allié qui te faisait signe.

– Où s'en est-il allé? Où étions-nous lorsque je vis cet homme? Cet allié? »

Don Juan d'un geste du menton désigna la région qui s'étend devant sa maison, puis il précisa qu'il m'avait conduit en haut d'une petite colline. Je lui dis que la scène que j'avais perçue n'avait rien à voir avec le paysage de broussailles désertiques autour de sa maison. Il répliqua que l'allié qui m'avait « fait signe » n'était pas d'ici.

« D'où est-il donc?

– Je t'amènerai à cet endroit, bientôt.

– Quelle est la signification de ma vision?

– Tu apprenais à *voir*, c'est tout. Mais maintenant, à cause de l'indulgence que tu manifestes pour toi-même, tu es bien prêt de perdre ta chemise. Tu t'es laissé aller à ta frayeur. Peut-être devrais-tu malgré tout me décrire tout ce que tu as vu. »

Lorsque je commençai à me lancer dans la description de l'apparence de son visage, il m'arrêta et me dit que cela n'avait pas d'importance, absolument aucune importance. Je lui dis que je l'avais presque *vu* tel un « œuf lumineux ». Il répliqua que « presque » n'était pas suffisant, et que *voir* allait me prendre encore longtemps et surtout me demander un travail considérable.

Mais il s'intéressa à la scène de l'homme dans le champ labouré, et à tout ce dont je me souvenais à propos de cet homme.

« L'allié te faisait signe, dit-il. Lorsqu'il se dirigea vers toi, je tournai ta tête non parce qu'il devenait dangereux, mais parce qu'il vaut mieux attendre. Tu n'es pas pressé. Rencontrer un allié sans être prêt, c'est comme attaquer un lion en pétant. »

La métaphore nous fournit l'occasion d'un délicieux intermède de rire.

« Que me serait-il arrivé si vous n'aviez pas tourné ma tête ?

– Il aurait bien fallu que tu la tournes toi-même.

– Et si je ne l'avais pas tournée ?

– L'allié serait venu près de toi et t'aurait flanqué une trouille bleue. Si tu avais été seul il aurait pu te tuer. Jusqu'à ce que vienne le moment où tu pourras te défendre par toi-même, je te déconseille d'aller seul dans les montagnes ou dans le désert. Un allié pourrait t'attraper, et faire de toi de la chair à pâté.

– Que signifient les actes qu'il a accomplis ?

– En te regardant, il a voulu te dire qu'il t'accueillait. Il t'a révélé que tu avais besoin d'un capteur d'esprit et d'une pochette. Mais ils ne doivent pas venir d'ici, car son sac était d'une autre partie du pays. Sur ta route il y a trois pierres d'achoppement qui vont t'arrêter, voilà la signification des trois rochers. Et sans aucun doute, c'est dans les canyons que tu vas obtenir tes meilleurs pouvoirs, l'allié t'a désigné le ravin. Le reste de la scène était là pour t'aider à situer l'endroit exact où tu pourras retrouver ton allié. Pour l'instant j'ignore où il se trouve. Mais sans tarder il t'amènera là-bas.

– Voulez-vous dire que cette scène est un lieu réel?

– Bien sûr.

– Où donc?

– Je ne puis pas te le dire.

– Comment vais-je pouvoir situer cet endroit?

– C'est aussi quelque chose que je ne puis pas te dire, non parce que je ne veux pas, mais simplement parce que je ne sais pas comment te le dire. »

Je voulus connaître la signification de la répétition de la vision de la même scène lorsque j'ouvris les yeux dans sa chambre. Don Juan éclata de rire et imita ma frayeur et mon geste pour agripper sa jambe.

« Il s'agissait de la confirmation du fait que l'allié veut de toi. Il s'est assuré que toi, ou moi, savions qu'il t'accueillait.

– Et ce visage?

– Il t'a semblé familier parce que tu le connais. Tu l'as déjà vu. Peut-être est-ce le visage de ta mort. Tu étais effrayé, mais cela seulement à cause de ta négligence. Il t'attendait, et lorsqu'il t'apparut, tu succombas à ta frayeur. Heureusement que j'étais là pour te frapper, sinon il se serait tourné contre toi, ce qui aurait été une attitude bien naturelle. Pour rencontrer un allié un homme doit être un guerrier invincible, sinon l'allié peut se tourner contre lui et le détruire. »

Le lendemain matin don Juan me dissuada de partir pour Los Angeles, sans doute parce qu'il devait penser que je n'étais pas entièrement remis sur pied. Il insista pour que j'aille m'asseoir dans sa chambre face au sud-est de manière à préserver ma force. Il prit place à ma gauche, me tendit mon carnet de notes et déclara que cette fois-ci je l'avais épinglé. Non seulement il fallait qu'il reste avec moi, mais aussi qu'il me parle.

« Au crépuscule je dois te conduire à nouveau à l'eau, dit-il. Tu n'es pas encore bien solide et je ne dois pas te laisser seul. Ce matin je te tiens compagnie, cet après-midi tu seras en meilleure forme. »

Tand d'attention de sa part m'inquiéta.

« Qu'est-ce qui ne va pas en moi ?

– Tu as capté un allié.

– Que voulez-vous dire ?

– Aujourd'hui, nous ne devons pas parler des alliés. Parlons d'autre chose. »

Je n'avais aucune envie de parler. Je commençais à sentir l'anxiété me gagner, et je m'impatientais. Cela l'amusa et il éclata de rire jusqu'à en pleurer.

« Ne me dis pas qu'au moment où tu devrais parler, tu ne vas plus savoir quoi dire », déclara-t-il en me lançant un regard espiègle.

Son humeur eut pour résultat de m'apaiser.

Il n'y avait qu'une seule chose qui m'intéressait, c'était l'allié. Son visage avait été familier, mais pas comme si déjà je le connaissais ou l'avais vu. Chaque fois que je songeais à lui, une grêle de pensées s'abattait sur moi, comme si une autre partie de moi-même avait connaissance du secret mais m'empêchait de l'approcher. La sensation de familiarité du visage de l'allié était tellement mystérieuse qu'elle me plongeait dans un état de mélancolie morbide. Don Juan avait prétendu qu'il pourrait s'agir du visage de ma mort. Sa déclaration m'avait transpercé. Je désirais désespérément le questionner à ce propos car j'étais persuadé qu'il me cachait quelque chose de plus. Je pris deux ou trois profondes aspirations, et je lançai :

« Don Juan, qu'est-ce que la mort ?

– Je n'en sais rien, répondit-il en souriant.

– Je voulais dire, comment pourriez-vous décrire la

mort? Je pense que tout le monde a des opinions définitives sur la mort.

– Je ne vois pas de quoi tu parles. »

Dans ma voiture j'avais *Le Livre des Morts tibétain*, et j'eus l'idée de le prendre comme sujet de conversation, puisqu'il traitait de la mort. Je déclarai que j'allais chercher ce livre, mais il me fit rasseoir, et il y alla lui-même.

« Le matin est un mauvais moment pour les sorciers, dit-il comme pour expliquer son geste. Tu es trop faible pour quitter ma chambre. Ici, tu es protégé. Si tu sortais, il y a beaucoup de chances pour que tu ailles à une terrible catastrophe. Sur la route, dans les buissons, n'importe où, un allié pourrait te tuer. Et plus tard, on retrouverait ton corps et on dirait que tu es mort dans des conditions assez mystérieuses, ou bien que tu as eu un accident. »

Je n'étais ni d'humeur ni en position de mettre ses décisions en question; par conséquent pendant toute la matinée je restai tranquille, et je lui lus des parties du livre tout en les lui expliquant. Par deux fois, je fis une courte pause pendant qu'il allait chercher de l'eau et de quoi manger, mais aussitôt qu'il redevenait disponible, il me pressait de continuer à lire. Il paraissait être vraiment intéressé.

Quand j'eus terminé, il me regarda.

« Je ne comprends pas pourquoi ces gens parlent de la mort comme si elle ressemblait à la vie, dit-il très calmement.

– Peut-être est-ce ainsi qu'ils la conçoivent. Pensez-vous que les Tibétains *voient*?

– J'en doute. Quand un homme apprend à *voir*, pas une seule parmi les choses qu'il connaît ne prédomine. Pas une seule. Si les Tibétains pouvaient *voir* ils pourraient sur-le-champ s'apercevoir que pas une seule chose ne reste semblable. Une fois qu'on *voit*, rien n'est plus connu. Rien ne reste tel que nous le connaissons quand nous ne pouvons pas *voir*.

– Don Juan, peut-être que *voir* n'est pas la même chose pour tous les hommes?

– C'est vrai. Ce n'est pas la même chose. Pourtant ça ne veut pas dire que le sens de la vie prédomine. Lorsqu'on apprend à *voir*, pas une seule chose ne demeure ce qu'elle était.

– Les Tibétains pensent que la mort est comme la vie. Mais vous, comment pensez-vous qu'elle soit?

– Je ne pense pas que la mort soit comme quelque chose, et je pense que les Tibétains doivent parler de quelque chose d'autre. En tout cas ce dont ils parlent n'est pas la mort.

– De quoi parlent-ils donc?

– Peut-être peux-tu me dire cela. Tu es l'homme des livres. »

J'essayai de trouver quelque chose à dire, mais il éclata de rire.

« Peut-être que les Tibétains *voient* vraiment, et dans ce cas, continua-t-il, ils ont pu se rendre compte que ce qu'ils *voient* n'a absolument aucun sens, donc ils écrivirent ce tas de sornettes parce qu'il n'avait pour eux aucune importance. Et dans ce cas ce qu'ils ont écrit n'est pas du tout un tas de sornettes.

– En fait, ce que les Tibétains ont à dire m'importe peu, déclarai-je, mais je m'intéresse à coup sûr à ce que vous avez à dire. Je désire savoir ce que vous pensez de la mort. »

Il me dévisagea pendant un moment, puis il rit sous cape. Il ouvrit ses yeux très grands, leva ses sourcils, et fit une comique grimace de surprise.

« La mort est un tourbillon, répondit-il. La mort est le visage de l'allié. La mort est un nuage luisant à l'horizon. La mort c'est le murmure de Mescalito. La mort c'est la bouche édentée du gardien. La mort c'est Genaro " assis-sur-sa-tête ". La mort c'est moi qui parle. La mort c'est toi et ton carnet de notes. La mort n'est rien. Rien! Elle est là, et cependant elle n'est pas là du tout. »

Don Juan éclata d'un rire manifestant un plaisir très sincère. Ce rire était comme une chanson, il avait une sorte de rythme de danse.

« Je suis insensé, houh! continua-t-il. Je ne peux pas te dire comment est la mort. Mais peut-être pourrai-je te parler de ta propre mort. Il est certain qu'il n'y a aucun moyen de savoir ce qu'elle sera, cependant je pourrai te dire ce qu'elle a quelque chance d'être. »

Cette perspective m'effraya. Je déclarai que j'avais simplement voulu savoir ce qu'il pensait de la mort, et j'insistai sur le fait que mon intérêt allait à son opinion sur la mort en général et non pas aux détails particuliers de celle de quelqu'un, surtout s'il s'agissait de moi.

« Je ne peux pas parler de la mort si ce n'est en termes de mort personnelle, dit-il. Tu désirais que je te parle de la mort. Très bien! Alors ne sois pas effrayé si je parle de la tienne. »

Je dus admettre que j'étais trop énervé pour aborder un sujet personnel aussi délicat, et je répétai que je désirais parler de la mort en termes de mort en général, comme il l'avait lui-même fait lorsqu'il me raconta qu'à la mort de son fils Eulalio la vie et la mort se mélangèrent en un brouillard de cristaux.

« Je t'ai raconté que la vie de mon fils se déploya au moment de sa propre mort. Je ne parlais pas de la mort en général, mais de la mort de mon fils. Alors la mort, quoi qu'elle soit, fit déployer sa vie. »

Mon désir était d'orienter notre conversation en dehors du domaine particulier à chaque individu. Je mentionnai que j'avais lu les récits de gens qui pendant quelques minutes avaient été considérés comme morts, et que l'on avait ramenés à la vie grâce à des techniques médicales. Dans tous les cas ces personnes, une fois revenues à la vie, avaient affirmé qu'elles ne se souvenaient de rien du tout si ce n'est d'une sensation d'évanouissement complet.

« Cela s'explique parfaitement, dit-il, la mort comprend deux étapes. La première, l'évanouissement, n'a aucun sens. Elle est très semblable aux premiers effets de Mescalito, c'est-à-dire une légèreté qui rend heureux, satisfait, et persuadé que tout va pour le mieux dans le monde. Mais il s'agit d'un état peu profond. Aussitôt qu'il s'achève, on entre dans un autre royaume, un domaine de rigueur et de puissance. C'est cette seconde étape qui est vraiment la rencontre avec Mescalito. Dans le cas de la mort c'est un peu comme ceci. La première étape est un évanouissement peu profond. La seconde est, elle, une vraie étape, celle au cours de laquelle on rencontre la mort. Un instant après le premier évanouissement, au moment où nous découvrons que nous sommes à nouveau nous-mêmes, la mort frappe avec une fureur tranquille et avec puissance, jusqu'à ce qu'elle ait réduit notre vie à rien du tout.

– Comment pouvez-vous être certain que vous parlez de la mort?

– J'ai mon allié. La petite fumée m'a montré mon inévitable mort avec une grande clarté. Voilà la raison pour laquelle je ne puis parler que de mort personnelle. »

Ses paroles ne firent qu'augmenter mon appréhension; elles cristallisèrent l'ambivalence dramatique de mes pensées. J'avais l'impression qu'il allait décrire en détail ma propre mort, c'est-à-dire me révéler comment et quand j'allais mourir. Cela me désespérait, mais en même temps excitait ma curiosité. J'aurais pu lui demander de décrire ma mort, mais une telle demande étant plutôt incongrue et déplacée, j'y renonçai.

Don Juan semblait prendre plaisir à voir mon conflit. Il sursautait de rire.

« Veux-tu savoir ce que sera ta mort? » me demanda-

253

t-il avec une expression de plaisir enfantin sur son visage.

En fait, je me rendis compte que son espiègle plaisir à se moquer de moi était plutôt réconfortant. Mon appréhension disparut presque.

« O.K. Racontez-moi », dis-je, et ma voix trembla.

Une formidable explosion de rire le secoua. Il tenait son ventre à deux mains, se roulait par terre, et répétait : « O.K. Racontez-moi », tout en imitant mon tremblement de voix.

Puis il se rassit, fit semblant de se raidir et de la même voix tremblotante déclara :

« La seconde étape de ta mort pourrait bien être ainsi qu'il suit. »

Ses yeux m'examinaient avec une curiosité en apparence réelle. Je savais que ses clowneries constituaient sa manière d'atténuer l'effet du récit de ma propre mort.

« Tu conduis beaucoup, continua-t-il, donc tu pourrais bien te trouver à un certain moment à nouveau derrière le volant. Il se produirait alors une sensation extrêmement rapide qui ne te laisserait pas le temps de penser. Brusquement, disons que tu te trouveras en train de conduire, comme tu l'as fait des milliers de fois. Mais avant que tu puisses te demander ce qui t'arrive, tu verrais devant le pare-brise une étrange formation. Et si tu la regardais de plus près tu te rendrais compte qu'il s'agit d'un nuage qui ressemble à un tourbillon luisant. Disons qu'il ressemblerait à un visage en plein milieu du ciel, là devant toi. Pendant que tu l'observerais, tu le verrais reculer jusqu'à n'être plus qu'un point brillant au lointain, et alors tu t'apercevrais qu'il a déjà commencé à revenir sur toi. Il prendrait de la vitesse, et en un clin d'œil s'écraserait sur le pare-brise. Tu es fort. Je suis certain qu'il faudrait à la mort une paire de coups pour en finir avec toi.

« Alors tu connaîtrais la position dans laquelle tu te

trouves. Mais le visage reculerait jusqu'à l'horizon, reviendrait à grande vitesse et s'écraserait contre toi. Le visage entrerait en toi, et tu découvrirais que pendant tout ce temps-là ça avait été le visage de l'allié, ou moi en train de parler, ou toi écrivant. La mort n'avait jamais été rien du tout. Rien. Elle n'était qu'un petit point perdu dans tes carnets de notes. Et cependant, elle serait entrée en toi avec une force incroyable et elle te déploierait. Elle t'aplatirait et t'étendrait sur le ciel et la terre et au-delà. Et tu serais comme un brouillard de petits cristaux s'en allant, s'en allant au loin. »

Cette description de ma mort m'impressionna, car je m'attendais à tout autre chose. Je restai pendant assez longtemps incapable de parler.

« La mort rentre au travers du ventre, reprit-il, exactement au point de la volonté. Cet endroit est la partie la plus sensible et la plus importante de l'homme. C'est la région de la volonté, et aussi celle par laquelle nous mourons. Je connais tout cela parce que mon allié m'a guidé jusqu'à cette étape. En laissant la mort le prendre, un sorcier accorde sa volonté, et lorsqu'il est aplati et commence à se déployer, son impeccable volonté reprend le dessus et rassemble ce brouillard à nouveau en une personne. »

Don Juan fit un geste étrange. Il ouvrit ses mains en éventail, les leva au niveau de ses coudes, les tourna jusqu'à ce que ses pouces touchent ses flancs, et lentement les rassembla au centre de son corps, au-dessus de son nombril. Pendant un certain temps, il les laissa immobiles. Ses bras vibraient sous l'effort. Puis il les releva jusqu'à ce que la pointe des majeurs touche son front, et dans la même position les redescendit au centre de son corps.

Le geste était extraordinaire. Don Juan l'avait investi d'une telle intensité et d'une telle beauté, que je restais figé sur place, comme mesmérisé.

« C'est la volonté du sorcier qui le rassemble, dit-il.

Mais avec le vieil âge qui l'affaiblit, sa volonté décline; et inévitablement arrive le moment où il n'est plus capable de commander sa volonté. Il n'a plus rien à opposer à la force silencieuse de sa mort, et sa vie, comme celle de ses semblables les hommes, devient un brouillard qui se déploie et s'éloigne au-delà de ses limites. »

Don Juan me regarda et se leva. Je tremblais de tout mon corps.

« Maintenant, tu peux aller dans les buissons. L'après-midi est déjà là. »

Il y avait longtemps que j'en avais fortement envie, mais j'hésitais. Je ne me sentais pas effrayé, seulement énervé, et mon appréhension de l'allié avait disparu.

Il déclara que peu importaient mes sensations, pourvu que je sois « solide ». Il me certifia que tout allait bien, que je pouvais aller dans les buissons sans toutefois m'approcher de l'eau.

« Ah! quelque chose à ne pas oublier, dit-il, une fois de plus je dois te laver, donc reste assez loin de l'eau. »

Un peu plus tard, il me demanda de le conduire à la ville voisine. Je ne cachais pas que le fait de conduire allait apporter un changement profitable, car il allait m'éloigner de cette idée qu'un sorcier jouait réellement avec sa vie, ce qui me semblait assez macabre.

« Etre sorcier est un terrible fardeau, dit-il. Je te l'ai déjà dit, il vaut mieux apprendre à *voir*. Celui qui *voit* est toute chose. Comparé à lui, le sorcier n'est qu'un pauvre gars.

– Don Juan, qu'est-ce que la sorcellerie? »

Il me regarda très longtemps tout en dodelinant la tête de façon presque imperceptible.

« La sorcellerie c'est appliquer sa volonté à un " joint clé ". La sorcellerie est une interférence. Un sorcier cherche et trouve le " joint clé " de tout ce qu'il veut affecter, et là il applique sa volonté. Un sorcier n'a pas besoin de *voir* pour être sorcier. Il a seulement besoin de savoir comment faire usage de sa volonté. »

Je voulus qu'il m'explique cette notion de « joint clé ». Pendant un moment il réfléchit, et déclara qu'il savait ce qu'était ma voiture.

« Evidemment, c'est une machine, dis-je.

– Je veux dire que ta voiture, c'est les bougies. Pour moi, elles constituent le " joint clé ". Je peux y appliquer ma volonté, et ta voiture ne marchera plus. »

Il prit place dans ma voiture. Il me fit signe d'en faire autant, et s'installa confortablement sur le siège.

« Regarde-moi faire, dit-il. Je suis un corbeau, alors en premier lieu je vais aérer mes plumes. »

Il fit trembler son corps tout entier. Ses mouvements rappelaient ceux d'une hirondelle mouillant ses plumes dans une flaque d'eau. Il baissait la tête comme s'il trempait un bec dans l'eau.

« Ça fait du bien ' », dit-il, et il commença à rire.

Mais son rire sonnait étrangement et il me fascinait de façon très singulière. Je me souvins de l'avoir déjà entendu rire de cette façon plusieurs fois dans le passé. Mais sans doute n'avais-je jamais été si conscient de son caractère étrange car jamais il n'avait ri ainsi pendant aussi longtemps.

« Le corbeau assouplit son cou, dit-il, et il commença à se frotter les pommettes contre ses épaules. Puis il regarda le monde avec un œil, avec l'autre[1]. »

Il hochait la tête chaque fois qu'il changeait sa vision d'un œil à l'autre. Le son de son rire devint plus aigu. J'avais l'absurde impression qu'il allait se changer en corbeau devant moi. Je voulus en rire, mais je restai paralysé. Je ressentis parfaitement une force s'envelopper autour de moi. Je n'avais pas peur, je ne me sentais ni étourdi ni endormi. Au mieux de mon jugement dans

---

1. Le concept de vision de corbeau est connu de l'auteur grâce à ses propres expériences antérieures. Cf. *op. cit.*, chap. X.

de telles circonstances, mes facultés n'étaient en aucune façon affectées.

« Démarre », me demanda-t-il.

Je tournai la clé du démarreur et automatiquement pressai sur la pédale de l'accélérateur. Le démarreur tourna mais le moteur ne démarra pas. Le rire de don Juan était devenu comme un caquet discret. A nouveau j'essayai de faire partir le moteur, une fois encore, une fois de plus, et ainsi de suite pendant au moins dix minutes. Don Juan n'arrêtait pas de caqueter. J'en eus assez. La tête alourdie je m'adossai à mon siège. J'abandonnai.

Il cessa de rire puis il me dévisagea, et alors, je « sus » que son rire m'avait plongé dans une sorte de transe hypnotique. J'avais été parfaitement conscient de tout ce qui s'était passé, mais je ne me sentais pas vraiment moi-même. Pendant tout le temps où ma voiture refusait de partir, j'étais resté docile, presque insensible à l'étrange situation. Exactement comme si don Juan, non content d'agir sur ma voiture, avait aussi agi sur moi. Lorsqu'il cessa de caqueter, je fus persuadé que l'envoûtement avait pris fin, et, sans perdre un instant, je tournai la clé du démarreur. Don Juan avait dû me mesmériser par son rire pour, en quelque sorte, me faire croire que la voiture ne pouvait pas partir, mais maintenant elle allait partir. Du coin de l'œil je le vis m'observer pendant que sans succès je tentais de faire partir la voiture, ce qui me conduisit à une vraie fureur de dépit.

Don Juan me tapota gentiment l'épaule et me dit que cette fureur me rendait plus « solide ». Peut-être n'aurais-je pas besoin d'être à nouveau lavé dans l'eau. Plus je deviendrais furieux, plus rapide serait mon rétablissement après cette rencontre avec l'allié.

« Ne sois pas embarrassé, casse la voiture! » dit-il.

Et il explosa de rire, de son rire naturel, celui de

tous les jours. Timidement je me sentis gagné par le rire.

Un moment plus tard, don Juan déclara qu'il avait libéré la voiture.

Et au premier essai, elle démarra!

14

Le 28 septembre 1969

Quelque chose de mystérieux semblait émaner de la maison de don Juan. Pendant un moment je crus qu'il s'était caché quelque part pour m'effrayer. Je l'appelai. Puis je pris mon courage à deux mains et j'entrai. Il n'était pas là. Je déposai les deux sacs de provisions que je lui avais amenés sur la pile de bois à brûler, et comme je l'avais fait des dizaines de fois dans le passé, je m'assis en l'attendant. Mais pour la première fois depuis que je connaissais don Juan, j'étais effrayé à l'idée de rester seul dans sa maison. Je sentais une présence, comme si quelqu'un d'invisible était là, à mes côtés. Alors je me souvins d'avoir éprouvé la même sensation quelques années auparavant. Lorsque j'étais seul quelque chose rôdait autour de moi.

Je bondis sur mes pieds et je me précipitai en courant au-dehors.

J'étais venu voir don Juan pour lui dire que les effets résultant de mes tentatives de « voir » commençaient à peser lourdement sur moi. Sans raison apparente je me sentais fatigué, mal à l'aise, vaguement inquiet, épuisé sans faire aucun exercice. Ma soudaine réaction dans la maison de don Juan ressuscita en moi le souvenir très précis de ce qui, il y a des années, avait graduellement donné à ma peur une évolution dramatique.

Cette peur avait pour origine un événement qui eut lieu bien des années auparavant. Don Juan m'avait obligé à affronter d'une façon étrange une sorcière nommée « la Catalina ». Tout avait débuté le 23 novembre 1961[1] lorsque je le trouvai chez lui souffrant d'une entorse. Il m'expliqua alors qu'il avait un ennemi, une sorcière qui pouvait se changer en un oiseau noir, qui avait tenté d'en finir avec lui.

« Aussitôt que je pourrai marcher, je te montrerai qui est cette femme, m'avait-il dit. Tu dois la connaître.

– Pourquoi veut-elle vous tuer ? »

Il haussa les épaules en signe d'impatience et refusa d'en dire plus.

Dix jours plus tard j'étais de retour chez lui, et pour me prouver que grâce au moulage de soutien qu'il avait lui-même confectionné, il était parfaitement guéri, il insista pour me montrer qu'il avait retrouvé la souplesse de la cheville.

« C'est bien que tu sois venu, dit-il. Aujourd'hui je te propose un petit voyage. »

Il m'indiqua comment arriver dans une région désolée où nous attendîmes. Il étira ses jambes et s'installa confortablement sur le siège de la voiture, comme s'il allait faire une sieste. Il me conseilla de me détendre et de rester très tranquille. Nous devions passer inaperçus jusqu'à la tombée de la nuit, parce que la fin de l'après-midi était de toute façon un bien mauvais moment du jour pour le travail qui nous attendait.

« Quel genre de travail ?

– Nous sommes venus pour épingler la Catalina. »

Lorsqu'il fit assez noir nous sortîmes de la voiture et

1. Cette journée du 23 novembre 1961 est racontée in *op. cit.*, chap. III.

très lentement, sans bruit, nous avançâmes dans les broussailles du désert.

A l'endroit où nous arrivâmes je pus distinguer la silhouette noire des collines s'étendant des deux côtés de la vallée à fond plat dans laquelle nous étions. Don Juan me fournit des instructions très détaillées sur une méthode pour se fondre dans les broussailles, et m'enseigna une position pour demeurer assis *in virgil*, disait-il. Il m'indiqua de placer ma jambe droite sous ma cuisse gauche, et de laisser ma jambe gauche en position accroupie. Il m'expliqua que la jambe droite s'utilisait comme un puissant ressort pour se lever très rapidement si cela devenait nécessaire. Il m'ordonna de m'asseoir face à l'ouest en précisant que c'était la direction dans laquelle se trouvait la maison de cette femme. Il s'assit près de moi, à ma droite et en chuchotant me dit de fixer du regard le sol pour y chercher, ou mieux attendre, une sorte de vague de vent qui provoquerait une ondulation dans les buissons. Lorsque l'ondulation toucherait le buisson que je fixais du regard, je devrais lever les yeux et voir la sorcière dans toute sa « magnifique splendeur diabolique ». Ce sont là les mots mêmes de don Juan. Quand je lui demandai ce que cela signifiait, il me répondit que lorsque j'aurais détecté l'ondulation, je n'aurais qu'à lever les yeux et voir par moi-même; parce qu'un « sorcier en vol » constituait une vision unique et absolument inexplicable.

Il y avait un vent à peu près constant, et très souvent je crus avoir remarqué l'ondulation; chaque fois je levai les yeux, prêt à l'expérience transcendantale, mais je ne vis rien. Chaque fois que le vent soufflait dans les buissons don Juan frappait vigoureusement le sol du pied, tournait en rond, agitait ses bras comme s'ils étaient des fouets. La force de ses mouvements était absolument extraordinaire.

Après un certain nombre d'échecs dans ma tentative pour voir la sorcière « en vol » je me persuadai que je n'avais aucune chance d'être le témoin d'un événement transcendantal, mais don Juan faisait preuve d'une telle « puissance » que je n'eus aucune objection à passer là toute la nuit à l'admirer.

Aux premières lueurs du jour don Juan revint s'asseoir à côté de moi. Il paraissait épuisé; il pouvait à peine bouger. Il s'allongea sur le dos et marmonna qu'il avait échoué dans sa tentative de « percer la femme ». Ce terme m'intrigua car à plusieurs reprises il répéta sa déclaration, et chaque fois sur un ton plus découragé, plus désespéré. L'anxiété commença à me gagner. Je me rendais compte de la facilité avec laquelle j'accordais mes sentiments à son humeur.

Pendant les mois suivants il ne mentionna ni l'événement ni la Catalina. Je pensai qu'il avait tout oublié, ou bien qu'il avait résolu ce problème. Cependant, un jour je le trouvai d'humeur très agitée et, d'une manière tout à fait inattendue vu son calme habituel, il me déclara que l' « oiseau noir » était venu la nuit précédente se poser devant lui, proche à le toucher, et qu'il ne s'était même pas réveillé. L'adresse de cette femme était telle qu'il n'avait pas senti sa présence. Heureusement, dit-il, la chance avait voulu qu'il se réveillât pour engager en un éclair ce combat effrayant mais vital. Le ton de sa voix était sincèrement touchant et pathétique. J'éprouvai pour lui de la compassion et l'inquiétude m'envahit.

Le ton de sa voix devint dramatique et attristant. Il déclara à nouveau qu'il n'avait aucun moyen de l'arrêter, et que, si elle parvenait à se rapprocher une fois de plus, c'en était fait de lui. Je me sentais complètement abattu, et presque en larmes. Il se rendit compte de mon état, et il éclata de rire, ce qui à mon avis était plutôt dangereux. Gentiment il me tapota le dos et me dit de ne pas m'inquiéter. Tout n'était pas encore perdu car il lui restait en main une carte, une carte d'atout.

« Un guerrier vit stratégiquement, dit-il en riant. Un

guerrier ne se charge jamais de ce qu'il ne peut pas porter. »

Le rire de don Juan possédait le charme de faire disparaître les nuages du destin. Sur-le-champ je me sentis beaucoup mieux, soulagé, et nous éclatâmes de rire. Il me tapota la tête.

« Sais-tu que parmi toutes les choses qui existent sur cette terre, tu es ma carte, dit-il soudain en me regardant droit dans les yeux.

– Quoi?

– Dans ce combat contre cette satanée sorcière, tu es ma carte d'atout. »

Je ne voyais absolument pas où il voulait en venir. Il m'expliqua que cette femme ne me connaissait pas, et que si je jouais ma main comme il me l'indiquerait j'avais une très sérieuse chance de « la percer ».

« Que voulez-vous dire par " la percer "?

– Tu ne peux pas la tuer, mais tu dois la percer comme tu percerais un ballon de baudruche. Si tu fais cela, elle me laissera tranquille. Mais n'y pense plus. En temps voulu je t'indiquerai que faire. »

Des mois passèrent. J'avais complètement oublié cet épisode lorsqu'un jour, en arrivant chez lui, je fus pris par surprise. Il se précipita en courant, ne me laissa pas le temps de descendre de la voiture, et me chuchota du ton de voix de quelqu'un réduit à sa dernière extrémité :

« Tu dois partir sur-le-champ. Ecoute-moi bien. Va acheter un fusil de chasse, ou débrouille-toi pour en trouver un, mais surtout n'amène pas ton propre fusil. Comprends-tu? Va chercher un fusil, mais pas le tien, et reviens immédiatement.

– Pourquoi avez-vous besoins d'un fusil de chasse?

– Va-t'en, sur-le-champ! »

Je revins avec un fusil de chasse. Je n'avais pas assez d'argent pour en acheter un, mais un ami m'avait donné son vieux fusil. Don Juan ne le regarda même pas. Il expliqua en riant qu'il avait été rude avec moi parce que l'« oiseau noir » était perché sur le toit, et il n'avait pas voulu qu'elle (sic)[1] me voie.

« En apercevant l'oiseau noir sur le toit j'ai pensé que tu pourrais m'amener un fusil et t'en servir pour la percer, déclara don Juan très sérieusement. Je n'ai pas envie qu'il t'arrive quoi que ce soit, c'est pourquoi je t'ai demandé d'aller chercher un fusil, que tu l'achètes ou te le procures d'une autre façon. Car vois-tu, une fois la tâche accomplie tu devras détruire le fusil.

– De quel genre de tâche parlez-vous?

– Avec ton fusil, tu dois essayer de percer cette femme. »

Il me fit nettoyer le fusil en le frottant avec des feuilles fraîchement cueillies d'une plante très parfumée. Lui-même frotta les deux cartouches qu'il plaça dans le fusil. Puis il me dit de me cacher devant sa maison en attendant que l'oiseau noir se pose sur le toit. Alors après avoir soigneusement visé je devrai faire feu des deux coups. Plus que les plombs, c'est l'effet de la surprise qui percerait la femme, et si j'avais la force et la détermination voulues je pourrais, ainsi l'obliger à ne plus venir l'embêter. Par conséquent, pour la percer je devais viser de façon impeccable et avoir une détermination absolue.

« Au moment où tu tireras, tu devras pousser un cri, un hurlement puissant et perçant. »

A environ trois mètres de la *ramada* il empila des tas de bambous et des fagots de petit bois, puis il me plaça contre la pile dans une position assez confortable. J'étais à moitié assis, le dos bien supporté, et j'avais une vue excellente du toit.

Il déclara qu'il était encore trop tôt pour que la sorcière vienne, donc que nous pouvions nous préparer

1. L'usage du féminin se réfère à la femme sorcière « qu'est » l'oiseau noir. Cf. *op. cit.*, chap. III.

jusqu'à la nuit tombante, et alors il ferait comme s'il s'enfermait chez lui. Cela aurait pour effet d'attirer cette femme qui passerait à l'attaque. Il me conseilla de bien me détendre, de m'installer confortablement pour pouvoir tirer sans avoir à bouger. A plusieurs reprises il me demanda de lever le fusil et de viser le toit, et il conclut que ce geste était trop lent et assez incommode. Il construisit un support pour le fusil. Avec une barre à mine il fit deux trous au sol dans lesquels il planta deux branches fourchues qu'il relia par un bâton. Ainsi j'avais la possibilité de viser le toit tout en laissant le fusil reposer en ligne de tir.

Don Juan jeta un coup d'œil vers le ciel et décida qu'il était temps qu'il se barricade chez lui. Il se leva et, calmement, rentra. En me quittant il précisa que notre entreprise n'était pas une plaisanterie, qu'il me fallait atteindre l'oiseau au premier coup.

Le crépuscule ne dura pas très longtemps, et la nuit tomba. J'avais l'impression que cette noirceur avait attendu que je sois seul pour soudain m'envelopper. Je concentrai mon regard sur le toit se détachant dans le ciel. Pendant un certain temps la lumière de l'ouest me permit de voir la ligne du toit, mais le ciel noircit et c'est à peine si je pouvais le distinguer. Pendant des heures je ne vis rien si ce n'est un couple de hiboux allant vers le nord; des oiseaux bien difficiles à confondre avec l' « oiseau noir », un merle. Brusquement une petite forme noire se posa sur le toit. Sans aucun doute il s'agissait d'un oiseau! Mon cœur se mit à battre la chamade, mes oreilles bourdonnaient. Je visai et j'appuyai sur les deux gâchettes. L'explosion fut assourdissante. Le recul de la crosse heurta mon épaule et au même moment j'entendis un cri humain horrible et perçant. Mystérieux et envahissant il semblait venir du toit. Alors je me souvins que don Juan m'avait dit de hurler tout en tirant, mais sous le coup de l'émotion j'avais complètement oublié. Je pensais à recharger mon fusil lorsque don Juan ouvrit la porte et arriva en courant. Il portait une lampe à pétrole et semblait assez agité.

« Je pense que tu l'as eue, dit-il. Nous devons retrouver le corps de l'oiseau. »

Il alla chercher une échelle et me demanda de monter sur la *ramada*. Je ne vis rien. A son tour il monta, mais en vain.

« Peut-être l'as-tu réduit en miettes ? suggéra-t-il. Mais nous devrions au moins trouver une plume. »

Jusqu'au matin nous cherchâmes près de la *ramada*, puis autour de la maison. A la lumière du jour nous reprîmes nos recherches. Vers onze heures don Juan décida d'abandonner. L'air abattu il s'assit, et me souriant il déclara tristement que je n'avais pas réussi à percer son ennemi, que maintenant plus que jamais sa vie ne valait pas un sou parce que la femme devait être doublement irritée et brûlée du désir de revanche.

« Cependant toi tu ne risques rien. La femme ne te connaît pas », dit-il comme pour me rassurer.

Au moment de monter dans ma voiture pour partir vers Los Angeles, je lui demandai si je devais détruire le fusil. Il répondit que le fusil n'ayant rien fait, il pouvait être restitué à son propriétaire. Dans son visage je perçus un profond désespoir, et les larmes m'en vinrent aux yeux.

« Que puis-je faire pour vous aider ? demandai-je.

– Il n'y a rien que tu puisses faire. »

Nous gardâmes le silence. L'envie de partir sur-le-champ me tenaillait. Une angoisse oppressante m'envahit, je me sentis désorienté.

« Voudrais-tu essayer de m'aider ? » me demanda-t-il d'un ton enfantin.

Je lui répétai que j'étais entièrement à sa disposition, que j'éprouvais une telle affection pour lui que j'entreprendrais n'importe quoi pour lui venir en aide.

Il eut un sourire. Il me demanda si vraiment j'étais sincère. A nouveau j'affirmai mon désir de l'aider.

« Si vraiment tu es sincère, j'ai peut-être une chance. »

Il semblait ravi, il riait à gorge déployée, et à plusieurs reprises claqua des mains comme il le fait chaque fois qu'il est content. Ce si soudain changement d'humeur était contagieux. Oubliées l'anxiété, et la sensation oppressante; à nouveau la vie était excitante. Don Juan s'assit, moi aussi. Pendant un moment il me dévisagea, puis il déclara d'une manière calme et délibérée que j'étais la seule personne qui dans cette situation puisse l'aider, et qu'il allait me demander de faire quelque chose de très dangereux et de très particulier.

Comme s'il désirait une confirmation de mon engagement à l'aider, il fit une pause. Je lui exprimai mon désir sincère de l'aider.

« Je vais te donner une arme pour la percer. »

De sa pochette il sortit un long objet qu'il me tendit. Je le pris, l'examinai, et faillis le lâcher.

« C'est un sanglier, continua-t-il. Avec ce sanglier tu dois la percer. »

L'objet entre mes mains était une patte avant séchée de sanglier. La peau horrible à voir, les poils répugnants au toucher, le sabot intact aux deux ongles largement ouverts comme lorsque l'animal étire sa patte, tout en faisait un objet répugnant et effrayant. J'eus la nausée. Don Juan le reprit.

« Tu dois la frapper avec ce sanglier juste au nombril.

– Quoi? dis-je d'une voix bien faible.

– Tu dois avoir le sanglier dans ta main gauche, et la poignarder. Elle est sorcière. Le sanglier entrera dans son corps, et personne, si ce n'est un autre sorcier, ne pourra le voir planté dans son ventre. Ce n'est pas un combat ordinaire, c'est une affaire de sorciers. Le danger que tu cours est que si tu ne la perces pas au premier coup elle te frappera de mort sur-le-champ. Ou bien ses parents et ses amis te tueront à coup de fusil, ou te poignarderont. Mais par ailleurs tu peux t'en sortir sans une égratignure.

« Si tu réussis, avec le sanglier dans son ventre elle aura un sacré mauvais temps, et elle me laissera tranquille. »

L'angoisse revenait. J'aimais beaucoup don Juan. Je l'admirais même. Au moment où il fit cette stupéfiante requête j'avais déjà appris à considérer son mode de vie et sa connaissance comme le chef-d'œuvre du genre humain. Comment laisser un tel homme aller à la mort sans essayer de le défendre? Cependant peut-on risquer volontairement sa vie? Absorbé par ces pensées je ne m'étais pas rendu compte que don Juan s'était levé, qu'il m'attendait. Il me tapota l'épaule. Je levai les yeux. Plein de bienveillance il me sourit.

« Lorsque tu sentiras que vraiment tu veux m'aider, tu reviendras. Mais pas auparavant. Si tu reviens je saurai alors ce qu'il nous faudra faire. Va-t'en! Si tu ne veux pas revenir, je comprendrai parfaitement ta décision. »

Machinalement je me levai, m'installai dans ma voiture et partis. Don Juan m'avait laissé la bride sur le cou. J'aurais pu partir et ne jamais revenir. Mais d'une certaine manière l'idée d'être libre de partir ne me satisfaisait pas. Pendant un moment je continuai à conduire, puis je fis demi-tour.

Toujours assis dans la *ramada*, il ne marqua aucune surprise à me voir revenir.

« Assieds-toi. Les nuages à l'ouest sont magnifiques. Bientôt il fera noir. Assieds-toi tranquillement et laisse le crépuscule te remplir. Pour l'instant fais ce que tu désires, mais lorsque je te le dirai tu regarderas droit vers ces nuages luisants et tu demanderas au crépuscule de t'accorder la patience et la quiétude. »

Pendant deux heures je demeurai assis face aux

nuages. Il alla dans la maison et à la nuit tombante il revint.

« Le crépuscule est là, dit-il. Lève-toi! Ne ferme pas les yeux, mais regarde droit dans les nuages. Lève les bras, ouvre tes mains, les doigts étendus. Et trotte sur place. »

Je fis ainsi qu'il me le demandait. Il vint à mes côtés pour rectifier mes mouvements. Il plaça le sanglier contre la paume de ma main gauche et me dit de l'y maintenir avec le pouce. Puis il descendit mes bras jusqu'à ce qu'ils pointent à l'ouest vers les nuages orange et gris foncés au-dessus de l'horizon. Il étendit mes doigts en éventail et m'ordonna de ne pas les laisser courber vers les paumes, car s'ils n'étaient pas étendus ce n'est plus la puissance et la quiétude que j'invoquerais, mais je lancerais une menace au crépuscule. Il corrigea mon trot; il devait être uniforme, paisible, comme si vraiment j'étais en train de courir les bras tendus vers le crépuscule.

Cette nuit-là je n'arrivais pas à trouver le sommeil. C'était comme si au lieu de me calmer le crépuscule m'avait chargé de frénésie.

« Dans ma vie, il y a tant de choses en suspens, dis-je. Tant de choses à résoudre. »

Don Juan riait en sourdine.

« Dans le monde rien n'est en suspens, dit-il. Rien n'est définitif, et cependant rien n'est résolu. Dors en paix. »

Ses paroles eurent un étrange effet sédatif.

Le lendemain matin, vers dix heures, il me donna à manger et me dit qu'il était temps d'y aller. Il murmura que vers midi, ou mieux un peu avant midi, nous allions essayer de la surprendre. Il précisa qu'il aurait été préférable de l'attaquer aux premières heures du jour, parce qu'alors une sorcière est toujours moins puissante et surtout moins consciente, mais malheureusement à ces heures-là elle n'abandonnait jamais la protection que lui fournissait sa maison. Je ne posai aucune question. Il me dit de prendre la route principale et à un endroit en contrebas de la chaussée de parquer la voiture et d'attendre.

Je regardai ma montre : onze heures moins cinq. Sans arrêt je bâillais; j'avais sommeil. Mes pensées vagabondaient sans but précis.

Soudain don Juan se redressa et me poussa du coude. Je sursautai.

« La voilà! » dit-il.

Marchant le long d'un champ cultivé, je vis une femme s'avancer vers la route. Au bras droit elle portait un panier. Jusqu'à ce moment-là je ne m'étais pas aperçu que nous étions arrêtés à un croisement de sentiers. Deux pistes étroites longeaient les bords de la route, et une autre, plus large et plus fréquentée, la croisait à angle droit. Ceux qui se servaient de ce dernier sentier devaient traverser la route goudronnée.

Don Juan me dit de sortir de la voiture pendant que la femme était encore sur le sentier.

« Vas-y, maintenant! » m'ordonna-t-il d'un ton très ferme.

J'obéis. La femme avait presque atteint la route. Je courus pour la rattraper. Je fus si proche d'elle que je sentis ses vêtements fouetter mon visage. Je sortis le pied de sanglier de ma chemise et je frappai. Je ne sentis aucune résistance. Une ombre flotta devant moi, comme s'il s'agissait d'un drap. Ma tête fut comme tirée vers ma droite, et je vis la femme, debout à quinze mètres de moi de l'autre côté de la route. Elle me souriait. Elle était assez jeune, plutôt trapue et forte, de peau foncée. Son calme sourire laissait entrevoir ses grandes dents blanches. Elle avait les yeux mi-clos comme pour se protéger du vent. Elle portait toujours son panier.

Ce fut pour moi un moment de confusion incroyable.

Je me retournai dans la direction de la voiture. Don Juan me faisait signe de revenir en courant. Trois ou quatre hommes se précipitèrent vers moi. Je courus jusqu'à la voiture et je démarrai pour rapidement partir dans la direction opposée.

Je voulus demander à don Juan ce qui s'était passé, mais je ne pouvais pas parler. Soumises à une formidable pression mes oreilles éclataient, j'eus l'impression de suffoquer. Etrangement il semblait content, et il se mit à rire comme si mon échec lui importait vraiment bien peu. Mes mains étaient tellement crispées sur le volant que je n'arrivais pas à les bouger, elles étaient comme figées. Mes bras et mes jambes étaient rigides. En fait je n'aurais même pas pu lever le pied de la pédale d'accélération.

Don Juan me tapota le dos et me dit de me détendre. Graduellement la pression dans les oreilles diminua et tout redevint normal.

« Que s'est-il passé ? » demandai-je.

Il gloussa de rire comme un gosse, et ne me répondit pas. Puis il me demanda si je m'étais bien rendu compte de la façon dont elle m'avait esquivé. Sa vivacité avait été remarquable. Ce bavardage me sembla pour le moins incongru, je n'y comprenais plus rien. Il faisait l'éloge de cette femme! Il déclara qu'elle avait une puissance remarquable, qu'elle constituait un ennemi impitoyable.

Je demandai si mon échec ne l'ennuyait pas. En effet son humeur joviale me surprenait et m'irritait.

Il me dit de m'arrêter au bord de la route. Il plaça sa main sur mon épaule et me fixa du regard.

« Aujourd'hui ce que j'ai fait était une ruse, déclara-t-il. La règle est qu'un homme de connaissance doit piéger son apprenti. Aujourd'hui je t'ai piégé, par ruse je t'ai obligé à apprendre. »

J'étais stupéfait. Je n'arrivais plus à reprendre mon calme. Il expliqua que toute l'affaire avec cette femme était un piège à mon intention. Jamais elle ne l'avait menacé. Mais ainsi il avait réussi à me mettre en contact avec elle dans les conditions de puissance et d'abandon de moi-même que j'avais présentées au moment de la frapper. Il fit l'éloge de ma résolution et déclara qu'il s'agissait d'un acte de puissance révélant à cette femme que j'étais capable d'un effort considérable. Il précisa que, même vu mon ignorance, tout cela n'avait été qu'une exhibition à l'intention de cette sorcière.

« Jamais tu n'aurais pu la toucher, mais tu lui as montré tes griffes. Elle sait que tu n'as peur de rien. Tu as osé la défier. Je me suis servi d'elle pour me jouer de toi parce qu'elle est puissante et impitoyable. Elle n'oublie jamais. Les hommes sont en général trop occupés pour être des ennemis impitoyables. »

Une terrible colère monta en moi. Je lui déclarai qu'on ne pouvait pas se permettre de jouer ainsi avec les sentiments les plus profonds et la fidélité d'autrui.

Don Juan éclata de rire et des larmes coulaient le long de ses joues. Je le haïssais. J'avais une forte envie de lui assener un coup de poing, puis de partir. Cependant son rire avait un rythme étrange qui me paralysait.

« Ne sois pas en colère », dit-il d'un ton apaisant.

Puis il ajouta que cet acte ne constituait vraiment pas une farce : lui aussi s'était engagé à perdre sa vie lorsqu'il avait été joué par son benefactor. De même manière, il venait de se jouer de moi. Il précisa que son propre benefactor était un homme cruel qui n'avait pas pour lui les sentiments d'amitié que lui-même éprouvait pour moi. Très sèchement il dit que la femme avait tenté un coup de force contre lui, qu'elle avait vraiment tenté de le tuer.

« Maintenant elle sait que je peux me jouer d'elle, dit-il en riant. Mais elle te haïra à cause de cela. Elle ne peut rien faire contre moi, mais elle se vengera sur toi. Cependant elle ignore encore la puissance que tu possèdes; elle viendra petit à petit te mettre à l'épreuve.

Maintenant, tu n'as plus de choix. Pour savoir te défendre il faut que tu apprennes, ou sinon tu deviendras la proie de cette dame. Elle ne plaisante pas. »

Don Juan raconta comment elle s'était envolée pour éviter mon attaque.

« Ne sois pas en colère, dit-il. Ce n'est pas une ruse ordinaire. C'est la règle. »

La façon dont la femme m'avait échappé me paraissait encore incroyable. Je l'avais parfaitement vue. En un clin d'œil elle avait sauté au travers de la route. Sur son exploit je n'avais pas le moindre doute.

A partir de cet événement sur lequel je concentrai mon attention, j'accumulai les « preuves » que la Catalina me suivait réellement. Un tel état me conduisit, poussé par des peurs irrationnelles, à abandonner mon apprentissage[1].

Quelques heures plus tard, tôt dans l'après-midi, je revins chez don Juan. Il semblait m'attendre. Il s'avança vers moi et, tournant à plusieurs reprises autour de moi, il m'examina de curieuse manière.

« Pourquoi tant d'agitation? » demanda-t-il avant même que je n'ouvre la bouche.

Je lui expliquai que ce matin-là quelque chose m'avait effrayé. Comme autrefois j'avais eu l'impression que quelqu'un rôdait autour de moi. Il s'assit, fut absorbé dans ses pensées mais conserva une expression de sérieux inusité. Il semblait fatigué. Je pris place à son côté pour travailler à mes notes.

Après un très long silence son visage s'illumina, et il eut un large sourire.

« Ce que tu as senti ce matin était l'esprit du point d'eau, dit-il. Je t'avais prévenu d'être prêt à des rencon-

1. Cf. *op. cit.*, chap. III et XI.

tres inattendues avec ce genre de forces. J'avais cru que tu savais cela.

– J'avais très bien compris cela.

– Alors pourquoi avoir peur? »

Je ne trouvai rien à répondre.

« L'esprit suit ta trace. Il t'a déjà capté une fois, dans l'eau. Je peux te certifier qu'il te captera à nouveau et que probablement tu ne seras pas préparé à cette rencontre. Elle pourrait donc t'être fatale. »

Cette déclaration m'inquiéta. Malgré tout j'eus une réaction assez curieuse; j'étais inquiet sans être effrayé. Cet événement n'avait pas pu faire renaître ma vieille peur aveugle.

« Que dois-je donc faire?

– Tu oublies trop facilement, dit-il. Le chemin de la connaissance est un chemin que l'on est forcé de prendre. Pour apprendre tu dois être aiguillonné. Sur le chemin de la connaissance on est toujours en train de combattre quelque chose, d'éviter quelque chose, de se préparer à quelque chose. Et ce quelque chose reste toujours inexplicable, toujours plus grand et plus puissant que nous. Les forces inexplicables viendront vers toi. Aujourd'hui c'est l'esprit du point d'eau. Demain ce sera ton propre allié. Par conséquent, la seule chose à faire est de te préparer au combat. Il y a des années la Catalina t'aiguillonna, et cependant elle n'est qu'une sorcière; il ne s'agissait que d'une ruse de débutant.

« Le monde est vraiment rempli de choses effrayantes, et nous sommes des créatures sans ressources entourées de forces inexplicables et inflexibles. Ignorant, l'homme moyen croit que ces forces peuvent être expliquées, et même changées. Il ne sait réellement pas comment faire, mais il espère que les découvertes de l'humanité permettront, tôt ou tard, d'expliquer et de changer ces forces. Par contre, le sorcier ne pense pas à les expliquer ou à les changer. Au contraire, il apprend à les utiliser en se re-dirigeant et en s'adaptant à leur direction. Voilà l'astuce du sorcier. Mais un sorcier n'est guère mieux loti que l'homme moyen. En fait je devrais dire que la sorcellerie l'embarrasse, elle rend sa vie incommode et précaire. En s'ouvrant à la connaissance un sorcier devient plus vulnérable que l'homme moyen. D'un côté ses semblables, les hommes, le détestent et vont tout faire pour le détruire. De l'autre, les forces inexplicables et inflexibles, celles qui nous entourent tous du seul fait que nous sommes en vie, constituent pour le sorcier un danger encore plus important. Se trouver percé par ses semblables est sans aucun doute douloureux, mais rien comparé à l'impact du coup donné par un allié. Un sorcier, en s'ouvrant à la connaissance, devient la proie de ces forces, et il n'a qu'une seule chose à leur opposer : sa volonté. Donc il doit percevoir et agir comme un guerrier. Une fois de plus je vais te répéter ceci : Sur le chemin de la connaissance on ne peut survivre qu'en étant un guerrier. Ce qui aide un sorcier à rendre sa vie meilleure, c'est la force qu'il tire du fait qu'il est un guerrier.

« Je me suis engagé à t'enseigner à *voir*. Non pas parce que personnellement je désire le faire, mais parce que tu as été choisi, Mescalito te désigna à mon intention[1]. Mon désir personnel me contraint cependant à t'enseigner comment percevoir et agir tel un guerrier. Personnellement je ne crois pas qu'être un guerrier soit plus approprié que n'importe quoi d'autre. Par conséquent, je m'efforce de te montrer ces forces telles que perçues par un sorcier, puisqu'on ne devient guerrier que si l'on est soumis à leur impact terrifiant. *Voir* sans auparavant être un guerrier t'affaiblirait. Cela te procurerait une fausse humilité, un désir de retraite. Ton corps décrépirait parce que tu deviendrais indifférent. Je me suis personnellement engagé à faire de toi un guerrier pour que tu ne partes pas en morceaux.

1. Cf. *op. cit.*, chap. II.

« Maintes et maintes fois je t'ai entendu déclarer que tu étais en permanence prêt pour ta mort. Je ne considère pas une telle attitude nécessaire. Je pense qu'il s'agit d'une inutile indulgence envers soi. Un guerrier doit être prêt seulement pour le combat. Je t'ai aussi entendu dire que tes parents avaient meurtri ton esprit. Je pense que l'esprit de l'homme est quelque chose que l'on peut facilement meurtrir, mais en tout cas pas par les actes que tu as qualifiés de nuisibles. Je crois que tes parents t'ont meurtri en te rendant indulgent vis-à-vis de toi-même, mou, et destiné à rester toujours le même.

« L'esprit d'un guerrier n'est pas poussé à l'indulgence et à la complainte, pas plus qu'il n'est dirigé vers vaincre ou perdre. L'esprit du guerrier est destiné uniquement au combat, et chaque combat est pour le guerrier sa dernière bataille terrestre. Par conséquent pour lui, l'issue n'a pas d'importance. Au cours de cette dernière bataille sur terre le guerrier laisse son esprit s'en aller, libre et pur. Et pendant qu'il poursuit sa bataille, parce qu'il sait que sa volonté est impeccable, un guerrier rit et rit sans cesse. »

Lorsque j'eus terminé de prendre mes notes, je levai les yeux. Don Juan me dévisageait. Sa tête oscillait d'un côté à l'autre, et il souriait. »

« Tu écris vraiment tout ? me demanda-t-il d'un ton incrédule. Genaro dit qu'en ta présence il ne peut jamais garder son sérieux parce que tu écris toujours. Il a raison. Comment quelqu'un peut-il rester sérieux si tu écris toujours ? »

Il eut un rire discret. J'essayai de me défendre.

« Cela n'a pas d'importance, reprit-il. Si jamais tu arrives à apprendre à *voir*, sans doute dois-tu le faire à ton étrange façon. »

Il se leva, et regarda le ciel. Il était aux environs de midi. Il annonça que nous avions encore le temps d'aller à la chasse dans les montagnes.

« Qu'allons-nous chasser?

– Un animal spécial, un cerf, ou un sanglier, ou même un puma. »

Il fit une pause et ajouta :

« Pourquoi pas un aigle! »

Je me levai et le suivis jusqu'à ma voiture. Il indiqua qu'il s'agissait, cette fois-ci, d'un simple tour d'observation; seulement pour savoir quel animal nous devions chasser. Il était prêt à s'installer dans la voiture lorsqu'il sembla se souvenir de quelque chose. Il eut un sourire et déclara le tour remis jusqu'à ce que j'eusse appris ce sans quoi notre chasse serait impossible.

Nous allâmes nous asseoir sous la *ramada*. Il y avait toutes ces questions que je brûlais de poser, mais il ne me laissa pas le temps d'ouvrir la bouche.

« Ce qui nous amène au dernier point concernant un guerrier. Un guerrier choisit les éléments qui font son monde.

« L'autre fois, lorsque tu vis l'allié et qu'ensuite il fallut que je te lave deux fois, sais-tu ce qui n'allait pas?

– Non.

– Tu avais perdu tes boucliers.

– Quels boucliers? De quoi parlez-vous?

– Je dis qu'un guerrier sélectionne les éléments qui constituent son monde. Il les sélectionne de manière délibérée, car chacun des éléments choisis constitue un bouclier qui le protège conte les attaques des forces qu'il désire utiliser. Par exemple un guerrier peut se servir de ses boucliers pour se protéger de son allié.

« Un homme moyen, qui lui aussi est entouré de même manière par ces forces inexplicables, ne s'en soucie pas parce qu'il a d'autre genres de boucliers spéciaux pour se protéger. »

Il s'arrêta et me regarda avec une sorte d'interrogation dans les yeux. Je n'avais pas compris ce dont il parlait.

« Que sont ces boucliers? demandai-je.

– Ce que les gens font, dit-il.

– Que font-ils?

– Eh bien, regarde autour de toi! Les gens sont affairés à faire ce que les gens font. Voilà leurs boucliers. Lorsqu'un sorcier rencontre une de ces forces inexplicables dont nous avons parlé, sa trouée s'ouvre et cela le rend encore plus susceptible de mort qu'en temps ordinaire. Je t'ai déjà dit que nous mourions par la trouée. Par conséquent si elle est ouverte on doit avoir la volonté prête à la remplir; et cela est possible pour qui est un guerrier. Si l'on n'est pas un guerrier, comme toi par exemple, alors le seul recours est de faire usage des activités de la vie et de tous les jours pour empêcher son propre esprit de subir les rigueurs effrayantes d'une rencontre. Ainsi faisant la trouée se referme. Le jour où tu as rencontré l'allié, tu t'es mis en colère contre moi. Je t'ai mis en colère en empêchant ta voiture de marcher. Je t'ai refroidi lorsque je te poussai à l'eau avec tes vêtements pour que tu aies encore plus froid. Etre en colère et avoir froid t'aidèrent à fermer ta trouée, et ainsi tu fus protégé. Cependant à ce moment particulier de ta vie, tu ne peux plus faire usage de tes boucliers de manière aussi effective que l'homme moyen. Tu connais trop ces forces, et maintenant tu es à deux doigts de percevoir et d'agir comme un guerrier. Tes vieux boucliers ne te suffisent plus.

– Que dois-je donc faire?

– Agir comme un guerrier et sélectionner les éléments de ton monde. Tu ne peux plus t'entourer de choses d'une façon hétéroclite. Je dis cela très sérieusement. Maintenant, pour la première fois, tu n'es plus à l'abri dans ton ancien mode de vie.

– Que voulez-vous dire par sélectionner les éléments de mon monde?

– Un guerrier rencontre des forces inexplicables et inflexibles parce que délibérément il les recherche. Par conséquent il est toujours préparé à la rencontre. Toi, au contraire, tu n'y es jamais préparé. En fait si ces forces se dirigent vers toi, elles te prendront par surprise, la frayeur ouvrira ta trouée, et ta vie s'échappera irrésistiblement. La première chose à faire, c'est de te préparer. Pense que l'allié va surgir devant tes yeux n'importe quand et que pour lui faire face tu dois être prêt. Rencontrer un allié n'est ni une fête ni le pique-nique du dimanche. Un guerrier a la responsabilité de protéger sa vie. Alors si n'importe laquelle de ces forces te capte et ouvre ta trouée, tu dois de manière délibérée t'efforcer de la fermer toi-même. Dans ce but tu dois avoir choisi un certain nombre de choses dont tu peux faire usage pour éloigner tes pensées de ta frayeur, donc refermer ta trouée et devenir solide.

– Quel genre de choses?

– Il y a des années je t'ai dit que dans sa vie de chaque jour un guerrier choisit de suivre le chemin-qui-a-du-cœur[1]. C'est le choix consistant du chemin-qui-a-du-cœur qui fait qu'un guerrier diffère d'un homme moyen. Il sait qu'un chemin a du cœur lorsqu'il ne fait qu'un avec ce chemin, lorsqu'il éprouve une paix et un plaisir incommensurables à le parcourir dans toute sa longueur. Les choses qu'un guerrier sélectionne pour en faire ses boucliers sont les éléments d'un chemin-qui-a-du-cœur.

– Mais tu dis que je ne suis pas un guerrier, alors comment pourrai-je choisir un chemin-qui-a-du-cœur?

– Tu es à un tournant. Disons qu'auparavant tu n'avais vraiment pas besoin de vivre comme un guerrier. Maintenant, c'est différent, tu dois t'entourer des éléments d'un chemin-qui-a-du-cœur, et refuser tout le reste. Sinon tu périras à la prochaine rencontre. Je me permets d'ajouter que tu n'as plus besoin de demander

1. Le concept de « chemin-qui-a-du-cœur », capital dans la connais-sance de don Juan, est difini in *op. cit.*, chap. V et IX.

une rencontre. Un allié peut venir à toi dans ton sommeil, pendant que tu parles avec des amis, pendant que tu écris.

– Pendant des années, dis-je, j'ai essayé de vivre en accord avec vos enseignements. Il est clair que je n'ai pas vraiment réussi. Maintenant, comment puis-je mieux faire?

– Tu penses et tu parles beaucoup trop. Tu dois cesser de te parler.

– Que voulez-vous dire?

– Tu parles beaucoup trop à toi-même. Tu n'es pas le seul à faire ainsi. Chacun d'entre nous le fait. Nous n'arrêtons jamais ce bavardage intérieur. Penses-y. Chaque fois que tu es seul, que fais-tu?

– Je me parle à moi-même.

– De quoi te parles-tu?

– Je n'en sais rien. De n'importe quoi sans doute.

– Je vais te dire ce que nous nous disons. Nous parlons de notre monde. En fait avec notre bavardage intérieur nous maintenons le monde.

– Comment cela?

– Chaque fois que nous finissons de nous parler, le monde est toujours tel qu'il devrait être. Nous le renouvelons, nous lui insufflons de la vie, nous le supportons de notre bavardage intérieur. Et ce n'est pas tout, nous choisissons aussi nos chemins comme nous parlons à nous-mêmes. Par conséquent, nous répétons toujours et toujours les mêmes choix jusqu'au jour où nous mourons, cela parce que nous continuons toujours et toujours à répéter le même bavardage intérieur jusqu'au jour où nous mourons.

« Un guerrier est conscient de cela, et il s'efforce de mettre fin à son bavardage intérieur. Ce qui constitue la dernière caractéristique d'un guerrier à connaître si tu veux vivre comme un guerrier.

– Comment puis-je cesser de me parler?

– En premier lieu tu dois faire usage de tes oreilles

pour les charger d'une part du fardeau de tes yeux. Depuis le jour de notre naissance nous utilisons nos yeux pour juger le monde. Nous parlons, aux autres et à nous-mêmes, en termes de ce que nous avons vu. Un guerrier est conscient de cela, et il écoute le monde. Il écoute les sons du monde. »

Je posai mon carnet de notes. Don Juan éclata de rire et déclara qu'il n'avait pas dit que je devais foncer tête baissée. Cette écoute des sons du monde doit se faire harmonieusement et avec une extrême patience.

« Un guerrier est conscient que le monde changera dès qu'il cessera de parler, dit-il, et il doit être préparé pour cette monumentale secousse.

– Que voulez-vous dire?

– Le monde est comme ci ou comme ça parce que nous disons qu'il est ainsi. Si nous cessons de nous dire que le monde est comme ça, le monde cessera d'être comme ça. Seulement je ne crois pas que tu sois maintenant prêt à une telle gifle, par conséquent tu dois commencer à dé-faire très lentement le monde.

– Je ne vous comprends vraiment pas!

– Ton problème est que tu confonds le monde avec ce que les gens font. A nouveau, tu n'es pas le seul à faire cette confusion. Nous la faisons tous. Les choses que les gens font constituent les boucliers contre les forces environnantes. Ce que nous faisons en tant qu'homme nous procure le confort et nous donne un sentiment de sécurité. Ce que les gens font est sans doute important, mais seulement pour servir de bouclier. Et jamais nous n'apprenons que les choses que nous faisons en tant qu'hommes sont seulement des boucliers, ce qui fait que nous laissons ces choses dominer et écraser notre vie. En fait je pourrais dire que pour l'humanité ce que font les gens est plus conséquent et plus important que le monde lui-même.

– Qu'appelez-vous le monde?

– Le monde est tout ce qui est enfermé ici, dit-il, et il

frappa du pied par terre. La vie, la mort, les gens, les alliés, et tout ce qui nous entoure. Le monde est incompréhensible. Nous ne le comprendrons jamais. Nous ne dévoilerons jamais ses secrets. Nous devons le traiter tel qu'il est, un mystère absolu !

« Encore qu'un homme moyen ne fasse pas du tout cela. Pour lui le monde n'est jamais un mystère, et lorsqu'il atteint sa vieillesse il est persuadé qu'il n'y a plus rien qui vaille la peine de vivre encore. Un vieil homme n'a pas épuisé le monde. Il a seulement épuisé les choses que les gens font, mais au sein de sa stupide confusion il croit que le monde n'a plus de mystères. C'est un sacré prix à payer pour avoir nos boucliers.

« Un guerrier est conscient de cette confusion, et il apprend à traiter les choses de manière appropriée. En aucun cas les choses que les gens font ne peuvent être plus importantes que le monde. Par conséquent, un guerrier traite le monde comme un mystère infini, et ce que les gens font comme une folie sans bornes. »

15

Je commençai les exercices d'écoute des « sons du monde », et ainsi que don Juan me l'avait demandé, je continuai pendant deux mois. Au début, il me fut excessivement difficile d'écouter au lieu de regarder, et infiniment plus difficile de supporter l'absence de bavardage intérieur. Cette période terminée, j'étais devenu capable de cesser mon dialogue intérieur pendant de courts intervalles de temps, et surtout de faire attention aux sons beaucoup plus que jamais auparavant dans ma vie.

Le 10 novembre 1969, à neuf heures du matin, j'arrivai chez don Juan. Immédiatement il déclara :

« Nous devons commencer ce voyage sur-le-champ. »

Je me reposai pendant une heure et ensuite nous allâmes en voiture vers les pentes les plus basses des montagnes de l'Est. Nous laissâmes la voiture à la garde d'un de ses amis. Dans un sac à dos qu'il me confia don Juan avait mis quelques biscuits et des petits pains, suffisamment pour un ou deux jours. Je lui demandai s'il fallait en prendre davantage, mais il fit un signe de tête négatif.

Nous marchâmes pendant toute la matinée. Comme il faisait assez chaud je bus presque toute la gourde que je portais, don Juan ne prit que deux gorgées. Une fois l'eau terminée, il me dit que l'eau des torrents était bonne à boire, et il rit de me voir marquer une évidente répugnance. Peu de temps après, ma soif aidant, je dominai facilement ce genre de crainte.

Tôt dans l'après-midi, nous arrivâmes dans une petite vallée au pied de collines couvertes d'une végétation verte et luxuriante. Vers l'est, derrière les collines, de hautes montagnes se profilaient sur le ciel nuageux.

« Tu peux penser, tu peux écrire à propos de ce que nous disons, ou à propos de ce que tu perçois, mais absolument rien concernant le lieu où nous sommes », déclara-t-il.

Nous fîmes une courte pause pour nous reposer. Il sortit un petit ballot de sa chemise. Il le déballa et me montra sa pipe. Il la bourra de son mélange à fumer, frotta une allumette, alluma une brindille qu'il plaça dans le fourneau. Puis il me dit de fumer. Sans braise dans le fourneau il était difficile d'allumer le mélange, et il fallut continuer à y placer des brindilles enflammées.

Une fois la pipe fumée, il me dit que nous étions venus à cet endroit pour que je découvre le genre de gibier que je devais chasser. Trois ou quatre fois il répéta que dans mon entreprise l'important était de distinguer quelques trous. Il insista sur le mot « trou », et précisa qu'un sorcier pouvait trouver toutes sortes de messages et de directions à l'intérieur de ces trous.

Je voulus lui demander de quel genre de trous il parlait, mais il devança ma question en déclarant qu'ils étaient impossibles à décrire, et qu'ils faisaient partie du domaine du « voir ». A plusieurs reprises il répéta que je devais concentrer mon attention sur l'écoute des sons et faire au mieux pour déceler les trous entre les sons. Il indiqua qu'il allait par quatre fois jouer de son capteur d'esprit, et que je devrais utiliser ces appels mystérieux comme un guide vers l'allié qui m'avait accueilli. Alors l'allié me transmettrait le message que je venais chercher. Il précisa que je devais rester en état de vigilance puisque j'ignorais complètement comment l'allié allait se manifester à moi.

J'écoutais attentivement. J'étais assis adossé au flanc de roche de la colline. Un engourdissement se manifesta, et don Juan me rappela de ne pas fermer les yeux. Je pouvais distinguer les sifflements des oiseaux, le vent chassant les feuilles, et le bourdonnement des insectes. En me concentrant parfaitement sur ces sons je pus distinguer le sifflement de quatre oiseaux différents, les variations de vitesse du vent, c'est-à-dire lent ou rapide, et le bruissement de trois espèces de feuilles. Les bourdonnements des insectes me déconcertaient. Il y en avait tant que je ne pus ni les compter ni les différencier à coup sûr.

J'étais plongé dans un étrange monde de sons qui m'était resté inconnu jusqu'à ce jour. Je me sentis tomber vers ma droite. Don Juan se précipita pour m'empêcher de tomber, mais je me rattrapai avant qu'il n'ait eu le temps d'intervenir. Alors il déplaça mon corps insensible pour le caler dans une anfractuosité de rocher. Il ôta les petits cailloux de dessous mes jambes, et fit reposer ma tête sur le rocher.

D'un ton très ferme il me dit de regarder les montagnes au sud-est. Je fixai mon regard à distance mais il me corrigea. Je ne devais pas fixer, seulement regarder, en quelque sorte scruter les collines devant moi et plus précisément la végétation qui les couvrait. Maintes et maintes fois il me dit que mon attention devait aller à ce que j'entendais.

A nouveau, les sons prédominèrent, non pas tant que j'eusse désiré les entendre, mais plutôt parce qu'ils avaient une curieuse manière de me forcer à concentrer mon écoute sur eux. Le vent faisait bruire les feuilles. Le vent venait de très haut au-dessus des arbres, puis il tombait dans la vallée où nous étions. En descendant, il touchait en tout premier lieu les feuilles des arbres les plus grands, et ces feuilles produisaient un bruit particulier que je caractérisais de riche, de grinçant et de luxuriant. Ensuite le vent tombait sur les buissons dont les feuilles sonnaient comme une multitude de petites choses, ce qui donnait un son presque mélodieux, très absorbant et surtout assez exigeant, un son capable, me sembla-t-il, de noyer tous les autres. Je le trouvai assez déplaisant, et cela m'embarrassa car soudain je pensais que j'étais comme le bruissement de ces buissons, agaçant et exigeant. Un son tellement semblable à un moi-même que je détestais. Enfin j'entendais le vent rouler au sol, un sifflement plutôt qu'un bruissement, sifflement presque aigu et parfois bourdonnant. En écoutant ces trois sons produits par le vent je me rendis compte qu'ils se produisaient simultanément, et cette constatation me poussa à me demander comment je pouvais les distinguer les uns des autres, mais à ce moment précis je redevins conscient du sifflement des oiseaux et du bourdonnement des insectes. Pendant un certain temps il n'y eut que les sons du vent et l'instant d'après un incroyable flot de sons émergea brusquement dans mon champ de conscience. Logiquement, tous les sons avaient dû continuer à se produire pendant que j'écoutais le vent.

Il m'était impossible de compter tous les chants d'oiseaux et tous les bourdonnements d'insectes, et cependant j'étais persuadé que j'écoutais chaque son tel qu'il était émis, parfaitement séparé des autres. Et tous ensemble ils créaient un ordre des plus extraordinaires. Rien d'autre ne le caractérisait si ce n'était son « ordre », un ordre de sons qui avait une trame; c'est-à-dire que chaque son se produisait selon une succession, en série.

Alors j'entendis un gémissement prolongé. Ce son unique me fit trembler. En effet tous les autres sons cessèrent brusquement et dans la vallée régna un silence de mort qui dura jusqu'à ce que la réverbération du gémissement eût atteint ses plus lointaines limites.

Alors les sons reprirent et immédiatement je saisis leur trame. Après un moment d'écoute attentive je crus comprendre ce que don Juan nommait les trous dans les sons. La trame des sons comportait des espaces entre ces sons! Par exemple la durée des chants d'oiseaux particuliers était comme réglée et entre eux il y avait des pauses. Et il en allait de même avec tous les sons que je percevais. Le bruissement des feuilles était ce qui cimentait l'ensemble des sons en un bourdonnement homogène. L'important demeurait, le rythme de chaque son constituait un élément unique et permanent dans la trame de tous les sons. Par conséquent, si j'y prêtais attention, les espaces ou pauses entre les sons représentaient des trous dans cette structure.

A nouveau j'entendis le gémissement perçant du capteur d'esprit. Cette fois-ci il ne me secoua pas, mais pendant un court instant tous les sons cessèrent et je perçus cette pause comme un trou, un trou extrêmement large. A ce moment précis je passai de la faculté d'entendre à celle de voir. Je regardais un ensemble de basses collines couvertes d'une luxuriante végétation verte. La découpe de ces collines était telle qu'il semblait y avoir un trou dans le flanc de l'une d'elles. Il s'agissait d'un espace entre deux collines au travers duquel je pouvais voir au loin la profonde coloration grise et noire des montagnes. Pendant un court instant je ne sus pas exactement ce qui se passait, et je ne distinguai pas le trou, parce que c'était comme si le trou que je voyais était le « trou » dans le son. Mais le bruit reprit et l'image persista. Un peu plus tard je perçus de façon bien plus distincte la trame des sons, leur ordre et l'arrangement des pauses entre les sons. J'étais devenu capable de distinguer et de différencier un nombre considérable de sons individualisés. En fait je pouvais suivre tous les sons, et par conséquent chaque pause entre ceux-ci était sans aucun doute un trou très bien défini. A un moment donné les pauses se cristallisèrent dans mon esprit et formèrent une sorte de grille solide, une réelle structure. Je ne la voyais pas, je ne l'entendais pas, mais je la percevais avec une partie indiscernable de mon corps.

Don Juan joua sur sa corde une fois de plus. Les sons cessèrent et cela révéla un immense trou dans la structure sonore. La longue pause ainsi créée s'harmonisa avec l'image du trou dans les collines, et elles se superposèrent. L'effet de perception des deux trous dura assez pour que je sois à même d'entendre-voir leurs contours lorsqu'ils s'associèrent. Puis les autres sons reprirent, et leur structure de pauses s'imposa comme une extraordinaire perception que j'aurais tendance à qualifier de perception presque visuelle. Je commençai à voir les sons alors qu'ils créaient des trames, et ensuite toutes ces trames se superposaient aux éléments de l'environnement visible d'une manière semblable au phénomène de superposition des deux trous. Mon ouïe et ma vue n'avaient rien de comparable à ce que sont ces facultés dans la vie ordinaire. Je faisais quelque chose d'entièrement différent qui cependant conservait les caractères propres à l'une et à l'autre de ces perceptions. Pour une raison inconnue mon attention se concentra sur l'immense trou dans les collines. J'avais l'impression de l'entendre tout en le voyant. Il possédait quelque chose d'attirant. Il s'imposait à mon champ de perception, et chacune des trames sonores qui alors coïncidait avec un élément de l'environnement dépendait de ce trou.

Pour la quatrième fois j'entendis le gémissement mystérieux du capteur d'esprit. Tous les autres sons disparurent. Les deux immenses trous semblèrent s'illuminer, et brusquement je vis le champ labouré. Comme la première fois, l'allié était là, debout. La scène devint très distincte. Je pouvais parfaitement voir l'allié, comme s'il n'était qu'à quinze mètres de moi. Son chapeau couvrait son visage. Tout en relevant la tête il commença à s'avancer vers moi. Je pus presque voir son visage, et cela me terrifia. Je savais qu'il me fallait l'arrêter sur-le-champ. Une vague étrange secoua mon corps, je sentis comme un flot de « pouvoir »[1]. Je voulus en finir avec cette vision en tournant ma tête, mais je ne pouvais pas remuer. C'est à ce moment crucial qu'une pensée me traversa : je savais ce que don Juan avait voulu dire quand il parlait des éléments d'un chemin-qui-a-du-cœur et déclarait qu'ils constituaient des boucliers. Dans ma vie il y avait quelque chose que je brûlais d'accomplir, quelque chose qui me viderait de mon énergie et qui exciterait ma curiosité, quelque chose qui me remplirait de paix et de joie. Je savais que l'allié ne pouvait pas m'abattre. Sans aucune difficulté je tournai la tête avant de voir son visage tout entier.

Les autres sons redevinrent perceptibles, puis tout à coup ils furent assourdissants, stridents, comme s'ils étaient en colère contre moi. Leurs trames s'effilochèrent et ils ne furent plus qu'un amorphe conglomérat de crissements aigus et plaintifs. La pression sonore devint telle que mes oreilles bourdonnaient. J'eus l'impression que ma tête allait éclater. Je me levai et pressai mes mains sur mes oreilles.

Don Juan m'aida à aller à un torrent qui, en cette saison, était réduit à un filet d'eau. Il m'ordonna de me déshabiller, et il me roula dans l'eau. Il dut m'allonger sur le lit presque desséché, et prenant de l'eau dans son chapeau il la versa sur tout mon corps.

La pression dans mes oreilles diminua très rapidement, et en quelques minutes je fus « lavé ». Tout en hochant la tête don Juan ne me quittait pas des yeux. Il annonça que je m'étais rendu « solide » en un rien de temps.

1. Le concept de « pouvoir » n'est pas ici une simple notion de puissance, mais une aptitude d'ordre pragmatique bien définie in *op. cit.*, chap. XI.

Je m'habillai; ensuite il me guida vers l'endroit où j'avais été assis pendant l'expérience. Je me sentais fort, plein d'entrain et parfaitement lucide.

Il voulut connaître tous les détails de ma vision. Il déclara que les sorciers se servaient des « trous » dans les sons pour découvrir des choses bien définies. L'allié d'un sorcier pouvait révéler les affaires les plus compliquées au travers des trous dans les sons. Il refusa de préciser cette notion de « trou », et repoussa mes questions en prétendant que puisque je n'avais pas un allié ce genre d'information servirait seulement à me mettre en position dangereuse.

« Pour un sorcier tout est significatif. Les sons, comme tout ce qui t'entoure, ont des trous. Dans sa vie ordinaire un homme n'a pas la vitesse nécessaire pour percevoir ces trous, et ainsi il traverse sa vie sans aucune protection. Les vers de terre, les oiseaux, les arbres pourraient tous nous raconter des choses inimaginables si seulement nous étions capables d'avoir la vitesse qui nous permettrait d'accrocher leur message. La fumée peut t'accorder cette vitesse d'accrochage. Nous devons donc rester en bon termes avec toutes les choses vivantes de ce monde; c'est pourquoi nous devons parler aux plantes que nous allons tuer, et nous excuser aussi de les faire souffrir. C'est la même chose avec les animaux que nous allons tuer à la chasse. Nous ne devons prendre que l'indispensable, ce qui est nécessaire à nos besoins, sinon les plantes, les animaux, les vers de terre que nous avons tués inutilement se retourneront contre nous, nous causeront des malheurs et des maladies. Un guerrier est conscient de cela et il s'efforce de les apaiser, car lorsqu'il regardera au travers des trous ce sont ces arbres, ces oiseaux, ces vers de terre qui lui transmettront de véritables messages.

« Mais maintenant tout cela importe peu. L'important est que tu as vu l'allié. C'est ton gibier! Je t'avais prévenu que nous allions à la chasse. Je croyais que tu allais voir l'animal que nous devrions chasser. Moi, j'avais vu un sanglier, et c'est la raison pour laquelle mon capteur d'esprit est un sanglier.

– Voulez-vous dire que votre capteur d'esprit est fait de sanglier?

– Non! Dans la vie d'un sorcier rien n'est fait de quelque chose d'autre. Si quelque chose est une chose, elle est la chose elle-même. Si tu connaissais le sanglier tu te rendrais compte que mon capteur d'esprit en est un.

– Pourquoi sommes-nous venus chasser ici?

– L'allié te montra un capteur d'esprit, il le sortit de sa pochette. Maintenant si tu désires l'appeler tu as besoin d'un capteur d'esprit. »

– Qu'est-ce qu'un capteur d'esprit?

– C'est une fibre. C'est avec elle que je peux appeler les alliés, ou mon propre allié, ou les esprits des points d'eau, les esprits des rivières, et les esprits des montagnes. Le mien est un sanglier, et il hurle comme un sanglier. Pour demander à l'esprit de venir t'aider, par deux fois j'en fis usage en ta présence; aujourd'hui il est venu à toi, exactement comme le fit l'allié. Cela bien que tu n'aies pas pu le voir. Tu n'avais pas la vitesse suffisante pour en arriver là. Malgré tout, le jour où je t'ai amené au canyon tu as su que l'esprit était là sans l'avoir vu. Ces esprits sont des assistants[1]. Ils sont difficiles à manipuler, et d'une certaine manière ils sont aussi dangereux. Il faut posséder une volonté sans faille pour pouvoir les maintenir à distance.

– A quoi ressemblent-ils?

– Comme c'est le cas avec les alliés, ils diffèrent avec chaque homme. Pour toi, un allié aurait l'apparence de quelqu'un que tu as déjà vu, ou d'un homme que tu seras toujours proche de connaître, car c'est là ton penchant naturel. Tu es porté aux mystères et aux

1. Cf. note p. 221.

secrets. Je suis différent, et pour moi un allié est quelque chose de très précis.

« Les esprits des points d'eau sont appropriés aux endroits particuliers qu'ils fréquentent. Celui à qui j'ai fait appel pour qu'il vienne t'aider est un de ceux que j'ai connus moi-même; il m'a aidé très souvent. Il gîte dans ce canyon. Lorsque je l'appelai tu étais plutôt faible, et il te secoua durement. Pourtant là n'était pas son intention. D'ailleurs ces esprits n'en ont pas. Seulement tu étais affaibli, beaucoup plus que je ne le pensais. Un peu plus tard cet esprit réussit presque à t'entraîner à la mort. C'était dans le canal d'irrigation, quand tu devins phosphorescent. L'esprit t'attaqua par surprise, et tu as presque succombé. Lorsqu'un esprit agit ainsi une fois, il revient toujours sur sa proie. Je suis persuadé qu'il t'attaquera à nouveau. Le malheur est que si tu utilises la fumée tu as besoin de l'eau pour regagner ta solidité. Cela te met dans une situation particulièrement désavantageuse. Si tu ne te sers pas de l'eau, tu mourras presque certainement, mais si tu en fais usage, l'esprit t'attaquera.

— Puis-je me servir de l'eau d'un autre endroit?

— Cela ne changerait rien. L'esprit du point d'eau non loin de ma maison peut te suivre n'importe où, sauf si tu possèdes un capteur d'esprit. C'est pourquoi l'allié t'en a montré un. Il l'a enroulé autour de sa main gauche, et seulement après t'avoir montré le ravin il s'est avancé vers toi. Aujourd'hui, en faisant le même geste il désirait te montrer le capteur d'esprit. Vu l'état de faiblesse dans lequel tu te trouves, tu as eu raison de l'arrêter. L'allié allait trop vite, et un face à face immédiat aurait pu avoir de graves conséquences pour toi.

— Comment puis-je acquérir un capteur d'esprit?

— Il semble que l'allié lui-même va t'en donner un.

— Et comment?

— Je l'ignore. Tu devras aller à lui. Il t'a déjà dit où aller pour le rencontrer.

– Où?

– Là-haut, sur les collines où tu as vu le trou.

– Dois-je chercher l'allié en personne?

– Non. Mais il t'attend. Pour toi la petite fumée a ouvert une voie vers lui. Plus tard, tu le rencontreras face à face. Mais seulement lorsque tu le connaîtras très bien. »

16

Nous retournâmes dans la même vallée le 15 décembre 1969, tard dans l'après-midi. Pendant que nous avancions au travers des broussailles, don Juan n'arrêtait pas de me répéter qu'au cours de cette nouvelle tentative de rencontre de l'allié il fallait attacher une importance capitale aux directions et aux points d'orientation.

« Dès que tu arriveras au sommet d'une colline tu devras immédiatement déterminer ta bonne direction, et aussitôt fais face à cette direction, et il montra le sud-est. C'est ta direction bénéfique, et tu devras toujours lui faire face. Surtout lorsque tu auras des ennuis. N'oublie pas cela. »

Nous fîmes étape au pied des collines sur lesquelles j'avais, la fois précédente, aperçu cet immense trou. Il désigna l'endroit précis où je devais m'asseoir. Il prit place à mon côté, et calmement me donna des instructions très détaillées. Aussitôt que j'arriverai en haut de la colline je devrai étendre mon bras droit en avant, la paume de la main tournée vers le sol, et les doigts étirés en éventail à l'exception du pouce, replié contre la paume. Ensuite, je tournerai ma tête vers le nord, je plierai mon bras sur ma poitrine, donc je le dirigerai lui aussi vers le nord. Ensuite, je devrai danser en plaçant mon pied gauche derrière le droit et en frappant le sol de la pointe de mes orteils. Lorsque je sentirai une vague de chaleur monter dans ma jambe gauche, je devrai commencer à déplacer mon bras droit du nord au sud, et le ramener au nord.

« L'endroit au-dessus duquel la paume de ta main percevra le plus de chaleur est celui où tu dois t'asseoir, et il indique aussi la direction dans laquelle tu dois porter ton regard. Si l'endroit est à l'est ou dans cette direction – et à nouveau il désigna le sud-est – les résultats seront excellents. Si ta main se réchauffe au-dessus d'un point vers le nord, tu prendras une sacrée volée, mais tu peux t'en tirer tout à ton avantage. S'il s'agit du sud, le combat sera difficile.

« Les premières fois, tu feras ce mouvement tournant du bras par quatre fois consécutives, mais lorsque tu en prendras l'habitude un seul mouvement sera nécessaire pour savoir si ta main va ou non se réchauffer.

« Une fois déterminé l'endroit où ta main se réchauffe, assieds-toi à cet endroit-là. Si tu dois faire face au sud ou au nord, libre à toi de décider si tu te sens assez fort pour continuer. Si tu as le moindre doute, lève-toi et va-t'en. Si tu n'as vraiment pas confiance rien ne t'oblige à rester. Par contre, si tu décides de rester, nettoie une zone assez large pour y faire un feu de bois, à environ un mètre cinquante de l'endroit où tu dois t'asseoir. Ce feu doit être parfaitement aligné dans la direction que tu dois observer. Ce feu constituera ton second point. Ramasse toutes les brindilles que tu trouveras entre ces deux points, et fais ton feu. Assieds-toi au premier point et observe les flammes. L'esprit viendra tôt ou tard, et tu le verras.

« Si après quatre mouvements de bras ta main ne se réchauffe toujours pas, alors continue en faisant un lent mouvement du nord au sud puis, après un quart de tour de ton corps, continue à déplacer ton bras vers l'ouest. Si ta main se réchauffe n'importe quand en allant du sud à l'ouest, laisse tout tomber et prends la poudre d'escampette. Cours vers le plat et peu importe ce que tu entends ou ressens, en aucun cas tu ne tourneras la tête. Aussitôt arrivé sur le plat, quelle que soit ta frayeur, cesse de courir et effondre-toi au sol. Enlève ton blouson, tasse-le contre ton nombril, et recroqueville-toi assis par terre, les genoux dans l'estomac. Tu devras aussi recouvrir tes yeux de tes mains, et tu auras tes bras serrés contre tes cuisses. Jusqu'au lever du jour tu conserveras cette position. Si tu fais ce que je dis, rien ne t'arrivera.

« Si tu ne peux pas atteindre le plat à temps, effondre-toi au sol sur-le-champ. Bien sûr tu passeras un mauvais moment. Tu seras harcelé; mais si tu gardes tout ton calme, si tu ne bouges pas, si tu ne regardes absolument pas, tu t'en sortiras sans une seule égratignure.

« Maintenant, si ta main ne se réchauffe pas en tournant vers l'ouest, fais à nouveau face à l'est et cours dans cette direction jusqu'à en perdre le souffle. Arrête-toi, et reprends les mêmes mouvements. Et ainsi de suite jusqu'au moment où ta main se réchauffera. »

Il me fit répéter ces instructions pour que je les sache par cœur. Ensuite nous restâmes un moment assis en silence. Plusieurs fois je tentai de relancer la conversation, mais d'un geste impératif il me força à garder le silence.

La nuit tombait quand don Juan se leva, et sans un mot il commença à grimper le flanc de la colline. Au sommet j'accomplis scrupuleusement le rituel prescrit. Non loin de moi don Juan restait debout et m'observait. Je fis très attention, en effectuant ces mouvements très lentement, et je m'efforçai de percevoir un changement de température. Mais il me fut impossible de décider si ma paume devenait ou non plus chaude. Dans la nuit déjà noire, je voyais encore suffisamment pour pouvoir courir sans trop trébucher dans la direction de l'est. A bout de souffle je m'arrêtai pas très loin de mon premier point. J'étais extrêmement fatigué et surtout énervé. Mes avant-bras et mes cuisses étaient douloureusement crispés.

A cet endroit je repris tous les mouvements sans plus de succès. Deux fois de plus il me fallut courir dans le noir, et à ce quatrième point, alors que je tournais mon bras pour la troisième fois, ma main se réchauffa nettement au-dessus d'un point situé vers l'est. La soudaineté du changement de température me déconcerta. En attendant l'arrivée de don Juan je m'assis. Je lui décrivis ce qui venait de se produire. Il m'ordonna de continuer l'opération. Je ramassai toutes les brindilles sèches que je pus trouver et j'allumai un feu. Don Juan alla s'asseoir non loin de là.

Le feu dessinait d'étranges silhouettes dansantes. Parfois les flammes devenaient iridescentes, elles s'élevaient bleuâtres et soudain changeaient en un blanc très brillant. Je trouvai pour expliquer ce phénomène une explication en somme assez banale : ces couleurs inhabituelles devaient être provoquées par les constituants chimiques particuliers des brindilles qui brûlaient. Je remarquai que les étincelles avaient elles aussi un aspect peu ordinaire. Lorsque j'ajoutais des brindilles les étincelles produites étaient extrêmement grandes, comme des balles de tennis qui auraient explosé en l'air.

Je fixai le regard sur le feu ainsi que don Juan me l'avait dit. Un étourdissement me saisit. Il me tendit sa gourde et me dit de boire. L'eau m'imbiba d'une délicieuse sensation de fraîcheur et cela me détendit.

Don Juan se pencha vers moi et me chuchota de ne pas fixer les flammes, de simplement regarder dans la direction du feu. Après une heure d'attente j'eus froid et je me sentis engourdi. A un moment donné, alors que je me penchai pour ramasser des brindilles pour alimenter le feu quelque chose traversa mon champ de vision, exactement entre le feu et mes yeux. Ce fut quelque chose comme un papillon de nuit, ou peut-être comme un point sur ma rétine qui aurait passé de droite à gauche. Je sursautai, et je regardai don Juan. D'un léger mouvement du menton il m'indiqua de continuer à observer le feu. Un moment plus tard, la même ombre traversa, mais cette fois-ci dans le sens inverse.

Brusquement don Juan se leva, se mit à jeter de la terre pour étouffer les flammes, et tassa des pieds la pile fumante. Cette manœuvre ne lui demanda qu'un instant; il eut fini avant que je ne sois entièrement relevé. Alors il me traîna au pied de la colline et en dehors de la vallée. Il avançait très vite, sans jamais tourner la tête, et il m'interdit le moindre mot.

Des heures plus tard nous étions de retour à ma voiture, et je lui demandai ce que pouvaient être ces choses que j'avais vues. Fermement il secoua la tête pour exprimer son désir de n'en point parler. En silence nous revînmes chez lui.

Nous arrivâmes très tôt le matin. Il se précipita à l'intérieur et m'interdit de parler lorsque j'en manifestai l'intention.

Don Juan était assis dehors derrière la maison. Il avait dû attendre que je sois debout, car dès que je mis le pied à l'extérieur il commença à parler. Il déclara que l'ombre que j'avais aperçue la nuit précédente était un esprit, une force du lieu où nous étions. Il prétendit que cet esprit particulier était inutilisable.

« Il existe là, c'est tout. Il n'a aucun secret de puissance, et par conséquent nous n'avions aucune raison de rester. Tu n'aurais vu qu'une ombre passant et repassant pendant toute la nuit. Cependant, si tu as assez de chance pour les découvrir, il y a des êtres d'une autre sorte qui peuvent te donner des secrets de puissance. »

Pendant le petit déjeuner nous n'eûmes pas un seul mot à nous dire. Ensuite, nous allâmes nous asseoir devant la maison.

« Il existe trois sortes d'êtres, reprit-il. Ceux qui ne peuvent pas donner parce qu'ils ne possèdent rien, ceux qui peuvent effrayer, et ceux qui font des cadeaux. Celui que tu as vu la nuit dernière était silencieux, il n'avait rien à offrir, il n'était qu'une ombre. Cependant la plupart du temps il y a une autre sorte d'être qui s'associe avec l'esprit silencieux, et c'est un être déplaisant. Il n'a qu'une qualité, il effraie. Il rôde toujours dans le gîte de l'esprit silencieux. Ce qui t'explique pourquoi j'ai décidé de partir sans plus attendre. En effet, de tels esprits déplaisants poursuivent les gens jusque dans leur maison, et là ils rendent leur vie impossible. Je connais des gens qui à cause de cette sorte d'esprit ont été obligés de déménager. Mais il y a toujours des gens qui croient pouvoir extraire beaucoup de choses de ce genre d'esprit. Le simple fait d'avoir un esprit autour de sa maison ne signifie rien. Les gens tentent de l'attirer, et même de le suivre lorsqu'il tourne autour de leur maison, avec l'espoir qu'il pourrait leur révéler des secrets. A ce jeu la seule chose gagnée est une des expériences les plus effrayantes de toute leur vie. Je connais des gens qui à tour de rôle ont observé un de ces êtres déplaisants qui avait réussi à les suivre jusque chez eux. Cela dura des mois, et pour en finir quelqu'un dut se décider à venir dans leur maison et à les traîner au-dehors. Ils étaient devenus très faibles, et surtout ils s'étaient épuisés pour rien. Par conséquent il n'y a qu'une seule chose intelligente à faire : oublier ces esprits malfaisants, les laisser là où ils sont. »

Je voulus savoir comment les gens font pour attirer un esprit. Il répondit qu'en tout premier lieu les gens s'évertuent à découvrir l'endroit où cet esprit a le plus de chances d'apparaître. Ensuite, ils placent des armes sur son chemin, ceci avec l'espoir qu'il les touchera. On sait en effet que les esprits sont attirés par l'attirail de guerre, et que n'importe quoi, n'importe quel objet touché par un esprit devient un objet-pouvoir[1]. Cepen-

---

1. Un « objet-pouvoir » est un concept des plus courants dans la sorcellerie indienne. Il fut le premier à être expliqué à l'auteur par don Juan in *op. cit.*, introduction.

dant l'expérience prouve que cette sorte d'esprit déplaisant ne touche jamais rien. Par contre il est capable de produire une illusion de bruit.

Je lui demandai de m'expliquer comment cet esprit procédait pour inspirer la peur. Habituellement, dit-il, il apparaît comme une ombre noire en forme d'homme rôdant autour des maisons tout en faisant un vacarme infernal, ou bien en imitant le son de voix humaines. Et parfois, comme une ombre qui soudain surgit d'un coin ténébreux.

Il précisa que le troisième genre d'esprit était l'allié véritable, celui qui accordait les secrets. Cet esprit particulier gîtait dans des lieux abandonnés et isolés, en des endroits presque inaccessibles. Celui qui vraiment désire le rencontrer doit aller très loin par ses propres moyens. Et dans ce lieu éloigné et isolé il doit procéder par lui-même. Il doit s'asseoir près du feu, et s'il aperçoit une ombre il doit immédiatement s'enfuir. Cependant si quelque chose d'autre se manifeste, par exemple un vent très fort qui éteint son feu et par quatre fois l'empêche de le rallumer, ou bien une branche qu'il entend se casser à proximité, il doit rester. Mais il faut qu'il s'assure que la branche s'est réellement cassée, qu'il ne s'agit pas simplement du bruit d'une branche qui casse.

Parmi les autres conditions à remarquer, il y a des rochers qui roulent, des cailloux projetés dans le feu, et n'importe quel bruit qui dure un certain temps. Alors, l'homme doit marcher dans la direction d'où provient ce phénomène jusqu'à ce que l'esprit se révèle.

Il y a une quantité innombrable de façons par lesquelles un être de ce genre peut mettre un guerrier à l'épreuve. Brusquement, il peut jaillir devant lui en prenant l'apparence la plus horrible. Ou bien, il peut agripper l'homme par-derrière et pendant des heures le maintenir ainsi. Il peut aussi renverser un arbre sur lui. Don Juan précisa que ces forces étaient vraiment dangereuses, et si elles n'avaient pas la possibilité de tuer un homme directement, elles arrivaient néanmoins à provoquer sa mort par la peur, ou bien en faisant tomber des objets sur lui, ou en apparaissant tout à coup devant lui pour qu'il trébuche, qu'il perde pied et roule au-dessus du précipice.

Il ajouta que si je rencontrais un de ces êtres en des circonstances non favorables, jamais je ne devrais essayer de le combattre car sans aucun doute il me tuerait. Il s'emparerait de mon âme. Donc, je devrais me jeter au sol et supporter ses assauts jusqu'au lever du jour.

« Lorsqu'un homme fait face à l'allié – le pourvoyeur de secrets –, il doit rassembler tout son courage et attraper l'allié avant qu'il ne soit lui-même attrapé, le chasser avant de devenir son gibier. La poursuite doit être impitoyable, et ensuite il y aura le combat. L'homme doit lutter pour arriver à pousser l'esprit au sol, et l'y maintenir jusqu'à ce que celui-ci lui donne le pouvoir. »

Je lui demandai si ces forces avaient une certaine substance, si on pouvait les toucher, parce que pour moi l'idée d' « esprit » impliquait quelque chose d'éthéré.

« Ne les appelle pas esprits, dit-il, désigne-les par alliés ou forces inexplicables. »

Il garda le silence pendant un moment, puis il s'allongea sur le dos, sa tête reposant sur ses bras croisés sous sa nuque. J'insistai pour savoir si ces êtres avaient de la substance.

« Sacré nom, ils ont de la substance! dit-il brusquement après une longue pause silencieuse. Lorsqu'on se bat avec eux, ils sont solides. Mais cette sensation ne dure qu'un instant. Ces êtres tablent sur la peur des hommes. Si celui qui combat est un guerrier, ils perdent très rapidement leur tension alors que l'homme devient de plus en plus vigoureux. Et ainsi il absorbe la tension de l'esprit.

– De quelle tension s'agit-il?

– De puissance. Quand on les touche ils vibrent comme s'ils allaient te déchirer en petits morceaux. Mais ce n'est qu'un effet de théâtre. Si l'homme maintient sa prise, la tension disparaît.

– Lorsqu'ils perdent leur tension, que se passe-t-il? Deviennent-ils comme de l'air?

– Non, ils deviennent mous. Ils ont encore de la substance. Mais, au toucher, ce n'est rien de comparable à quelque chose de connu ».

Pendant la soirée, j'avançai l'hypothèse que ce que j'avais vu aurait pu être un papillon de nuit. Il éclata de rire, puis avec une infinie patience il m'expliqua que les papillons de nuit passent et repassent devant une ampoule électrique parce qu'ils ne courent aucun risque de brûler leurs ailes. Par contre, un feu les enflamme la première fois qu'ils s'en approchent. Il fit aussi remarquer que l'ombre couvrait le feu tout entier. Ce qui m'aida à me souvenir que l'ombre avait été vraiment immense; pendant un instant elle avait totalement caché le feu. Mais cela s'était produit si rapidement que j'avais oublié de le mentionner au cours de ma récapitulation.

Il me dit de me souvenir que les étincelles étaient énormes, et elles allaient toutes vers ma gauche. J'avais bien remarqué ce détail, mais je déclarai que le vent devait en être la raison. Sèchement, don Juan répliqua qu'il n'y avait pas un souffle de vent, et tout compte fait je me souvenais très bien du calme de cette nuit.

En faisant le récit de mon expérience, un autre détail m'avait échappé : la lueur verdâtre que j'avais vue juste au moment où don Juan m'avait indiqué de continuer à regarder le feu. Don Juan me rappela ce détail. Puis il s'éleva contre mon usage du mot « ombre », alors que la chose était, dit-il, sphérique, plutôt comme une bulle.

Deux jours plus tard, le 17 décembre 1969, don Juan déclara que je connaissais maintenant tous les détails et les techniques indispensables pour aller seul dans les collines dans le but d'obtenir un objet-pouvoir, le capteur d'esprit. Il m'encouragea à y aller seul en affirmant que sa présence ne ferait que m'embarrasser dans une telle entreprise.

J'étais prêt à partir lorsqu'il sembla changer d'avis.

« Tu n'es pas encore assez fort. Je vais t'accompagner jusqu'au pied des collines. »

Lorsque nous arrivâmes à la petite vallée où j'avais vu l'allié, il examina la formation de terrain que j'appelais le trou dans les collines; puis il annonça qu'il fallait aller plus au sud, dans les montagnes au loin. Le gîte de l'allié était au point le plus lointain du paysage visible dans le trou.

Je regardai la formation, et je ne pus voir qu'une masse bleuâtre de lointaines montagnes. Il me guida vers le sud-est; après quelques heures de marche nous arrivâmes à un endroit qu'il définit comme étant « assez profondément » dans le gîte de l'allié.

Il était déjà assez tard dans l'après-midi. Nous nous assîmes sur quelques roches de l'endroit. J'étais fatigué, et de plus affamé; pendant toute la journée je n'avais absorbé que quelques *tortillas* et un peu d'eau. Soudain don Juan se leva, regarda le ciel, et me commanda de partir dans ma direction bénéfique. Il précisa que je devais être certain de pouvoir retrouver l'endroit où nous étions pour être capable d'y revenir lorsque tout serait terminé. D'un ton très rassurant il indiqua qu'il m'attendrait même si cela devait prendre une éternité.

Pris d'une certaine appréhension je lui demandai si la

recherche du capteur d'esprit exigeait beaucoup de temps.

« Qui sait? » dit-il avec un sourire énigmatique.

Je m'en allai vers le sud-est, et à plusieurs reprises je me retournai pour jeter un œil sur don Juan qui, très lentement, marchait dans une direction opposée à la mienne. Je grimpai au sommet d'une grande bosse de terrain; une fois de plus je cherchai don Juan du regard. Il était à environ deux cents mètres de moi, et il ne se retourna pas. En courant, je descendis dans une petite dépression en forme de bol entre les basses collines, et soudain je fus seul. Tout en pensant à ce que je venais faire dans ce lieu, je m'assis. Aller chercher un capteur d'esprit me semblait une tâche vraiment ridicule. En courant, je revins sur mes pas jusqu'au sommet de la bosse pour voir don Juan, mais il avait disparu. Toujours en courant je descendis dans la direction où je l'avais aperçu une dernière fois. Je désirais en finir avec cette stupide recherche, abandonner et rentrer chez moi. Je me sentais très fatigué et surtout comme un imbécile entraîné dans une folle entreprise.

« Don Juan! » hurlai-je à plusieurs reprises.

Je ne le voyais nulle part. Reprenant ma course je montai le flanc assez raide d'une colline. Mais pas plus qu'ailleurs il n'était visible. Pour tenter de le retrouver je courus pendant assez longtemps, mais en vain. Je décidai de suivre mes traces, et ainsi je retrouvai l'endroit où nous nous étions séparés. J'étais certain que j'allais le découvrir là, assis, éclatant de rire à cette preuve évidente de mon manque de fermeté.

« Dans quel bourbier me suis-je donc mis? » dis-je à haute voix.

Et à cet instant même je sus qu'il n'y avait aucun moyen de mettre fin à ce qu'ici j'étais venu entreprendre. J'ignorais comment revenir à la voiture car don Juan avait souvent changé de direction, et même en m'orientant d'après les points cardinaux je n'y parviendrais jamais. J'avais une peur bleue de me perdre dans ces montagnes. Je m'assis. Pour la première fois de ma vie j'éprouvai l'étrange sensation de réaliser qu'il n'existe jamais un moyen de revenir au point de départ d'une action déjà entamée. Souvent don Juan m'avait sermonné sur le fait que j'insistais toujours pour trouver un point que je puisse nommer commencement alors qu'en réalité un tel commencement n'existait jamais. Et en ce lieu, au milieu de ces montagnes, j'avais l'impression de comprendre ce qu'il avait voulu dire. C'était comme si j'avais toujours été moi-même le point de départ, comme si don Juan n'avait jamais été vraiment là. Pendant que je le cherchais il devint ce qu'il était réellement : une image flottante disparue derrière une colline.

J'entendis le doux bruissement du feuillage. Un parfum étrange m'enveloppa. Dans mes oreilles, je percevais la pression du vent comme un très faible bourdonnement. Le soleil, presque sur l'horizon, allait atteindre d'épais nuages formant une bande orange fortement colorée, et soudain il disparut derrière un épais rideau de nuages. Un moment plus tard il apparut à nouveau telle une boule cramoisie flottant dans le brouillard. Pendant un instant il sembla se battre pour tenter d'atteindre un morceau de ciel bleu, mais tout se passa comme si les nuages ne voulaient pas lui donner le temps de briller. La bande orange et la noire silhouette des montagnes l'aspirèrent.

Je m'allongeai sur le dos. Autour de moi, tout était immobile, très calme, et en même temps tellement étranger. Je me sentais accablé, je ne voulais pas pleurer, mais d'elles-mêmes les larmes jaillirent de mes yeux.

Pendant des heures je restais là, sans bouger. J'étais engourdi au point de ne presque plus pouvoir me relever. A l'endroit où je reposais le sol était dur, sans aucune végétation, contrastant ainsi brutalement avec la luxuriance des verts buissons tout autour. Sur la crête des collines à l'est de grands arbres alignés se détachaient contre le ciel.

Finalement il fit complètement noir. Je me sentis beaucoup mieux, et somme toute, presque heureux. Pour moi la demi-obscurité est beaucoup plus encourageante et protectrice que la dure lumière du jour.

Je me levai, montai au sommet d'une petite colline et me mis à accomplir les mouvements que don Juan m'avait enseignés. Sept fois je dus courir vers l'est, et alors seulement je ressentis un changement de température dans la paume de ma main. Je construisis le feu; assis au premier point je me mis en état de garde. Ainsi que don Juan me l'avait spécifié, j'observai chaque détail du milieu ambiant. Les heures s'écoulèrent. Je commençai à avoir froid et à me sentir très fatigué. Comme j'avais réuni un assez gros tas de brindilles, je chargeai le feu, et m'en approchai pour me réchauffer. Ma vigilance exigeait une telle énergie et une telle attention qu'elle m'épuisait; j'avais tendance à somnoler. Par deux fois je succombai au sommeil, et je ne me réveillai que lorsque ma tête s'effondra sur mon épaule. J'avais tellement envie de dormir que je n'arrivais même plus à entretenir le feu. Pour me maintenir en éveil je bus et je m'aspergeai le visage. Cela me permit de mieux résister pendant un court moment. D'une certaine manière je sentais le découragement me gagner et je m'énervai. J'avais l'impression d'être un imbécile, et cela suscita un sentiment d'absurde frustration. J'avais faim, sommeil, j'étais fatigué et complètement dégoûté de moi-même. Tout m'exaspérait; surtout tenter de me maintenir en éveil. Je chargeai le feu, et je m'allongeai pour dormir. A ce niveau de découragement, chercher un allié et un capteur d'esprit ne pouvait plus être qu'une entreprise ridicule et insensée. D'ailleurs j'avais tellement sommeil que je n'arrivais plus à penser ou même à continuer mon bavardage intérieur. Je m'endormis.

Soudain un craquement assourdissant me réveilla. Le bruit sembla provenir d'un point juste au-dessus de mon oreille gauche car j'étais encore allongé sur mon flanc droit. Parfaitement lucide, je m'assis. La force et la proximité du son avaient assourdi mon oreille gauche qui bourdonnait.

En observant la quantité de brindilles restant à brûler je déduisis que mon sommeil n'avait duré que peu de temps. Je n'entendis aucun autre bruit, mais sans oublier d'alimenter le feu je restai sur mes gardes.

Une pensée me traversa la tête : j'avais été réveillé par un coup de fusil. Peut-être y avait-il quelqu'un qui m'observait et me tirait dessus à coup de fusil. Cette pensée tourna à l'obsession et déclencha une avalanche de peurs très logiques. J'étais persuadé que le terrain sur lequel je me trouvais appartenait à quelqu'un qui aurait donc pu me prendre pour un voleur de bétail; ou sinon il y avait quelqu'un qui voulait me tuer, m'assassiner pour me dérober mon argent, car, bien sûr, ils ignoraient que je n'avais pas un sou en poche. Je commençai à me préoccuper sérieusement de ma sécurité personnelle. Je sentis mes épaules et mon cou se nouer. Je remuai la tête de haut en bas, les articulations craquèrent. Je continuai à observer le feu, mais je n'y découvris rien d'anormal. Et je n'entendais plus un seul bruit.

Après un certain temps, je me détendis, et alors j'eus l'idée que don Juan était peut-être à l'origine de ce bruit. Rapidement, j'arrivai à m'en convaincre, et le rire me gagna. Une autre avalanche de conclusions très logiques débarqua, mais cette fois-ci avec un effet heureux. Je pensais que don Juan avait bien dû se douter que je tenterais d'abandonner cette expérience de séjour solitaire dans la montagne; ou sinon il m'avait vu courir après lui mais il s'était caché dans un creux ou derrière un buisson, peu importe. Ensuite il m'avait suivi et lorsque je fus endormi il m'avait réveillé en sursaut en brisant une branche près de mon oreille. Je jetai quelques brindilles sur le feu et aussi discrètement que possible je commençai à regarder tout autour de moi pour tenter de le découvrir. J'accomplissais cela tout en étant parfaitement conscient que s'il se cachait aux alentours il me serait impossible de le voir.

De toutes choses une atmosphère de calme se dégageait : des grillons, du vent secouant les arbres sur la colline, du doux crépitement des brindilles s'embrasant. Les étincelles s'envolaient simplement, comme des étincelles bien ordinaires.

Tout à coup j'entendis très nettement le craquement d'une branche cassée en deux. Le bruit venait de ma gauche. Je retins mon souffle et j'écoutai avec une attention soutenue. Un instant plus tard un craquement se fit entendre à ma droite.

Puis il y eut un bruit lointain de branches cassées, comme si quelqu'un les brisait en marchant dessus. Les bruits étaient denses et riches, assez forts. Ils semblaient se rapprocher de moi. Je réagis très lentement, ignorant si je devais me lever ou rester à l'écoute. Je tergiversais encore lorsque brusquement le bruit de branches cassées éclata tout autour de moi. Il me submergea si rapidement que j'eus à peine le temps de me lever et de piétiner le feu.

Je me mis à courir droit dans la pente, et pendant que je descendais au travers des buissons, je me souvins qu'il n'y avait pas de plat en bas de cette pente. Tout en essayant de protéger mes yeux de mes bras, je continuai à trotter. J'étais à mi-pente lorsque je sentis juste derrière moi une présence. Quelque chose allait m'attraper. Cette sensation me figea. J'ôtai mon blouson, je le roulai en boule sur mon ventre, je m'accroupis recroquevillé sur moi-même et plaçai mes mains sur mes yeux, ainsi que me l'avait prescrit don Juan. J'étais dans cette position depuis déjà un petit moment lorsque je me rendis compte que tout autour de moi était parfaitement calme. Il n'y avait aucun son d'aucune sorte. Ce silence m'inquiéta encore plus. Les muscles de mon ventre étaient parcourus de contractions et de tremblements spasmodiques. Puis je perçus un autre craquement. Il semblait venir de loin, bien qu'il fût extrêmement clair et sec. Il se répéta, un peu plus près de moi. Il y eut un silence, et soudain quelque chose explosa juste au-dessus de ma tête. Je sursautai au point de presque tomber de côté. Il s'agissait sans aucun doute du bruit d'une branche cassée en deux, et il avait été produit si près de moi que j'avais même entendu le bruissement des feuilles.

Une averse de craquements m'inonda. Tout autour de moi des branches étaient cassées comme par une grande force. Ma réaction fut, dans toute cette étrange affaire, la plus inattendue. Au lieu d'être terrifié, j'éclatai de rire. J'étais maintenant persuadé d'avoir décelé la cause de tout ce tintamarre. A nouveau don Juan se jouait de moi. Suivit une série de conclusions bien logiques qui ne pouvaient que renforcer ma certitude. J'exultais. J'étais certain de pouvoir coincer ce vieux renard de don Juan pendant un de ses tours. Il était là, autour de moi, en train de casser des branches en toute tranquillité car il savait que je n'oserais pas ouvrir les yeux. Il pouvait donc faire ce que bon lui semblait. J'imaginai qu'il devait être seul puisque je ne l'avais pas quitté une seule minute depuis des jours. Il n'avait eu ni le temps ni la possibilité d'engager quelqu'un pour l'aider. S'il se cachait, pensai-je, il se cachait en un seul endroit et logiquement il ne pouvait produire qu'un nombre assez limité de bruits. Ils ne pouvaient avoir lieu qu'un à la suite de l'autre, ou tout au plus deux ou trois à la fois. Par ailleurs la variété des bruits était limitée par les possibilités manuelles d'un seul homme. Tout en restant recroquevillé et immobile, je me disais que j'étais persuadé que cette expérience se réduisait à une farce, et que la seule manière de dominer la situation consistait à m'en détacher émotionnellement. Je me surpris à éprouver un certain plaisir, à glousser de rire à l'idée que je pouvais imaginer à l'avance la prochaine manœuvre de mon ennemi. Je me mis dans la peau de don Juan, et j'essayai de penser à ce que je pourrais maintenant faire.

Mon exercice mental fut brusquement ébranlé par un bruit de succion. J'écoutai attentivement. Le bruit reprit. Je n'arrivai pas à en identifier la source. Il ressemblait à celui que fait un animal aspirant de l'eau. Il se produisit une fois de plus, très proche de moi. C'était un son agaçant qui me rappelait le bruit de clappement de bouche que font les jeunes filles mâchant du chewing-gum. Je me demandai comment don Juan pouvait produire un tel bruit lorsqu'il se répéta à ma droite. En tout premier lieu il y eut un seul bruit, puis il fut suivi d'une série de lents clappements et suçotements comme si quelqu'un marchait dans la boue. C'était un son presque sensuel de pieds clapotant dans une boue profonde. J'étais exaspéré. Ils cessèrent pendant un instant, puis ils reprirent de plus belle, cette fois-ci à ma gauche, très proches, à trois mètres seulement, me sembla-t-il. Maintenant je pensais qu'il s'agissait plutôt de quelqu'un d'assez corpulent qui trotterait dans la boue avec des bottes de caoutchouc. La richesse de ce bruit m'enchanta. Je ne pouvais absolument pas imaginer un moyen simple pour le produire. J'entendis une autre série de trots, de clapotements, mais cette fois-ci ils étaient derrière moi. Et soudain ils éclatèrent partout à la fois. Quelqu'un devait être en train de marcher, de trotter, de courir dans la boue tout autour de moi.

Brusquement le doute se présenta avec une logique indiscutable. Pour faire tout ce vacarme don Juan aurait eu à courir autour de moi à une vitesse incroyable, ce

qui était confirmé par la vitesse à laquelle se succé-
daient les bruits. Par conséquent don Juan avait des
acolytes. J'aurais désiré réfléchir à l'identité de ses
complices, mais l'intensité des bruits réclamait toute
mon attention. En fait je n'arrivais plus à avoir des idées
claires. Mais je n'avais pas peur. J'étais seulement ébahi
par l'étrange qualité de ces sons. Les clapotements
vibraient et ces vibrations semblaient se diriger vers
mon ventre. Mais peut-être que je percevais ces vibrations par mon bas-ventre.

Ce fut une constatation qui provoqua instantanément
la disparition de mon objectivité et de mon exubérance.
Les sons attaquaient mon ventre! Alors jaillit la question : « Si ce n'était pas don Juan? » Je fus saisi de
panique. Je contractai mes muscles abdominaux et je
serrai fortement mes jambes contre la masse de mon
blouson.

Les sons augmentèrent d'intensité, et ils devinrent
plus nombreux, comme s'ils savaient que j'avais perdu
mon assurance. Leurs vibrations me donnèrent envie de
vomir. Je m'efforçai de combattre les nausées. Je pris
quelques profondes aspirations et j'entonnai mes chants
du peyotl. Je vomis. Et soudain les clapotis cessèrent. Le
crissement des grillons, les souffles du vent, le lointain
staccato des coyotes s'y superposèrent. Ce brusque
revirement me fournit le répit nécessaire pour reprendre mes esprits. Je constatai qu'à peine un court
moment auparavant j'étais au mieux de moi-même,
exubérant, sûr de moi. Il semblait évident que j'avais
mal jugé la situation. Même avec des complices, don
Juan n'aurait pas pu produire ces sons qui influençaient
mon ventre. Pour y arriver il aurait fallu des moyens et
des instruments auxquels ils n'auraient jamais pensé et
surtout auxquels ils n'auraient jamais pu avoir accès.
Apparemment le phénomène auquel j'étais soumis
n'étais pas un jeu ou « une autre de ces farces de don
Juan ».

J'avais des crampes, et surtout l'envie de m'allonger et de m'étirer. Pour quitter l'endroit où j'avais vomi, je décidai de me déplacer un peu à droite. A la seconde où je commençai à bouger j'entendis un crissement très doux juste au-dessus de mon oreille gauche. Je me figeai sur place. Le crissement se répéta de l'aure côté de ma tête. Il s'agissait d'un seul son. Il ressemblait au grincement d'une porte. J'attendis. Rien ne se produisit, et je décidai de me déplacer à nouveau. A peine avais-je bougé la tête vers la droite que je faillis sauter en l'air. D'un seul coup un flot de crissements m'avait submergé. A certains moments c'était comme des grincements de porte, à d'autres comme des cris de rats ou de cobayes. Ils n'étaient ni forts ni intenses, mais plutôt doux et insidieux. Ils suscitèrent de très douloureux spasmes de vomissement. Ils s'évanouirent comme ils s'étaient manifestés, brusquement d'abord, puis graduellement le résidu se dissipa jusqu'au moment où je ne pus plus entendre qu'un ou deux sons à la fois.

Alors j'entendis comme le battement d'ailes d'un grand oiseau volant au ras des buissons. Il semblait tourner en rond autour de ma tête. Les crissements reprirent et s'intensifièrent à l'unisson avec les battements d'ailes. C'était comme s'il y avait un vol de gigantesques oiseaux battant leurs souples ailes juste au-dessus de ma tête. Les deux bruits se mélangèrent pour provoquer une vague sonore tout autour de moi. J'eus l'impression de flotter suspendu au sein d'une énorme ondulation. Les crissements et les battements étaient très doux, et je les sentais dans tout mon corps. Les ailes battantes d'un vol d'oiseaux s'efforçaient de me tirer en l'air, pendant que les crissements d'une armée de rats soulevaient et poussaient mon corps de tous côtés.

J'étais persuadé d'avoir avec ma stupide maladresse déchaîné quelque chose de terrible qui maintenant s'acharnait contre moi. Je serrai les dents, je pris une profonde aspiration, et je me mis à chanter mes chants du peyotl.

Pendant très longtemps les bruits persistèrent, et de toutes mes forces je les combattis. Ils disparurent. A nouveau il y eut un « silence » interrompu, tel que je le perçois à l'ordinaire, c'est-à-dire que j'entendais seulement les sons naturels des insectes et du vent. Ce fut pire. J'en profitai pour faire le point et réfléchir à ma situation, et le résultat de ces réflexions me plongea dans une folle panique. Je savais que j'étais perdu car je n'avais ni la connaissance ni la force indispensables pour m'opposer à ce qui m'attaquait. J'étais là, recroquevillé dans mon vomi, sans ressources. Je pensai ma dernière minute proche et je commençai à pleurer. J'aurais voulu récapituler les événements de ma vie, mais je ne savais pas par où commencer. Rien de tout ce que j'avais fait ne valait la peine d'une dernière considération, et il ne me restait rien à quoi penser. Ce qui en soi était une constatation plaisante, car elle signifiait que j'avais changé depuis la dernière fois que j'avais été soumis à une telle frayeur. Cette fois-ci j'étais encore plus vide, j'avais encore moins de sentiments personnels à emporter avec moi.

Toutefois je me demandai comment se comporterait un guerrier placé dans ma situation. J'arrivai à diverses conclusions. Dans mon ventre il y avait quelque chose d'extrêmement important. Dans ces bruits il y avait quelque chose de supernaturel. Et ces bruits visaient mon ventre. Donc l'idée qu'il s'agissait d'une farce de don Juan n'avait pas de sens.

Les muscles de mon ventre étaient noués, mais je n'éprouvais plus de crampes. Je continuai à chanter et à respirer profondément. Une chaleur reposante inonda mon corps tout entier. Je venais de me rendre compte que si je voulais survivre il fallait agir selon les enseignements de don Juan. Je récapitulai dans ma tête ses instructions. Je me souvenais parfaitement de l'endroit où le soleil avait disparu derrière la montagne, et de cette direction par rapport à ma position. Je m'orientai, et lorsque je fus certain de mon orientation je commençai à tourner pour me placer de manière que je sois face à ma « meilleure » direction, le sud-est. Centimètre après centimètre je déplaçai mes pieds vers la gauche jusqu'à les avoir complètement tordus sous mes cuisses, puis je me préparai à brusquement aligner mon corps avec mes pieds. Mais à peine avais-je bougé que je sentis un petit coup vraiment surprenant. J'avais eu la sensation physique d'une tape sur la nuque. Elle fut si rapide que je me figeai sur place en hurlant. Je contractai mes muscles abdominaux, pris de profondes aspirations et entonnai mes chants du peyotl. Un instant plus tard je reçus une tape identique. Je me recroquevillai autant que possible. Cependant ma nuque restait exposée et il n'y avait rien que je puisse faire pour la protéger. Une autre tape survint. Un objet soyeux, comme la patte d'un lapin géant, me tapotait doucement le cou. Une fois de plus la chose me toucha et se mit à caresser mon cou d'un côté à l'autre. La situation était tellement humiliante que je ne pus m'empêcher de pleurer. C'était comme si une horde de kangourous trépignaient sur mon cou. J'entendais le doux piétinement de leurs pattes se posant sur mon cou. La sensation n'avait rien de douloureux, mais elle était affolante. J'avais l'impression que si je ne réagissais pas j'allais me lever et m'échapper en courant. J'essayai de placer mon corps dans ma direction bénéfique. Dès l'instant où je bougeai le piétinement s'intensifia, et il atteignit une telle frénésie que je décidai de tourner brusquement mon corps pour le placer dans la bonne direction. J'ignorais quelle serait la conséquence de mon geste audacieux, mais j'agissais simplement pour éviter de devenir cinglé, fou à lier.

Le tapotement cessa dès que j'eus changé de direction. Après un long silence très angoissant, j'entendis un bruit de branches brisées. Mais il était assez éloigné, comme si les bruits avaient pris une position de repli assez loin de moi. Le bruit de branches cassées se mélangea à un éclatant bruissement de feuilles. C'était comme si une tornade secouait le flanc de la colline. Tout autour de moi les buissons semblaient s'agiter, et pourtant il n'y avait pas un souffle de vent. Le bruissement des feuilles et le crépitement des branches me fit soudain penser que la colline était en feu. Mon corps devint dur comme de la pierre. J'étais inondé de sueur. J'avais de plus en plus chaud. Et alors je fus vraiment convaincu que la colline tout entière était en flammes. Mon corps était tellement engourdi que je ne pus même pas mettre en œuvre ma décision de me lever et de m'enfuir en courant. Je n'arrivai même pas à ouvrir les yeux. Et à ce moment-là je pensai que la seule chose vraiment importante à accomplir serait d'arriver à me lever et d'échapper à l'incendie. De terribles convulsions d'estomac me coupèrent le souffle. Enfin, après bien des efforts, je réussis à prendre quelques profondes bouffées, et alors je me rendis compte que le bruit avait disparu. Seul subsistait de temps à autre un simple craquement. Le bruit de branches brisées s'éloigna pour à un moment donné cesser complètement.

Je fus capable d'ouvrir les yeux, et je jetai un coup d'œil, gardant mes paupières entrouvertes. Autour de moi je vis le sol, il faisait déjà jour. Sans bouger j'attendis encore un moment, et alors je relâchai mon étreinte. Je m'allongeai sur le dos, étirai mes membres et mes muscles. A l'est, au-dessus des collines, le soleil surgit.

Des heures passèrent avant que je parvienne à étendre mes jambes. Finalement je décidai de me traîner vers l'endroit où don Juan m'avait quitté, environ un kilomètre et demi plus loin. Au milieu de l'après-midi j'arrivai à l'orée d'une touffe d'arbres, à environ quatre cents mètres du but, selon mon estimation.

Sans aucune raison, je ne pouvais plus avancer. Je pensai aux pumas qui pourraient m'attaquer, et je décidai de monter dans un arbre. Cependant mes bras étaient trop faibles pour me tirer. Décidé à mourir à cet endroit, je m'effondrai contre un rocher. J'étais persuadé que j'allais servir de nourriture aux pumas et autres prédateurs de cette région. Je n'avais même plus la force de leur jeter un caillou. Je n'avais pas faim. Je n'avais plus soif parce que vers midi je m'étais gorgé d'eau dans un ruisseau trouvé sur mon chemin. Malgré tout, cela ne m'avait pas remis sur pied. Sans ressources, assis en cet endroit inhospitalier, je me sentais plus abattu que vraiment effrayé. J'étais tellement fatigué que mon sort ne m'importait plus. Je m'endormis.

Quelqu'un me secouait. Je me réveillai. Don Juan se penchait sur moi. Il m'aida à m'asseoir, me donna de l'eau et de la bouillie de maïs. Il éclata de rire tout en déclarant que j'étais dans un état pitoyable. Je voulus lui raconter tout ce qui s'était passé, mais il me fit taire et ajouta que j'avais mal visé. L'endroit où il m'attendait n'était qu'à cent mètres de là. Pour descendre la colline il me transporta à moitié. Il indiqua qu'il m'amenait dans un torrent pour me laver. Chemin faisant il me boucha les oreilles avec des feuilles qu'il sortit de sa pochette. Sur chacun des mes yeux il plaça une de ces feuilles qu'il maintint avec un bandeau de tissu. Il me demanda de me déshabiller, et m'ordonna de placer mes mains sur mes oreilles et sur mes yeux pour être certain de ne rien voir ni entendre. Il frictionna mon corps tout entier en se servant de feuilles. J'eus l'impression que le courant d'eau était large et profond car debout je n'avais pas pied. Il me retenait par le coude de mon bras droit. Tout d'abord je ne ressentis pas la fraîcheur de l'eau, mais petit à petit le froid me gagna et devint intolérable. Don Juan me sortit de l'eau et me sécha avec des feuilles au parfum très particulier. J'enfilai mes vêtements et nous partîmes. Nous marchâmes assez longtemps avant qu'il n'ôte les feuilles de mes yeux et de mes oreilles. Puis il me demanda si je croyais pouvoir marcher jusqu'à la voiture. Etrangement je me sentais en excellente forme, et pour le lui prouver je montai la colline en courant.

Pendant notre marche de retour je ne quittai pas don Juan d'une semelle. A plusieurs reprises je trébuchai et chaque fois il éclata de rire, un rire réconfortant qui constitua mon élément revivifiant. Plus il riait, mieux je me sentais.

Le jour suivant je lui racontai tout ce qui s'était passé depuis le moment où nous nous étions séparés. Tout au long de mon récit il rit, et ne se contint plus lorsque je lui précisai que j'avais pendant longtemps cru qu'il s'agissait d'un de ses tours.

« Tu penses toujours qu'il y a quelqu'un pour se jouer de toi, dit-il. Tu as trop confiance en toi-même. Tu agis comme si tu connaissais absolument tout. Mon petit ami, tu ne connais rien, rien du tout. »

C'était la première fois que don Juan se servait de l'expression « mon petit ami », et cette attention me laissa abasourdi. Il s'en rendit compte et me sourit. De sa voix émanait une bonté envahissante. J'étais bouleversé. Je lui déclarai que j'avais été négligent et incapable parce que tels étaient mes penchants naturels; jamais je ne pourrais vraiment comprendre son monde, avouai-je. Il m'encouragea et remarqua que j'avais eu un comportement approprié à la situation.

Je m'enquis de la signification de mon expérience.

« Elle ne signifie rien, répliqua-t-il. Exactement la même chose aurait pu arriver à n'importe qui, surtout à celui qui, comme toi, a sa trouée déjà ouverte. C'est une expérience très banale. N'importe quel guerrier parti à la recherche d'alliés pourrait te raconter bien des choses sur le comportement de ces alliés. En tout cas,

318

avec toi, ils furent plutôt cléments. Cependant ta trouée est ouverte. Ainsi s'explique ta nervosité. On ne devient pas un guerrier en une seule nuit. Maintenant rentre chez toi, et ne reviens que lorsque tu seras remis, lorsque ta trouée sera refermée. »

17

Pendant les quelques mois où je ne revins pas au Mexique, je travaillai sur mes notes. Pour la première fois en dix années, c'est-à-dire depuis que j'avais commencé mon apprentissage, les enseignements de don Juan se présentèrent pour moi comme un ensemble contenant une réelle signification. Je me rendis compte que les longues années pendant lesquelles j'étais resté à l'écart de l'apprentissage avaient eu un effet de dégrisement très bénéfique. Elles m'avaient permis d'examiner mes découvertes et de les arranger dans un ordre intelligent adapté à ma formation et à ma recherche. Néanmoins les événements qui se déroulèrent lors de ma dernière visite à don Juan firent apparaître la profonde erreur de jugement que je faisais en manifestant un certain optimisme sur ma compréhension de ses enseignements.

Mes dernières notes datent du 16 octobre 1970. Les événements qu'elles rapportent marquèrent une transition très nette dans les enseignements de don Juan. Ils achevèrent un cycle de l'instruction et ils en ouvrirent un nouveau tellement différent de tout ce que j'avais fait jusqu'alors qu'il me semble raisonnable de cesser ici mon reportage.

En approchant de la maison de don Juan, comme à l'accoutumée je le vis assis sous la *ramada*. Je laissai ma voiture à l'ombre des arbres, j'en sortis ma serviette et un sac de provisions, puis je me dirigeai vers lui en le saluant à haute voix. Alors je remarquai qu'il n'était pas seul. Assis sur une pile de bois de chauffage il y avait un autre homme. Tous deux m'observaient. Don Juan me répondit d'un signe de main. L'homme salua de même. D'après ses habits il ne devait pas être Indien. Sans doute un Mexicain du Sud-Ouest[1] car il portait des blue-jeans, une chemise beige, un chapeau et des bottes de cow-boy texan.

Je m'adressai à don Juan, puis je regardai l'homme. Il me souriait. Tout en gardant le silence je le dévisageai.

« Et voici le petit Carlos, dit l'homme à don Juan, et il ne me parle même plus. Ne me dis pas qu'il m'en veut encore! »

Avant que je n'aie eu le temps d'ouvrir la bouche, tous deux éclatèrent de rire. Je m'aperçus que cet homme n'était autre que don Genaro.

« Tu ne m'as pas reconnu? » me dit-il en riant.

Je dus admettre que son accoutrement m'avait plutôt désorienté.

« Que faites-vous dans ce coin du monde, don Genaro? lui demandai-je.

— Il est venu pour jouir du vent brûlant, répondit don Juan. N'est-ce pas vrai?

— Très vrai, dit don Genaro. Tu ne peux pas avoir la moindre idée du bien qu'un tel vent fait à mon corps de vieillard. »

Je m'assis entre eux.

« Quel effet peut-il donc produire sur vous?

— Le vent brûlant raconte à mon corps des choses extraordinaires », répondit-il.

1. Voir la note p. 10 pour la définition de « Sud-Ouest ». La surprise de l'auteur se justifie car pour les Indiens Yaqui les Mexicains qui vivent aux U.S.A. sont encore plus inamicaux que ceux qui vivent au Mexique.

Les yeux brillants il se tourna vers don Juan.

« N'est-ce pas vrai, Juan? »

Don Juan eut un signe affirmatif de la tête.

Je leur racontai que la période des vents Santa Ana[1] était pour moi la plus terrible de l'année; je trouvai assez curieux que don Genaro recherche ce que je fuyais.

« Carlos ne peut pas supporter la chaleur, confia don Juan à don Genaro. Lorsqu'il fait chaud il devient comme un gosse et il s'étouffe.

– S'étou... quoi?

– S'étouf... fe.

– Mon Dieu! » dit don Genaro en feignant de porter de l'intérêt à ma personne et il fit un geste de désespoir réellement indescriptible et comique.

Alors don Juan lui expliqua que je n'étais pas revenu depuis des mois parce que j'avais eu une malencontreuse rencontre avec les alliés.

« Ainsi, tu as enfin rencontré un allié! dit don Genaro.

– Je crois bien que oui », dis-je sans trop vouloir m'avancer.

Ils éclatèrent de rire. Deux ou trois fois don Genaro me tapota gentiment le dos. Ce fut une tape légère que je pris pour un geste amical. Il laissa sa main sur mon épaule, puis il me fixa du regard. J'eus la sensation d'une paisible satisfaction qui ne dura qu'un bref instant car immédiatement don Genaro fit quelque chose d'inexplicable. J'eus l'impression qu'il avait placé un rocher sur mon épaule. Il me semblait qu'il avait d'une certaine façon accru le poids de la main qu'il posait sur

---

1. Les vents « Santa Ana » sont des vents brûlants qui viennent du désert Mohave et s'engouffrent dans les cols des hautes montagnes côtières du sud de la Californie pour déferler sur la région de Los Angeles avec une fureur et une chaleur intolérables.

mon épaule, et le poids augmenta jusqu'à ce que je m'effondre en avant la tête par terre.

« Nous devrions venir en aide au petit Carlos », déclara don Genaro en jetant un clin d'œil complice à don Juan.

Je me rassis et je regardai don Juan, mais il tourna la tête. J'hésitai. En effet la pensée que don Juan agissait avec réserve vis-à-vis de moi m'ennuyait. Se désintéressait-il de moi? Don Genaro riait. Il semblait attendre une réaction de ma part.

Je lui demandai de placer sa main sur mon épaule une seconde fois mais il refusa. Je le pressai de m'expliquer ce qu'il m'avait fait. Il gloussa de rire. Je me tournai vers don Juan pour lui dire que le poids de la main de don Genaro m'avait pratiquement écrasé.

« Je ne suis pour rien dans ces choses-là, dit-il d'un ton comique. Il n'a pas mis sa main sur mon épaule. »

Tous deux furent pris de fou rire.

« Don Genaro, qu'avez-vous fait?

– J'ai placé ma main sur ton épaule, répondit-il d'un air innocent.

– Faites cela à nouveau. »

Il refusa. Don Juan intervint pour me demander de décrire à don Genaro ce que j'avais perçu au cours de ma dernière expérience. Je crus qu'il voulait que je fasse le récit de ce qui m'était arrivé, mais plus je devenais sérieux, plus ils riaient. Deux ou trois jours je m'arrêtai; mais ils me pressèrent de reprendre.

« Quelle que soit ton attitude, l'allié viendra à toi, déclara don Juan. Je veux dire par là que tu n'as pas besoin de faire quelque chose pour l'attirer. Tu peux rester assis en te tournant les pouces ou en train de penser aux femmes, et soudain, une tape sur ton épaule. Tu te retournes. L'allié est là, debout à tes côtés.

– Que puis-je faire si cela m'arrive?

– Hé! Hé! Une minute, s'exclama don Genaro. Ça

n'est pas une bonne question. Tu n'aurais pas dû demander ce que tu pourrais faire. Il est évident qu'il n'y a rien que tu puisses faire. Tu devrais demander : que peut faire un guerrier? »

Il se tourna vers moi en clignant de l'œil. Sa tête penchait légèrement à droite et sa bouche était plissée.

Je regardai don Juan comme pour savoir s'il s'agissait d'une farce, mais il restait impassible.

« D'accord! dis-je. Que peut faire un guerrier? »

Don Genaro cligna de l'œil et claqua des lèvres comme s'il cherchait l'expression exacte. Le menton dans la main il ne me quittait pas des yeux.

« Un guerrier pisse dans ses frocs », dit-il avec la gravité majestueuse propre aux Indiens.

Don Juan se couvrit le visage et don Genaro trépigna en explosant d'un rire éclatant.

Une fois leur crise de rire passée, don Juan déclara :

« La frayeur est quelque chose qu'on ne domine jamais. Lorsqu'un guerrier est pris de court de façon aussi critique, sans y réfléchir à deux fois il fait demi-tour et s'enfuit. Un guerrier ne peut pas être indulgent avec lui-même, par conséquent il ne peut pas mourir de frayeur. Un guerrier ne laisse l'allié s'approcher que lorsqu'il se sent en forme et parfaitement préparé. Quand il est assez fort pour en venir aux prises avec l'allié, il ouvre sa trouée, fait un écart, attrape l'allié, le maintient cloué au sol et le fixe du regard aussi longtemps qu'il faudra. Puis il tourne les yeux, relâche l'allié et le laisse partir. Mon petit ami, un guerrier est le maître de chaque instant.

– Que se passe-t-il si on fixe du regard l'allié pendant trop longtemps? » demandai-je.

Don Genaro me regarda et imita de façon très comique celui qui fixe de manière forcenée.

« Qui sait? dit don Juan. Peut-être que Genaro te racontera ce qui lui est arrivé.

324

– Peut-être, reprit don Genaro en riant sous cape.

– Je vous en prie, racontez-moi cela. »

Don Genaro se leva, fit craquer ses articulations en étirant ses bras, et ouvrit ses yeux jusqu'à ce qu'ils soient devenus ronds, puis adopta une expression affolée.

« Genaro va faire trembler le désert », dit-il, et il alla dans les buissons.

« Genaro est décidé à t'aider, me glissa don Juan d'un ton confidentiel. Chez lui, il a fait la même chose, et tu as presque *vu* ».

Je pensai qu'il parlait de ce qui avait eu lieu à la cascade, mais il avait voulu mentionner ces tremblements supernaturels que j'avais entendus à la maison de Genaro.

« A propos, de quoi s'agissait-il? demandai-je. Nous en avons bien ri, mais vous ne m'avez jamais donné le clé du mystère.

– Tu ne me l'as jamais demandée.

– Mais si.

– Non. Tu m'as questionné sur tout, mais jamais sur ce point. »

Il me dévisagea d'un regard accusateur.

« C'était l'art de Genaro. Seul Genaro peut faire cela. Et alors, tu avais presque *vu*. »

Je déclarai que jamais je n'avais pensé associer le fait de « voir » avec ces étranges bruits.

« Et pourquoi pas? dit-il sèchement.

– *Voir* pour voir cela veut dire les yeux. »

Il me scruta du regard, comme si quelque chose en moi n'allait pas bien.

« Je n'ai jamais dit que *voir* était une affaire réservée seulement aux yeux, dit-il en secouant la tête pour marquer son incrédulité face à mon ignorance.

– Comment fait-il?

– Il t'a déjà dit comment il fait », répliqua don Juan.

A cet instant même j'entendis un grondement extraordinaire.

Je me levai en sursaut. Don Juan éclata de rire. Le grondement était telle une avalanche tonitruante. En l'écoutant attentivement je constatai avec amusement que mon expérience des bruits venait des films de cinéma. Le bruit de tonnerre que j'écoutais ressemblait au son utilisé dans les films lorsque le flanc d'une montagne s'écroule dans une vallée.

Don Juan se tenait les côtes, comme s'il avait mal à force de rire. Le grondement secoua le sol sous mes pieds. Je distinguai nettement les retombées de ce qui semblait être le bruit d'un gigantesque rocher roulant et retombant sur ses faces. J'entendis une série de bruits d'écrasement qui me donnèrent l'impression que le rocher se dirigeait vers moi. Je m'affolai. Mes muscles se contractèrent, mon corps tout entier était prêt à la fuite.

Je regardai don Juan. Il me fixait du regard. Alors j'entendis un coup sourd qui fut tel que jamais dans ma vie je n'avais entendu quelque chose d'aussi effrayant. C'était comme si un rocher monumental venait de tomber derrière la maison. Tout fut ébranlé, et au même instant j'éprouvai une sensation très particulière. Pendant un très court moment je « vis » réellement un rocher aussi gros qu'une montagne juste derrière la maison. Ce ne fut pas comme si une image se superposait à ma vision de la maison. Ce ne fut pas la vision d'un vrai rocher. Ce fut comme si le bruit créait une image d'un rocher roulant sur ses flancs gigantesques. En fait je « voyais » le bruit. Ce caractère inexplicable de ma perception me plongea dans la confusion et le désespoir. Jamais je n'aurais cru que mes sens pouvaient percevoir d'une telle manière. Une frayeur raisonnée me saisit, je décidai de m'enfuir pour sauver ma vie et ma raison. Don Juan m'attrapa par le bras. Il me dit de ne pas m'enfuir, de ne pas regarder en arrière, mais de faire face à la direction dans laquelle don Genaro s'était éloigné.

Ensuite j'entendis une série de grondements qui ressemblaient aux bruits de rochers tombant les uns sur les autres et s'empilant. Puis le silence régna. Quelques minutes plus tard don Genaro revint s'asseoir auprès de nous. Il me demanda si j'avais « vu ». Je ne suis que lui répondre. Je me tournai vers don Juan pour avoir son avis. Il me fixait du regard.

« Je crois que oui », dit-il en gloussant de rire.

J'avais envie de leur dire que j'ignorais parfaitement de quoi ils parlaient. Je me sentais frustré. J'éprouvai une sensation physique de colère et de malaise complet.

« Je crois que nous devrions le laisser *ici*, tout seul », dit don Juan.

Ils se levèrent et s'en allèrent.

« Carlos se laisse aller à sa confusion », dit don Juan d'une voix très forte.

Pendant des heures je restai seul. J'eus le temps de prendre des notes et de ruminer sur l'absurdité de mon expérience. En récapitulant je me rendis compte que la situation avait pris un caractère de farce dès mon arrivée. Plus j'y pensai, plus je me sentais convaincu que don Juan avait passé les rennes à don Genaro. Et à cette pensée, j'étais plutôt inquiet.

Ils revinrent à la tombée de la nuit. Ils s'assirent près de moi, un de chaque côté. Don Genaro se rapprocha; il était presque contre moi. Son épaule mince et frêle me toucha légèrement et j'éprouvai la même sensation que lorsqu'il posa sa main sur mon épaule. Un poids écrasant me renversa et je m'effondrai de côté sur les genoux de don Juan. Il m'aida à me redresser, et d'un ton moqueur me demanda si je désirais m'endormir dans son giron.

Don Genaro rayonnait de joie. Ses yeux brillaient. J'avais envie de pleurer. J'avais l'impression d'être un animal pris au corral.

« As-tu peur de moi, petit Carlos? demanda don Genaro d'un air très soucieux. Tu ressembles à un cheval sauvage.

– Raconte-lui une histoire, déclara don Juan. Il n'y a rien de tel pour le calmer. »

Ils allèrent s'asseoir en face de moi, et ils m'examinèrent avec une apparente curiosité. Dans la demi-obscurité leurs yeux paraissaient luisants, comme d'immenses bassins d'eau noire. Leurs yeux étaient grotesques. Ce n'étaient pas des yeux d'hommes. Pendant un moment nous restâmes les yeux dans les yeux, puis je tournai la tête. Je me rendis compte qu'ils ne me faisaient pas peur, bien que leurs yeux m'aient effrayé jusqu'à en frissonner. Une désagréable confusion s'empara de moi.

Après un long silence don Juan pria don Genaro de me raconter ce qui lui était arrivé lorsqu'il avait essayé de garder son regard rivé sur l'allié. Don Genaro qui était assis à un mètre en face de moi ne dit rien. Je le regardai. Ses yeux semblaient avoir quatre ou cinq fois la taille normale. Ils brillaient et m'attiraient irrésistiblement. Et ce qui, plus que tout autre chose, ressortait dans ses yeux était la lumière qui semblait en émaner. Le corps de don Genaro me parut plus ramassé, comme celui d'un félin. Je saisis un mouvement dans son corps de chat, et cela m'effraya. Automatiquement, comme s'il s'agissait d'un geste que j'avais l'habitude de faire depuis toujours, j'adoptai ma « forme de combat ». Je frappai ma cuisse selon un certain rythme. Lorsque je pris conscience de cette attitude, j'eus un peu honte. Je regardai don Juan. Il me fixait du regard, de son regard habituel. Ses yeux étaient amicaux et apaisants. Il éclata de rire. Don Genaro ronronna, se leva, et rentra dans la maison.

Don Juan m'expliqua que don Genaro était assez énergique, qu'il n'aimait pas tourner autour du pot, et qu'avec ses yeux il m'avait taquiné. Il ajouta que, comme toujours j'en savais bien plus que je ne croyais moi-même. Il commenta l'assertion qui veut que tous ceux qui manient la sorcellerie soient très dangereux au crépuscule, et dit qu'à ces heures-là un sorcier comme don Genaro pouvait accomplir bien des merveilles.

Nous restâmes silencieux. Je me sentais bien mieux, car en parlant à don Juan je m'étais détendu et j'avais repris de l'assurance. Il dit qu'il allait manger un morceau, puis que nous allions faire une promenade au cours de laquelle don Genaro m'apprendrait une technique pour se cacher.

Je fus curieux de savoir ce que signifiait une « technique pour se cacher ». Il répliqua que l'ère des explications avait pris fin, parce que m'expliquer quelque chose me conduisait à être indulgent vis-à-vis de moi-même.

Une fois que nous fûmes dans la maison, je vis que don Genaro avait allumé la lampe à pétrole. La bouche pleine, il mastiquait sa nourriture.

Après avoir mangé nous allâmes dans le désert. Don Juan marchait à mon côté et don Genaro quelques mètres en avant.

La nuit était claire, il y avait assez de lune filtrant entre d'épais nuages pour rendre les alentours parfaitement visibles. A un moment donné don Juan s'arrêta et me dit de continuer à suivre don Genaro. J'hésitai. Il me poussa doucement et m'assura que tout irait bien. Néanmoins, ajouta-t-il, je devrai être toujours prêt et avoir confiance en ma propre force.

Pendant deux heures je tentai de rattraper don Genaro, mais malgré tous mes efforts je n'arrivai jamais à le rejoindre. Sa silhouette se dessinait toujours devant moi, parfois elle disparaissait comme s'il avait sauté de côté en dehors du sentier, mais un instant plus tard elle réapparaissait plus loin devant moi. Il me sembla que tout cela était une étrange et inutile marche dans la nuit. Je continuai à le suivre car j'ignorai comment revenir seul chez don Juan. Je n'arrivais pas à comprendre l'intention de don Genaro, je croyais qu'il me guidait vers un endroit bien isolé pour m'enseigner la technique que don Juan avait mentionnée. Cependant, à un moment donné, j'eus l'impression que don Genaro était derrière moi. Je me retournai et aperçus quelqu'un à distance. Cette découverte m'alarma. Je m'efforçai de voir dans la nuit, et je crus bien distinguer à environ quinze mètres la silhouette d'un homme debout, presque noyée avec celle d'un buisson, comme si l'homme voulait se cacher. Attentivement j'observai l'endroit et, sans aucun doute cette fois, je vis la silhouette d'un homme essayant de se cacher derrière les sombres formes des buissons. Au moment même où j'étais persuadé de cela, je m'aperçus que je ne pouvais plus rien distinguer dans cette masse sombre des broussailles du désert.

Je me précipitai vers cet endroit où j'avais vu l'homme, mais il n'y avait personne. Quant à don Genaro il n'était plus visible, et puisque j'ignorai où aller, je décidai de m'asseoir et d'attendre. Une demi-heure plus tard don Juan et don Genaro arrivèrent. Ils m'appelaient à haute voix. Je me levai pour aller à leur rencontre.

Dans le silence le plus complet nous revînmes chez don Juan. Ce silence était d'ailleurs le bienvenu car j'étais complètement décontenancé par la tournure des événements. En fait, j'avais l'impression de ne plus me connaître moi-même, et don Genaro produisait quelque chose qui m'empêchait de formuler mes pensées à ma manière habituelle. Lorsque je m'étais assis sur le sentier pour attendre, je m'étais rendu compte de cette influence sur moi, car après un automatisme qui m'avait poussé à regarder ma montre, j'étais resté immobile et silencieux comme si ma faculté de penser avait été annihilée. Néanmoins j'éprouvais un état de vivacité absolument nouveau pour moi. J'étais vide de pensées. Il s'agissait d'une situation comparable à celle de ne se soucier plus de rien; pendant ce temps-là le monde semblait être dans un état de parfaite harmonie, il n'y avait rien à y ajouter, rien à en retirer.

En arrivant don Genaro déroula une natte et s'endormit. Alors seulement se présenta le désir de raconter mon expérience à don Juan, mais il ne me laissa pas dire un seul mot.

Le 18 octobre 1970

« Je crois que je comprends ce que don Genaro essayait de faire l'autre nuit », déclarai-je à don Juan, avec l'intention de l'inciter à parler; ses refus successifs m'énervaient.

Don Juan sourit et hocha lentement la tête comme pour signifier qu'il était d'accord avec ce que je venais de dire. C'est un geste que j'aurais pu interpréter par l'affirmative s'il n'y avait pas eu dans ses yeux un étrange reflet.

« Vous ne pensez pas que j'aie pu comprendre cela ?

– Je présume que tu comprends...; en fait, tu comprends. Tu comprends que don Genaro était en permanence derrière toi. Bien que dans ce cas, comprendre ne soit pas le point crucial. »

Cette déclaration me choqua vraiment. Je le suppliai de m'expliquer comment don Genaro avait-il pu être toujours derrière moi.

« Ton esprit est tel que tu ne vois les choses que d'un seul côté, et c'est le cas dans cette affaire », dit-il.

Il prit une brindille sèche et l'agita en l'air. Il ne dessinait pas quelque chose en l'air, ses mouvements ressemblaient à ceux de ses doigts lorsqu'il trie les débris dans une pile de graines. C'était comme un lent ratissage ou grattage fait en l'air avec la brindille.

Il se tourna vers moi et me regarda. Je haussai les épaules pour lui exprimer mon ignorance devant son geste. Il se rapprocha et répéta ses mouvements. Il marqua huits points par terre. Il encercla le premier.

« Tu es là, dit-il. Nous sommes tous là. Là, c'est la sensation. Et nous allons d'un point à l'autre. »

Il encercla le second point qui était juste au-dessus du premier, puis il agita sa brindille d'un point à l'autre comme pour illustrer un échange très actif.

« Cependant, il y a six autres points qu'un homme est capable de manipuler, et la plupart des gens ignorent même jusqu'à leur existence ».

Il plaça sa brindille entre les deux premiers points et tapota le sol.

« Le déplacement entre ces deux points c'est ce que tu nommes la compréhension. C'est ce que tu as fait pendant toute ta vie. Si tu déclares que tu comprends ma connaissance, tu n'as rien accompli de plus. »

Alors il joignit par des lignes certains de ces points avec les autres et ainsi dessina une longue figure trapézoïdale qui avait huit centres de rayonnement inégaux.

« Chacun des six autres points est un monde, exactement comme la sensation et la compréhension en sont deux pour toi.

– Pourquoi huit points? Pourquoi pas un nombre infini, comme dans un cercle? » demandai-je.

Je dessinai un cercle par terre. Don Juan eut un sourire.

« Pour autant que je sache il n'y a que huit points qui soient accessibles à l'homme pour s'en servir. Peut-être ne peut-il aller au-delà. Et j'ai bien dit pour s'en servir, et non pas comprendre. As-tu bien saisi ce point-là? »

Il m'imitait, ou plutôt se moquait de mon insistance à

utiliser le mot exact. Et il le fit sur un ton tellement amusant que j'éclatai de rire.

« Ton problème est que tu veux tout comprendre, ce qui est impossible. Lorsque tu persistes à tout vouloir comprendre, tu ne fais pas entrer en ligne de compte tout ce qui t'échoit en tant qu'être humain. Ta pierre d'achoppement est toujours là, inchangée. Et c'est pourquoi tu n'as presque rien accompli pendant toutes ces dernières années. Bien sûr, tu as été brusquement sorti de ton profond sommeil, mais cela aurait pu tout aussi bien se produire dans d'autres circonstances. »

Suivit une longue pause silencieuse, puis don Juan m'ordonna de me lever pour l'accompagner au canyon de l'esprit du point d'eau. Au moment où nous nous installions dans ma voiture, don Genaro surgit de derrière la maison et se joignit à nous. Nous abandonnâmes la voiture pour nous engager dans un profond ravin. Don Juan choisit un endroit à l'ombre pour faire une halte.

« Une fois, tu m'as raconté ce qu'un de tes amis t'avait dit. Vous aviez tous deux observé une feuille tombant du plus haut d'un sycomore, et il avait déclaré que plus jamais dans toute l'éternité cette même feuille ne tomberait à nouveau du même sycomore. Te souviens-tu de cela? »

Je me souvenais de lui avoir raconté cette scène.

« Nous sommes au pied d'un grand arbre, continuat-il, et maintenant si nous regardons cet autre arbre, juste devant nous, nous pouvons peut-être voir une feuille tombant de sa plus haute cime. »

Il me fit signe de regarder. En face de nous, juste de l'autre côté du lit du torrent, il y avait un grand arbre aux feuilles jaunissantes et sèches. D'un mouvement de la tête il insista pour que je persiste dans mon observation. Quelques minutes plus tard une feuille se sépara de la cime de l'arbre et commença à tomber. Par trois fois elle heurta des feuilles ou des branches avant

333

d'atteindre la végétation poussant au-dessous de l'arbre.

« L'as-tu vue?

– Oui.

– Tu jurerais donc que la même feuille ne peut plus jamais tomber du même arbre. Est-ce bien vrai?

– Oui, c'est vrai.

– Au mieux de ta compréhension, c'est vrai. Mais cela n'est qu'au mieux de ta compréhension. Regarde à nouveau. »

Automatiquement je levai les yeux. Une feuille tomba. Elle heurta les mêmes feuilles et branches que la précédente. C'était exactement comme si je voyais un *instant re-play* à la télévision. Je suivis des yeux la chute ondulante de la feuille jusqu'à ce qu'elle arrive au sol. Je me levai pour voir si au même endroit il y avait deux feuilles, mais l'épaisse végétation au sol interdisait cette vérification.

Don Juan éclata de rire et me demanda de m'asseoir.

« Regarde, dit-il en désignant d'un signe de la tête la cime de l'arbre. Une fois de plus, la même feuille qui tombe. »

Et une fois encore je vis une feuille tomber suivant la même trajectoire que les deux précédentes.

Lorsqu'elle arriva au sol je sus que don Juan allait me faire regarder à nouveau, mais avant qu'il n'ait eu le temps d'ouvrir la bouche je levai les yeux. La feuille tombait à nouveau. Alors je me rendis compte que je n'avais vu que la première feuille se détacher de la cime, ou plutôt, devrais-je dire, la première fois que la feuille tomba je la vis se détacher de la branche, alors que les trois autres fois elle tombait déjà lorsque je levai les yeux.

Je précisai ce point à don Juan, et je le pressai de m'expliquer ce qu'il faisait.

« Je ne comprends pas comment vous arrivez à me

faire voir ce que j'ai déjà vu auparavant. Don Juan, comment agissez-vous sur moi ? »

Il éclata de rire mais ne me répondit pas. J'insistai. Il devait m'expliquer le fait que j'aie pu voir et revoir cette feuille tomber. Selon ma raison, déclarai-je, cela était impossible.

Don Juan répondit que sa raison lui disait la même chose, cependant j'avais bien vu et revu cette feuille tomber. Il se tourna vers don Genaro.

« C'est curieux, quand même ! » lui dit-il.

Don Genaro ne répondit pas. Ses yeux restaient rivés sur moi.

« C'est impossible ! m'exclamai-je.

– Tu es enchaîné ! déclara don Juan. Tu es enchaîné à ta raison. »

Il expliqua que cette feuille était tombée et retombée de cet arbre de manière qu'enfin je cesse de toujours tenter de comprendre. D'un ton confidentiel il me confia que j'avais toute l'affaire bien en main, mais que malgré cela ma manie l'emportait toujours et arrivait à m'aveugler.

« Il n'y a rien à comprendre. Comprendre est seulement une très mince affaire, absolument insignifiante », dit-il.

A ce moment-là don Genaro se leva. Il jeta un rapide coup d'œil à don Juan, leurs regards se croisèrent, puis don Juan se mit à regarder le sol devant lui. Don Genaro vint devant moi et commença à balancer ses bras d'avant en arrière, à l'unisson.

« Regarde, petit Carlos, dit-il. Regarde ! Regarde ! »

Il lança un son extraordinairement aigu, comme le sifflement d'un fouet claquant en l'air, comme un bruit de quelque chose qui se déchire. A l'instant précis de ce son je sentis se creuser un vide dans mon ventre, une sensation terriblement angoissante comme lorsque l'on tombe dans le vide, une sensation qui n'était pas pénible, mais plutôt désagréable et épuisante. Elle ne dura que quelques secondes et s'évanouit en laissant persister un étrange picotement dans mes genoux. Et pendant ce même instant, je perçus un autre phénomène absolument incroyable. Je vis don Genaro au sommet de montagnes qui étaient environ vingt kilomètres plus loin. Cette perception dura quelques secondes, et elle me surprit tellement que je n'eus pas le temps de la détailler. Je ne peux pas me souvenir si je vis au sommet des montagnes un homme de taille réelle, comme s'il était proche de moi, ou seulement une image réduite de don Genaro. Je n'arrive même pas à me souvenir s'il s'agissait ou non de don Genaro. Cependant, à cet instant-là je fus sans l'ombre d'un doute persuadé que je l'avais vu debout sur les montagnes. Et au moment où me traversa la pensée qu'il était impossible de voir un homme à vingt kilomètres la perception de l'image s'annula.

Je cherchai don Genaro. Il n'était plus là.

L'état de stupéfaction que je ressentis fut aussi singulier que tout ce qui m'arriva à ce moment-là. Sous l'effort mon esprit se vrilla, et je me retrouvai complètement désorienté.

Don Juan se leva, m'ordonna de placer mes mains sur mon ventre et de presser mes jambes contre mon corps dans une position recroquevillée tout en restant assis au sol. Pendant un certain temps nous observâmes le silence, puis il déclara qu'il allait s'interdire de me fournir de nouvelles explications sur quoi que ce soit, parce qu'un homme peut devenir un guerrier uniquement en agissant. Il me recommanda de partir sur-le-champ, sinon don Genaro dans son effort pour m'aider allait réussir à me tuer.

« Tu vas changer de direction, dit-il, et tu briseras tes chaînes. »

Il précisa qu'il n'y avait rien à comprendre ni à propos de ses actions, ni à propos de celles de don

Genaro, et que les sorciers étaient parfaitement capables d'accomplir des exploits extraordinaires.

« Genaro et moi, dit-il en désignant un des centres de rayonnement de la figure qu'il avait dessinée, nous agissons à partir de là. Et ce n'est pas le centre de la compréhension. Mais tu sais ce que c'est. »

J'aurais voulu lui dire que j'ignorais complètement de quoi il parlait, mais il ne m'en laissa pas le temps. Il se leva et me fit signe de le suivre. Il marchait très rapidement, et il ne fallut pas longtemps pour que, en essayant de le suivre sans trop perdre de distance, je sois à bout de souffle et inondé de sueur.

Lorsque nous fûmes assis dans la voiture je cherchai don Genaro du regard.

« Où est-il?

— Tu sais très bien où », me jeta don Juan.

. Comme nous le faisions chaque fois avant que je parte, nous nous assîmes. Un besoin envahissant de poser des questions me pressait. Quelques explications devenaient indispensables. Comme le dit don Juan, ma grande indulgence avec moi-même est vraiment ce besoin d'explications.

« Où est don Genaro? risquai-je.

— Tu sais très bien où. Cependant chaque fois tu échoues à cause de ton insistance à vouloir comprendre. Par exemple, l'autre nuit, tu savais tout le temps que don Genaro était derrière toi. Tu t'es même retourné, et tu l'as vu.

— Non, protestai-je. Non, je ne le savais pas. »

Et j'étais sincère. Mon esprit refusait d'accepter cette sorte de stimuli comme s'ils étaient « réels » et cependant, après dix années d'apprentissage avec don Juan, mon esprit ne pouvait plus confirmer mes vieux critères bien ordinaires pour déterminer ce qui était réel ou non. Toutes les spéculations que jusqu'à ce jour, j'avais pu échafauder sur la nature de la réalité n'étaient que de pures manipulations de mon intellect. La preuve, sous la pression exercée par les actions de don Juan et de don Genaro mon esprit s'était engagé dans une voie sans issue.

Don Juan me dévisagea. Dans ses yeux il y avait une telle tristesse que j'en pleurai. Les larmes jaillirent d'elles-mêmes. Pour la première fois de ma vie, je sentis le poids encombrant de ma raison. Une angoisse indescriptible s'empara de moi. J'eus un gémissement involontaire et je le serrai dans mes bras. De la jointure de ses doigts il m'assena un coup sec au sommet du crâne. Je sentis comme une vibration descendre le long de ma colonne vertébrale. Elle me dégrisa.

« Tu es beaucoup trop indulgent avec toi-même », dit-il avec une extrême douceur dans sa voix.

ÉPILOGUE

Lentement don Juan tourna autour de moi. Il paraissait être en train de se demander s'il allait ou non me
dire quelque chose. Deux fois il s'arrêta, puis sembla
changer d'avis.

« Que tu reviennes ou non est parfaitement sans
importance, déclara-t-il finalement. Cependant, il te faut
maintenant vivre comme un guerrier. C'est quelque
chose que tu as toujours su. Mais maintenant tu te
trouves dans une situation telle qu'il te faut faire usage
de quelque chose dont tu n'avais pas voulu tenir compte
auparavant. Pour acquérir cette connaissance, tu as dû
te battre. Elle ne t'a pas été simplement passée. Il a fallu
que tu la presses en dehors de toi-même. Néanmoins, tu
restes un être lumineux. Tu vas mourir comme le font
tes semblables. Une fois, je t'ai dit que dans un œuf
lumineux, il n'y a rien à changer. »

Il demeura silencieux. Je savais qu'il me fixait du
regard, mais j'évitais ses yeux.

« En toi, rien n'a vraiment changé. »

MIROIR D'UNE DISPARITION

Du sorcier au savant, quel travail, compenser la perte. Quand dès l'abord, la sorcellerie existe, le dire d'ici clame son inanité par tant de morts. Génocide pour supprimer la connaissance; et que tout soit mis en vente – jusqu'à ce livre, Gallimard-témoin, machine à doutes... Loi nivelante, sens unique : la Civilisation passe par l'autoroute, aimant désertique où l'humanité buissonnière aspirée hors de ses redoutes vient avec un hoquet d'enfant-loup (allait-il parler ?) mourir au garde-à-vous. Sans destinataire, les fils électriques portent par l'univers le bruit de l'homme unique, qui ne veut connaître du monde que ce qu'en piègent ses travaux. Portraits effarés d'Indiens doux, regards défoliés. Evangile, raison, pétrole : tout est passé! Leurs mains n'ont plus de terre, les frères n'ont plus de sœurs, d'alliés, leur esprit n'a plus l'air de respirer : poissons morts faute d'avoir pu transmuer, somnambules du vainqueur, castrats de l'espèce, esclaves à ne rien faire; clochards, fous. La sorcellerie...

Non, elle ne les a pas sauvés.

Par profession, Carlos Castaneda enquête; par peur de soi s'écarte; en seigneur, parcourt l'après-monde... Voyage aux cendres de la terre; reculons d'une taupe. Resterait-il de l'invendu? La raison n'entend qu'elle partout, a eu raison de tout; elle devient lasse. De nouveaux hommes en

341

leur jeunesse peuvent bien entreprendre de s'ouvrir aux effluves glacés de l'acide; c'est encore elle, métallique, qui bruit dans la chute qui les guette; triste unisson. Séparé de tout courant, Carlos Castaneda s'arrête dans une petite ville d'Arizona sans trop se poser de questions. Il s'intéresse aux plantes médicinales, mauvaises herbes, chardons, peyotl. Que ne faut-il pas chercher! Aiguille dans une botte... Mais justement le foin est envolé. Il rencontre son homme dans une gargotte. Un regard dans une loque : c'est un Indien sans société. Et le renvoi de la question à laquelle il l'allait soumettre :

– Pourquoi fais-tu ça, blanc mec?

L'aiguille n'est pas à vendre, exposée. Elle est de face, savant! Avant même que tu la cherches elle t'a percé. Un ethnologue contre un sorcier : c'est l'enjeu de la reconquête? Custer est mort pour vos péchés, dit aux Blancs le Sioux Vine Deloria, brandissant haut la parole indienne déterrée[1]. Corps à corps au-delà de la culpabilité, Carlos Castaneda traverse une mort plus avancée : celle, vécue intimement, initiatique, de la grille, du joug, du masque qui lui tenait lieu de pensée.

Sur deux livres déjà, le silence vrille un regard plus net[2]. Si le conquérant devenu disciple décrit avec minutie son orgasme – étrange défaite – est-ce pour le seul plaisir de fournir à son maître de quoi se torcher? Je crois plus. Aux cimetières de nos bibliothèques, l'auteur s'offre vif, écorché; lui le savant; dans la langue de la conquête, à la lumière d'Occident, sous l'œil inaccessible de son maître, c'est enfin le Blanc qui s'abaisse, vivisecté. Nous ne saurons rien sur don Juan; ou presque...

1. Vine Deloria, *Custer died for your Sins*, traduit en français sous le titre *Peau-Rouge*, Edition Spéciale, 1972.
2. *A Separate Reality* fait suite à *The Teachings of don Juan*, traduction Marcel Kahn : *L'herbe du diable et la petite fumée*, Le Soleil Noir, 1972.

Nouvelle religion de l'intellect qui n'ose pas annoncer son lieu, oralo-surcultivée, l'ethnologie s'écrit sur bandes, pellicules, papier. Liante plus que lue. La grenouille veut se faire aussi grosse que le bœuf; elle le croyait plus petit. La dire science n'engage, strictement, qu'une façon d'en durcir la glu. Résidus : empaqueter? Cette dubitable prétention, ici, rit d'avorter. « Connais d'abord ton désir », dit l'Indien au Blanc aveuglé. Aujourd'hui. La disproportion bée. Endigueur impuissant, l'auteur ne nous dit pas ce que l'Indien « est », il a trop peur, ni ne prend prétexte de son altérité pour se gonfler lui-même en théorie : il a bien essayé, sans réussir à séduire même sa machine à divulguer. Plutôt, entraîné vers ce qui l'effraie, il décrit pas à pas, d'un regard traîné, le chemin qui l'éloigne de ce qu'il était, caché au grand jour, vers ce qu'il sera, peut-être, lorsqu'il saura – livré à la nuit d'avant tout désir, où l'écriture n'a plus cours.

Paradoxe d'une littérature surannée? Ou premiers pas, en allusion, dans la littérature prise par la sortie, d'une voix qui éventuellement n'y reviendra, trempée de magie, que pour la faire voler en miettes?

Sur l'ailleurs, lieu du savoir auquel la vision, ennemie du discours, conduit; sur l'autre monde qui se tient dans la doublure de celui que nous croyons avoir soumis; sur cette « réalité séparée » à laquelle seuls ont accès ceux qui croient que le monde vit, et que c'est l'homme qui est vu et que sa volonté ne tend qu'à l'interner; sur cette terrible réalité qui est celle du monde ici mais auquel il faut un courage de guerrier pour s'offrir nu – qui, soupçonnant de quoi il parle, discourrait? Même à formuler le mystère par le sorcier; le réel, non, ce sont les hommes qui se sont séparés, se vouant à communier dans l'hallucination qui les unit, tâtant leur ressemblance...[1] Car il ne suffit pas de renverser l'ordre des métaphores et de dire, anthropomor-

---

1. « ... *avec les maux humains comme pour en bénir quelque funeste moule* » – Mallarmé.

phisme à rebours, que c'est l'homme qui est « comme »; il faut encore être prêt à s'ouvrir aux effets de la parole ainsi retournée – surtout si la terre, mère de toute médecine, nous propose des nourritures tellement plus fines que les produits trop connotés du viscère qui nous sert d'esprit. Passages où l'énorme filtre... où qui voit est pris...

Reste alors la figure du piège : deux récits où se lit, chiffré, le déliement d'une fuite qui s'empare et, disparaissant, naît. Quel benêt bêlerait au bord, lisant, qu'il a compris? Le peyotl produit d'innombrables écrits, rares d'encre. Qu'espère-t-on enfin des mots? Tous dûment enrôlés dans les rangs d'un alphabet! Attend-on sérieusement de ces soldats de l'Ancien Monde qu'ils découvrent autre chose que le panorama de leur dévastation? Et, s'il reste une cendre non résignée, pst, souffleur! holà, guide...

La scène étant celle où notre cécité assassine, expliquer – lire : cliquetis, d'arme s'entend – sera laissé côté suicide : inchanger. Je dessinerais plutôt le non-vu de mon habitude : impression, jusqu'en ce français, d'un basculement, oui, la fin d'un monde; déliement, où d'autres rompent. Et intuition d'intersections, dont l'écriture alphabétique n'est qu'une, communication avec des signes hors du champ codé de toute re-présentation, certains purs événements, champ lu de sa propre ouverture, transcroissance, et sans qu'il soit besoin d'aller au bout du monde. Entre la pensée qu'on voudrait nôtre, habitante des livres, et l'expérience de la vision, abîme. Différence intraduisible. L'écriture, ce pou, veut enclore le monde; elle ne peut que s'y briser. Pour la mémoire qui s'explore et se recouvre, pour maint « Indien », le monde-là est archive vivante : organisme qui se développe en pouvoirs. La forme est affaire d'expérience. On ne lit pas des forces, on les vit immédiatement. Encore faut-il les voir : l'enjeu de cette croissance singulière est la conscience, son libre épanouissement. Mais nos organes s'opacifient dans les bas rôles de série; s'ossifient, perdent le chant. Concierge d'un logis qui la conspue l'intelligence très vite n'œuvre, s'aveuglant, qu'à consolider *ses nuls tâtonnements; et les mots, de canne, deviennent gourdins.*

Cependant, je vois trop ce qui me sépare de Carlos Castaneda, où il me laisse, pour ne pas tenter de répondre plus nettement de la façon dont sa disparition s'imprime en moi :

Cette réserve où il se tient; ce livre où si peu se livre, cette réticence, ne pas vivre, n'être pas vu, se fuir dans la franchise à courte vue; cet entêtement à conserver l'amitié de ses manies, à tenir sa répétition, à s'agripper au mur de la raison qui choit; à dire ce qui lie, pas ce qui rompt, titiller sa brèche au lieu d'y saillir; cette curieuse, quasi suspecte absence de perversité, de double fond, ce petit ethnologue de lait; cette peur d'exister soi, fourbie en investigation; cette obstination à vivre au figuré, par profession interposée, et ce questionnement, toujours, attendant du vieil homme qu'il lui explique :

– Don Juan, qu'est-ce qui m'arrive?

Est-ce vrai, est-ce ainsi que les choses se sont passées, est-ce une pose après coup? Est-ce l'écriture qui accuse l'écart et déploie la contradiction vécue moins bas? Ou bien faut-il penser, cette réserve et cette pauvreté emprisonnant l'enquêteur dans ses questions pas toujours clairvoyantes, qu'elles furent des signes auxquels le vieux sorcier l'a reconnu? Trait d'union entre un Yaqui privé des siens et tourné vers l'in-visible, et un ladino hors de soi, intact sous le vernis yankee, restitué intact à ses fabricants.

D'autres, qui déploient plus fastueusement leurs richesses de nantis, ne peuvent pas mieux révéler fausse leur monnaie qu'en affichant ce qu'ils « comprennent » et, comme Le Clézio, en disant qu'ils sont ce qu'ils ne sont pas[1]. A une telle prétention de grenouille veuve, le bœuf

---

1. « Je ne sais pas comment c'est possible mais c'est ainsi : je suis un Indien. » (Le Clézio, *Haï*, Paris, Skira, 1972, p 1.) Mais : « Yo no soy indio, carajo! » s'écrie l'Indien d'aujourd'hui. (*Le sang du Condor*, film aymara, 1969.)

toujours sur la langue, Carlos Castaneda oppose la retenue d'un désir trop singulier pour s'ouvrir à tout propos; et mesure, voyant aux yeux clos, l'intensité d'existence promise à sa réserve, d'après le peu qu'il a cédé à ce qui le tenait enclos. Sans ce constant rabattement sur le soi même selon le ralenti d'une agonie qui dépense toute sa lucidité à s'observer, sans cette plongée allant délier des nœuds d'enfance aussi contraignants qu'oubliés, comment la gêne de savoir que la lecture nous confronte à une trahison dans les termes serait-elle supportable? Cette dé-spiritualisation systématique de l'expérience qui, par l'écrit, se sert d'une amitié...

Mais qui juge –? Relation écrite au temps dérisoire dans lequel le savant en rupture de certitudes retombe dès qu'il perd son guide, miettes du festin, chiures au pied de l'arbre, ce texte pointe vers un futur indicible et indubitable. Fictivement, récit d'un ethnologue à la fois doué au-delà du dire (il l'ignore) et obtus à en pleurer dès qu'il parle (il en rajoute). En fait, en fin, où le silence reprend à ce miroir-ci sa buée, Castaneda, s'avère-t-il, n'était-il pas un indigène qui se prenait pour un Blanc?

Rétablissons. Dans cette pièce de science-fiction, écrite entre deux disparitions, l'Indien représente l'Humanité quasi détruite, le Blanc les envahisseurs débarqués d'une non-planète. Le ciel est mort; il n'y a d'issue, de solution, que s'en remettre à l'expérience des gens du cru. Est-il trop tard pour vivre en hommes sur cette planète si peu habitée? Les destructions organisées par l'occupant ont-elles comblé toutes les passes? La mécanisation de l'homme a-t-elle atteint un point de non-retour? La mise en esclavage des organes était-elle le mot de la fin? En tant qu'envahisseurs, nous sommes drôlement placés pour nous poser ce genre de questions! Et pourtant...

L'assurance avec laquelle nous, héritiers obligés de la tradition occidentale, occupons aujourd'hui le monde, il suffit d'un regard autre qui nous mette face à l'esprit de notre désir pour qu'elle chancelle et nous découvre, sous les charniers de cinq continents, la complicité des politiciens castrateurs qui nous triturent. Ou, numéro, serrer les rangs, ou déléguer à ses os la valeur d'une rentrée en nature. Vivre en tant que créature suppose ce dilemme su. Ci-gît le désir, dit Don Juan, la mort à côté de lui. Savoir qui nous sommes, quel est cet œuf lumineux; et quel est ce monde, notre trouvaille... ?

Une guerre nous sépare de cet accomplissement, qui n'est pas celle qu'on voit conduite au nom de la Révolution. Cette idée-là nous veut trop ressemblants. Le masque nous mange dedans. Je hasarderai que de nouvelles résistances s'organisent; guerres intérieures, d'indigènes qui se cherchent sous l'occupant, ce Moi, vieux récipient que des siècles, voire des millénaires, séparent de l'air que nos nez respirent...

Où qu'il soit aujourd'hui, nul doute que Carlos Castaneda n'ait commencé à se désintégrer. Le magnétisme sociologique n'a plus d'effet sur lui; cette grimace contrainte : tous semblables... La sorcellerie tranche vif la séduction : sois séparé. La différence est naturelle, dit-elle, épouse-toi. Existe selon ta vraie distance : d'autres alliés te feront signe. La terre a plus de secrets pour ceux qui l'entendent que n'en pourra jamais comptabiliser la science en deuil d'organes. Les alliés qui se tiennent dans l'entremonde attendent ceux qu'elle a choisis. Pour accéder à l'autre, pour que quoi que ce soit d'autre que toi compte pour toi il faut que tu te sois accepté. Et donc il faut mourir à ce que tu étais, au temps que tes pensées fabriquent, au temps qui te refait – mais mourir sur le chemin rituel d'une renaissance autre, dans un autre monde, ici-bas. Ce vers quoi tendent toutes les énergies de ta vie liées dans l'impouvoir, détournées au miroir disjonctif de la pensée (travail mécanique), alors que leur destination naturelle est la coïncidence entre leur transformation d'énergie en vision avec la présentification de certaines *énergies ensevelies dans l'apparence ordinaire – dans l'apparence rendue ordinaire et emprisonnante dès que, sans recours à une autre dimension, on la tient pour réalité. L'important n'est pas de comprendre que « la vraie vie est ailleurs » mais de la vivre, poétique active où l'ici se réveille ailleurs, où le monde-partenaire apparaît.*

Si l'enjeu de l'existence de l'espèce résidait dans l'écart risqué entre ses membres? Si l'unité (l'homme, poussant toujours plus loin – ou près? – l'exploration de lui-même, suscitant l'inapparu) était à cette condition, horizon toujours élargi multipliant sans fin ses chances – toute autre définition ne visant qu'à interrompre sa croissance et trahissant l'asservissement du savoir à la loi, de l'esprit à la force, et de l'individu non à l'espèce (dont nul ne peut sans terrorisme arrêter la figure, en chaque homme, époque, civilisation ressuscitée hors de ses détournements enfantins), mais à l'armée des petits chefs qui, pétrissant l'humanité à l'image de leur pessimisme, font révérer comme nécessaire l'ordre qui favorise leurs prédations?

Mais il y a le XXᵉ siècle, la Civilisation. L'Aujourd'hui triomphant de tout espace et de tout temps. Mais de quoi s'agit-il, sinon de sigles marqués au fer dans les mémoires tranchées du monde, glissant vers l'amnésie totalitaire, cicatrisant tortures, bûchers, guerres, au jardin des supplices de l'ethnocide où tout ce qui fut foi et forme singulière d'accord entre la présence de l'infini et le recueillement d'hommes qui s'entendirent et se transmirent l'art d'aller son chemin propre devint cible et parabole de la mort, topographie sacrificielle selon laquelle un fragment d'humanité qui entend être l'humanité tout entière, et la dernière, s'ampute, suppléant par le culte de la puissance de l'argent aux pouvoirs naturels d'attraction dont elle efface les témoins dans l'univers, et disant que de toute façon ce qui meurt était voué à mourir, en Soi – son au-delà, vide, ici-bas?...

Est-ce l'horreur des sacrifices oubliés qui rend l'homme
moderne *une machine si étrangère à soi qu'elle fonctionne
à temps complet sur programme et, presque, ne s'exalte
qu'aux ordres? Le mépris que l'écrasante majorité des
hommes vouent à ceux qu'ils tiennent pour asservis à
une sauvagerie pire que la leur, ce mépris est trop violent
pour ne pas indiquer que la supposée condition de
« civilisé » résulte à peu près partout d'une* intégration
forcée.

*Sorcier yaqui, don Juan n'est pas un spécimen ethnolo-
gique. Ni une recette, gadget pour intellectuels en mal
d'occultisme. Cependant, la difficulté pleinement affrontée
de sa relation dispense l'apprenti Castaneda des habituelles
et fallacieuses références savantes. Don Juan est un
homme qui, dans les fissures et remous d'un texte acciden-
tel, parle aux hommes d'une liberté aujourd'hui repoussée
aux limites de l'imaginaire ou, si elle « sort », condamnée
à cribler sa dépense dans les réduits concentrationnaires :
la liberté qui se gagne contre la description du monde qui
correspond aux coutumes des hommes et qu'entretient en
eux leur continuel ressassement d'affaires d'hommes –
jusqu'en leurs rêves, « scientifiquement » réinterprétés en
vue d'une meilleure adaptation. L'état moral d'humanité
est apparence, comme la faim, la peur, l'espace ou le désir
sexuel. Quand don Juan dit qu'il suffirait que nous
arrêtions notre monologue intérieur pour que le monde
nous apparaisse tel qu'il est (« soit » : que la réalité
échappe par nature au discours – qui en crée une dérivée,
dite normale – mais non nécessairement à l'homme; que
les forces cachées du monde, qui tiennent les hommes, et
contre lesquelles les hommes érigent leurs ramparts
bruyants, peuvent se convertir en pouvoir, moyennant
l'acceptation totale du principe de multiple réalité; ou
encore que, si l'inconscient est langage d'instinct ou figure
de désir, ce ne sont là encore que des* surfaces *sous
lesquelles des énergies, pleinement déterminées et cependant singulières, peuvent s'offrir à l'ouverture visionnaire*

dans un terrible acte d'amour[1]), ce propos nous donne à mesurer le chemin qui nous sépare du silence, seuil de la liberté sans laquelle aucune culture n'existerait et qui, en yaqui comme dans la plupart des cultures amérindiennes, s'énonce moins qu'elle ne se pratique, solitaire : VOIR.

Or cette distance ne risque-t-elle pas de devenir infranchissable dès que l'homme, soumis aux règles de similitude, se fossilise au sein du monde vivant qui le digère, au point que tout dialogue, échange, dialectique entre les ressources spirituelles de l'homme et les formes de la matière tarit?

Dès demain faudra-t-il dire la liberté morte, l'enterrer, se mortifier à coups de résidus fantasmatiques, succédanés de vision interdite, chérir ceux qui vous amputent des cancers qu'ils vous ont refilés, obéir – et descendre dans la longue espérance souterraine où mise en veilleuse elle se résignera, souveraine engendreuse, à ne plus être que transmise sans éclairer, jusqu'au jour incertain où elle pourra refaire signe?

On ne revendique pas politiquement, avec banderoles et slogans, la liberté d'expérimenter tous les modes possibles de connaissance; on n'explique pas aux meneurs d'hommes que la vie vaut plus que les normes, que la vie est le seul réservoir de vérité, que c'est elle la maîtresse de la science, elle qui donne le plus au nom de quoi on veut la nier.

On ne revendique pas cette liberté-là. On ne peut même plus la prendre. Les ressources naturelles auxquelles elle s'alimente seront bientôt épuisées. Il ne reste qu'à l'oublier. D'un oubli dont il faut seulement espérer qu'il sera un rampart contre toute trahison, sinon tout désespoir, contre toute récupération en tout cas par les chefs d'in-

1. Orée contre quoi la psychanalyse entasserait plutôt ses détritus jusqu'à en faire l'indispensable jeu de ses chers clients.

dustrie qui en feraient, vu l'étendue de leurs pouvoirs, une arme plus noire que toutes les magies rassemblées.

D'un oubli stratégique tel celui qui permet, loin de toute définition de leur présence parce qu'ils s'outre-passent, la passagère alliance entre deux hommes que tout sépare, comme s'il avait fallu cette distance extrêmement déguisée entre la mémoire éblouie du vieux solitaire qui s'en va sous les quolibets de la génération des Indiens prolétaires, et le lucide désarroi de l'étudiant américain désintégré, pour que le savoir fût transmis, rien que transmis, c'est aujourd'hui tout ce qu'on peut attendre.

Parfois don Juan rit. Réponse à la malice du Créateur?... Si le lecteur reste surpris, qu'il se représente le vieux sorcier en équilibre sur sa tête chaque fois que le savant ouvre, le temps de mourir, son stylo.

Jean MONOD.

Impression Brodard et Taupin
à La Flèche (Sarthe),
le 28 octobre 1987.
Dépôt légal : octobre 1987.
1ᵉʳ dépôt légal dans la collection : août 1985.
Numéro d'imprimeur : 1135-5.

ISBN 2-07-032310-2 / Imprimé en France

42159